LE CHEVALIER AU LION

LES CLASSIQUES FRANÇAIS DU MOYEN AGE
Collection fondée par Mario Roques
publiée sous la direction de Félix Lecoy

LES ROMANS

DE

CHRÉTIEN DE TROYES

ÉDITÉS D'APRÈS LA COPIE DE GUIOT
(Bibl. nat. fr. 794)

IV

LE CHEVALIER AU LION (YVAIN)

PUBLIÉ PAR

MARIO ROQUES

PARIS
LIBRAIRIE HONORÉ CHAMPION, ÉDITEUR
7, QUAI MALAQUAIS (VIᵉ)

1982

INTRODUCTION

I. — Manuscrits, éditions.

Yvain ou *Le Chevalier au Lion* est tenu pour le meilleur des romans de Chrétien par la variété de ses épisodes, l'intérêt de ses situations psychologiques et la délicatesse de ses études de sentiment. Le moyen âge nous en a transmis plusieurs manuscrits, et quelques fragments qui en attestent aussi la diffusion : les éditions modernes en ont eu un succès répété, et ont suscité des études importantes.

Parmi les manuscrits d'*Yvain* figure, comme pour les autres romans de Chrétien, la copie de Guiot (B. N. fr. 794), qui n'est peut-être pas de façon continue aussi excellente qu'elle l'est par exemple pour le *Lancelot*, et dont les rapports avec les autres manuscrits d'*Yvain* restent assez compliqués, mais qui n'en est pas moins une copie fort satisfaisante que nous pouvons être parfaitement autorisés à continuer de prendre pour base de notre édition.

Manuscrits et Éditions. — *Yvain* a été conservé par les copies suivantes :

— Paris Bibl. nat. 794 (H de Foerster ; copie de Guiot, sur laquelle on pourra consulter l'article de M. Roques paru dans la *Romania*, t. LXXIII (1952), pp. 177-199).
— Paris Bibl. nat. 1433 (P de Foerster).
— » » » 1450 (F de Foerster).

— Paris Bibl. nat. 12560 (G de Foerster).
— » » » 12603 (S de Foerster).
— Rome Vatican, Christine 1725 (V de Foerster).
— Chantilly 432 (A de Foerster).

Nous avons de plus des fragments :

— ceux de Montpellier (M de Foerster)
— et ceux d'Annonay (ou de Serrières), publiés en partie
par A. Pauphilet (1954) et par L. F. Flutre (*Romania*,
LXXV, pp. 16-21).

Le texte d'*Yvain* a été publié en 1887 par Wendelin
Foerster au tome II de son édition complète de Chrétien,
puis, à plusieurs reprises de 1891 à 1925, dans sa *Romanische
Bibliotek* ; cette édition a été reproduite en 1943 et en 1948,
d'après l'édition Foerster de 1912, par J. B. W. Reid ;
enfin la copie de Guiot a déjà servi de base à H. W. Linker
pour son édition de 1940. Le texte d'*Yvain* n'a pas toujours
beaucoup profité à toutes ces reprises, mais les éditions
successives de W. Foerster constituent un essai de com-
mentaire continu auquel nous aurons plus d'une fois à nous
référer.

On doit à André Mary (*Le Chevalier au Lion*, Paris, 1925)
une traduction en français moderne qui peut servir utile-
ment de guide dans la lecture du récit de Chrétien.

II. — LE RÉCIT.

Un chevalier du roi Artur, Calogrenant, raconte à la cour
assemblée après table un jour de Pentecôte, l'aventure
peu glorieuse qui lui arriva quelques années auparavant
dans la forêt de Brocéliande. Cherchant, un peu au hasard,
une aventure merveilleuse, il se trouva auprès d'une fon-
taine ombragée d'un beau pin, au voisinage d'une chapelle
ancienne et d'un perron de pierre précieuse. En répandant
sur le perron l'eau prise à la fontaine dans un bassin de

métal pendu au pin par une longue chaîne, on faisait éclater une terrible tempête qui brisait les arbres alentour et dévastait le pays. Calogrenant, ayant fait l'essai de cette merveille, avait vu bientôt arriver un puissant chevalier : celui-ci lui avait demandé raison de la dévastation qu'il avait, sans motif, et sans défi, fait subir à son fief ; dans la lutte qui avait suivi, Calogrenant, vaincu et renversé, n'avait eu d'autre ressource que de s'enfuir piteusement à pied.

Les auditeurs attentifs ont des réactions diverses : tandis que Keu, le sénéchal, avantageux et piquant, comme d'ordinaire, se répand en railleries et en sarcasmes, Artur, toujours curieux de merveilles et magnifique en desseins, se propose d'aller dans la quinzaine avec une suite brillante de guerriers pour retrouver l'aventure et en découvrir la merveille.

Cependant un autre chevalier, que l'aventure intéresse particulièrement, car c'est un cousin germain du malchanceux Calogrenant, Yvain, fils du roi Urien, sans forfanterie et sans étalage de projets, se propose en lui-même de reprendre l'aventure à son compte, en ne laissant pas aux gens d'Artur le temps de la lui enlever. Renseigné par le récit de Calogrenant, il retrouve fort bien le pin et la fontaine, fait à son tour l'épreuve de l'eau répandue sur le perron, déchaîne de nouveau tempête et désolation, et attend le défenseur du pays ainsi ravagé sans raison. Ce seigneur arrive promptement et un combat violent s'engage : Yvain blesse à mort le défenseur de la fontaine, lequel s'enfuit en hâte à son tour, tandis que le vainqueur le poursuit, en le serrant de près, jusque dans son château, mais une porte, descendant brusquement devant Yvain, contraint de s'arrêter, met le seigneur à l'abri de cette poursuite, tandis que, derrière Yvain et au ras de ses éperons une autre porte tranchante s'abat, coupe son cheval en deux et enferme le chevalier ainsi pris au piège, entre les parois de l'entrée et les fermetures coulissantes.

Mais soudain une étroite ouverture de la muraille laisse

paraître une avenante demoiselle ; celle-ci reconnaît Yvain, auquel elle doit quelque remerciement pour avoir éprouvé sa courtoisie un jour où cette suivante, envoyée par sa dame comme messagère au château d'Artur, n'y avait pas rencontré chez tous les assistants autant d'empressement. En remerciement, la jeune fille se propose de sauver le chevalier prisonnier en lui trouvant une retraite dans la demeure même du défunt, dont la « maisnie » brûle de se saisir du meurtrier. La pucelle y parvient en passant au doigt d'Yvain un anneau qui le rendra invisible de tous ceux qui voudraient le saisir, même s'il se trouve au milieu d'eux. En effet, leur recherche insistante, et parfois comique, reste vaine ; Yvain, invisible, verra passer le cortège funèbre que mène, dans la douleur, la veuve du chevalier mort ; il aura ainsi tout le loisir d'admirer la beauté de la dame qui, dans l'excès même de son désespoir et de sa colère, reste une des plus belles femmes que la terre ait portées ; il ne peut détacher d'elle ses regards, et, plus il l'essaie, plus il se sent prisonnier en une captivité plus étroite, bien que toute volontaire, la captivité de l'amour. Folie peut-être, Yvain le reconnaît, mais que l'aide de la demoiselle secourable pourra mettre sur le chemin du possible et de la réalité.

La demoiselle s'est en effet imaginé, de façon assez audacieuse, mais fort bien raisonnée, de persuader sa maîtresse qu'elle doit non seulement renoncer à s'enfermer dans sa douleur, mais même renoncer à tirer vengeance de la mort de son époux, Esclados-le-Roux, tué en combat loyal et régulier. Le plus grave, pour la dame, est que la mort de son valeureux époux va laisser sans défense son fief et sa fontaine, au moment où la curiosité d'Artur et de ses chevaliers est attirée vers ce fief et en fait l'objet de dangereuses convoitises. Et puisque son vaillant mari a été vaincu, la dame, qui ne peut pas compter sur le secours de ses vassaux, ni sur leur vaillance douteuse, n'a d'autre ressource que de se confier à celui-là même qui a mené victorieusement l'attaque et qui peut assurer la défense de la fontaine. Protestations et colère de la dame, dont l'habile dialectique de la suivante finit par triompher.

Mais où est le meurtrier ? La jeune fille se fait forte de le retrouver à la cour d'Artur, et c'est maintenant la dame qui insiste pour qu'il en vienne d'urgence. La demoiselle, qui l'a caché et nourri jusqu'ici, le fait alors paraître ; la dame cède à la beauté de ce chevalier et à la franchise de ses réponses enflammées d'amour. Leurs noces sont célébrées assez à temps pour qu'Artur, venu à la fontaine, ayant versé l'eau sur le perron et déchaîné la tempête, soit surpris par l'arrivée d'un chevalier puissant : c'est Yvain lui-même qui jette à bas l'outrecuidant Keu et se fait reconnaître de Gauvain et du roi. La joie est générale ; elle se terminera bientôt en douleur pour les deux amants par la faute d'Yvain lui-même : un nouveau roman va commencer, avec la deuxième partie du récit de Chrétien, plus compliquée et dramatique que la première, et peut-être aussi plus humaine.

Gauvain, tout heureux d'avoir retrouvé son compagnon Yvain dans le bonheur de son état nouveau, lui rappelle qu'il ne doit pas sacrifier sa gloire de chevalier aux joies d'un amour, si beau soit-il et si pleinement partagé. Il demande à Yvain de reprendre avec lui leur campagne de tournois, de valeur et de gloire, et la dame, dont nous savons peut-être maintenant le nom [1], Laudine (de même que celui de sa belle et habile suivante, qui d'ailleurs plaît fort à Gauvain, Lunete), Laudine, malgré sa peine de se séparer de son nouvel époux, consent à son départ pour ne pas être un obstacle à sa gloire, mais elle limite strictement à une année l'absence qu'elle accepte, sous la peine, si ce délai est dépassé, que son amour généreusement accordé disparaîtra sans rémission devant un si outrageant oubli.

Le doute de la dame n'est que trop justifié. Malgré son amour certain, Yvain, par entraînement de chevalerie,

---

1. Voir *Notes critiques* au vers 2150.

peut-être aussi par quelque légèreté égoïste d'esprit, a laissé passer le moment du retour : quand il s'en rend compte, il est trop tard et la suivante de la dame de la Fontaine est de nouveau à la cour d'Artur, mais, cette fois pour apporter à Yvain des paroles de colère et de mépris : sa dame désespérée, outragée, victime d'un larron d'amour, reprend cet amour, bien résolue à ne jamais le rendre.

Pour Yvain, le coup est effroyable : sa raison s'envole ; il se persuade qu'il ne peut plus rester dans la société des hommes, et il va vivre dans les bois, sans vêture, se nourrissant de gibier cru, en « homme sauvage », pauvrement aidé par un hermite un peu effrayé, jusqu'au jour où les demoiselles de la dame de Norison retrouvent Yvain sans vêtement, le reconnaissent grâce à une cicatrice de son visage et finissent par lui rendre peu à peu l'esprit par l'effet d'un onguent donné à leur dame par la fée Morgane.

Yvain, revenu à la raison, ne paraît pas croire qu'il puisse chercher à reconquérir son épouse. Il semble qu'il ait pris conscience de la nécessité, pour en obtenir son pardon, d'une sorte de réhabilitation supérieure. Il va en effet, dès ce moment, mettre sa valeur au service des déshérités, surtout des femmes malheureuses et persécutées. Pour commencer, il apporte le concours de sa vaillance à la dame de Norison dont le merveilleux onguent a réussi à le sauver : il la délivre des entreprises guerrières d'un seigneur voisin, le comte Alier, qui, avec son armée, ravage le pays pour le conquérir en même temps que la main de la dame. Les gens du pays menacé sont ainsi délivrés, et leur dame elle-même souhaiterait garder ce vaillant défenseur à titre de seigneur, c'est-à-dire d'époux. Mais Yvain, après sa victoire, quitte, à leur grand regret, ceux qu'il a délivrés.

Une nouvelle occasion de charité expiatoire se présente bientôt. Il s'agit cette fois d'un noble animal, un lion, qu'Yvain trouve aux prises avec un serpent dont la gueule jette des flammes et qui a déjà saisi le lion par la queue et les reins. Yvain hésite un instant, puis se décide à porter secours à la noble bête, au risque d'avoir ensuite à se défendre contre celui même qu'il aura secouru. Il tue le serpent, dégage le lion, et il a la surprise de voir celui-ci lui faire manifestement hommage à sa manière : le lion va devenir son compagnon fidèle, d'une fidélité merveilleuse et symbolique de la vertu du souvenir. Yvain va devenir le *Chevalier au lion*, la bête reconnaissante l'accompagnera désormais à tout instant et pourra lui apporter une aide utile, en le pourvoyant de gibier, et en prenant part à l'occasion à ses combats.

A ce moment, Yvain se retrouve, par aventure, à la fontaine du pin ; il est pris, à la pensée qu'il a perdu à tout jamais l'amour de la dame de la Fontaine, d'une nouvelle crise de désespoir à laquelle le lion lui-même semble s'associer. Mais, de la vieille chapelle qui est auprès, Yvain entend sortir des gémissements et des lamentations de femme : il reconnaît, enfermée à l'intérieur, l'amie qui lui fut jadis si secourable, Lunete. Les autres serviteurs de sa maîtresse, jaloux de sa confiance, ont accusé Lunete de trahison à cause de la défection d'Yvain, et elle est en danger d'être brûlée vive si elle ne trouve pas de défenseur capable de la protéger contre ses adversaires déclarés, qui sont trois. Or Gauvain, défenseur possible, n'est pas à la cour d'Artur (il est dans la quête de Guenièvre, ce qui relie *Yvain* à *Lancelot*) et Yvain a disparu. Mais c'est justement lui qui entend les plaintes de Lunete ; il se fait reconnaître de la malheureuse et promet qu'il viendra dès le lendemain la défendre.

En attendant, il reçoit, cette nuit l'hospitalité dans un château où règne la désolation ; les fils du seigneur sont menacés d'être pris et mis à mort par un géant, Harpin de la Montagne, qui, dans sa colère de ne pas obtenir la fille du seigneur, se propose de la livrer à la luxure de ses plus ignobles serviteurs. Or cette jeune fille est la propre nièce de Gauvain ; Yvain voudra donc voler au secours des malheureux parents de son compagnon le plus cher.

Le lendemain, en effet, il se mesure au géant Harpin qu'il

tue, aidé par son lion, et il délivre ainsi de leurs craintes
la sœur de Gauvain et ses neveux. Puis il vole au secours
de Lunete, triomphe de ses trois ennemis et réussit ainsi
à lui rendre, comme par une décision de justice, la faveur
de sa dame. C'est un pas possible vers une réconciliation
de celle-ci avec Yvain, mais nous n'en sommes pas là.

Auparavant, le chevalier repentant se trouve engagé dans
une autre intervention. Le seigneur de la Noire-Épine, dont
nous ne savons rien de plus, meurt en laissant deux filles ;
mais l'aînée refuse d'abandonner une part d'héritage à la
cadette. Cette dernière veut trouver un défenseur de sa
cause, pense à Gauvain, mais elle a été devancée par l'aînée
qui s'est assuré la protection de cet illustre chevalier. C'est
Yvain qui aura, un peu plus tard, le soin de défendre les
droits de la déshéritée. Un combat singulier, aussi courtois
qu'inattendu, aura lieu alors entre les deux brillants cheva-
liers et amis pour régler la question de l'héritage à la satis-
faction générale, en même temps qu'il assurera la connais-
sance réciproque des deux héros que le hasard aura opposés
sans qu'ils le veuillent, et sans même qu'ils se reconnaissent.

Mais ceci ne se produira qu'après l'épisode du château
de Pesme-Aventure, qui vient encore s'intercaler, sans
nécessité absolue et sans lien indispensable, dans les aven-
tures d'Yvain. Il ne fera que retarder d'autant la récon-
ciliation souhaitée, mais il a le mérite de nous présenter
une peinture surprenante d'une situation économique et
sociale fort curieuse.

Yvain est en effet reçu un soir, assez peu courtoisement
d'ailleurs, en un château qu'on nomme de Pesme-Aventure
et dont on fait vainement effort pour lui déconseiller l'en-
trée. Le trait le plus frappant de cette demeure est qu'elle
comporte, en un grand enclos entouré de très forts pieux,
un vaste atelier, un « ouvroir », où sont réunies trois cents
jeunes filles qui y travaillent à des ouvrages d'or et de soie
au mieux de leur habileté ; celle-ci n'a d'égale que l'extrême
misère où sont tenues ces ouvrières, en haillons malpropres,

si peu nourries qu'elles sont maigres, épuisées de fatigue et que leur visage est baigné de larmes. Ces filles sont là comme tribut payé, à la suite d'une guerre, par un seigneur voisin aux châtelains, personnages démoniaques aidés par deux fils de diable, nés d'une femme et d'un « noton », qui sont de terribles adversaires. Yvain, parcourant le château, en découvre enfin les seigneurs, un riche homme, sa femme et sa fille, qui vivent une vie d'oisiveté et de luxe grâce au travail des ouvrières exploitées : Yvain décide de délivrer celles-ci, mais il convient d'abord qu'il se délivre lui-même, car le seigneur refuse de le laisser partir à moins que, vainqueur des « fils de diable », il n'épouse sa fille, aussi belle d'ailleurs que désireuse d'être unie à ce chevalier. Quant à obtenir la libération des ouvrières, il n'y faut pas songer avant qu'il se soit mesuré avec les deux monstrueux sergents et qu'il ait obtenu la main de la fille du seigneur en même temps que ses biens. De cette union nous savons bien qu'il ne peut être question pour Yvain. Quant aux monstres, non sans peine et sans blessures, Yvain et son lion en triomphent et les tuent.

A partir de là, Chrétien ne nous présente plus de nouvelle aventure offerte à Yvain ; le duel avec Gauvain pour l'héritière de la Noire-Épine n'est qu'une suite. Il semble qu'Yvain n'ait plus à songer qu'à lui-même et à son bonheur perdu. La première partie d'*Yvain* était le récit audacieux d'un amour conquis par une valeur exceptionnelle, perdu par l'impardonnable légèreté d'un chevalier oublieux, pénétré d'un sentiment intense, mais peut-être sans profondeur suffisante.

La seconde partie sera le récit d'une rédemption, acceptée pour la réparation de cet oubli à force d'entreprises toujours nouvelles et plus hardiment dangereuses et peut-être en progrès de générosité : services à la dame de Norison contre les demandes brutalement appuyées du comte Allier, lutte avec le serpent pour sauver le lion, combat disproportionné contre les ennemis de Lunete ; le premier épisode

au château de Norison étant d'une courtoisie chevale-
resque assez banale et après tout simple reconnaissance
de la guérison réussie, le second marquant l'effort pour le
lion contre le reptile, service, mais aussi récompense, de
la confiance accordée par le noble animal, le troisième,
plus dangereux, juste paiement de services rendus par
Lunete. Le quatrième, celui d'Harpin de la Montagne, plus
difficile encore par la force de l'adversaire, rehaussait Yvain
dans l'échelle des valeurs, et dans l'estime de tous, puisqu'il
sauvait du deuil et du déshonneur la famille du plus noble
des chevaliers, Gauvain ; enfin le cinquième triomphe
d'Yvain, au château de Pesme-Aventure, apporte le salut,
non pas seulement à un être ou à quelques personnes,
mais à trois cents malheureuses, en même temps qu'il
marque le dédain d'Yvain pour toutes les richesses que lui
eût assurées leur abominable exploiteur, avec la main et
la beauté de son héritière. Tout cet effort continu d'Yvain
pour les malheureux constitue une œuvre voulue de haute
charité et de supérieure rédemption.

Or Yvain, après son retour à la raison, n'a pas un moment
cessé de penser à son bonheur enfui, par exemple quand
il se retrouve inopinément auprès de la fontaine, ou quand
il demande à Lunete délivrée de se souvenir de lui auprès
de sa maîtresse. La question était de savoir quand il pourrait
avoir l'audace de demander à sa dame un pardon qu'elle
avait assez le droit de lui refuser.

Au terme de ses succès en bonnes œuvres, justifié par
l'indécision même de sa bataille avec Gauvain, chevalier
sans pair, il peut se croire digne du pardon, étant bien décidé
à mourir s'il ne l'obtient pas. Alors il se trouve amené à
reprendre les choses au début de ses rapports avec la dame
de la Fontaine, en lui forçant la main au sujet de la tempête,
et en venant, avec l'aide de Lunete, se jeter à ses pieds.
C'est ainsi que Lancelot hésite longtemps devant l'apparent
dédain de Guenièvre, et prend le courage de parler librement
à celle qu'il aime quand il se sent assez grandi et excusé

par tant de traverses et de dangers affrontés pour elle. Mais Yvain ne demandera pas son pardon à une reconnaissance personnelle, il veut l'obtenir par la preuve, si longuement donnée, d'une valeur morale qui domine et efface un manque d'attention amoureuse, plus blâmable que vraiment déshonorant et destructeur d'amour.

L'amour de Lancelot allait sortir vainqueur par sa persistante soumission à la légitime volonté de Guenièvre ; l'amour d'Yvain triomphe grâce à un effort conscient et continu de sentiment chrétien et de perfectionnement humain.

III. — TABLEAUX ET SCÈNES, PORTRAITS ET SILHOUETTES.

Le récit d'*Yvain* ne comporte qu'un petit nombre de personnages principaux agissant, pensant ou souffrant : Yvain, la dame de la Fontaine, Lunete, qui apparaissent en un petit nombre de décors généraux : cour d'Artur, château d'Esclados-le-Roux avec son domaine, sa forêt et sa fontaine défendue, pour des actions peu variées, joutes de chevaliers ou longues chevauchées. Mais il comporte un assez grand nombre de silhouettes plus ou moins poussées, et des circonstances diverses, qui rompent la monotonie de l'action, et varient la liste des personnages aussi bien que les décors.

Parmi les rôles ainsi esquissés figurent la Reine (c'est Guenièvre, nommée seulement à la fin du roman, au v. 6168), suzeraine, claire dans ses propos et ferme dans la tenue de sa cour, mais courtoise et conciliante ; le roi Artur, loyal justicier, dont l'initiative et l'activité personnelles sont réduites, mais que séduit facilement l'idée et le projet d'une entreprise hardie et merveilleuse ; son neveu Gauvain, le parfait chevalier, toujours prêt à s'engager dans la défense d'une juste cause et d'une héroïne malheureuse, mais qui, dans *Yvain*, est de peu d'efficacité et sert plutôt par son amitié, à mettre en haut relief la valeur du héros principal. Quant aux guer-

riers d'Artur, qui nous sont connus par ailleurs, au moins
de nom, ils n'ont pas ici de caractères bien définis, si ce n'est
le sénéchal Keu, toujours taquin, caustique et agressif au
point de s'attirer les reproches de la Reine, et plein d'une
forfanterie que punit vite son échec dans les joutes qu'il
réclame ; et, tout différent, le sage et modeste Calogrenant,
aussi brave que Keu, mais sans outrance, et reconnaissant
facilement ses incapacités ou ses échecs ; cette opposition
entre l'outrecuidance de l'un et la discrétion de l'autre vaut
d'être signalée ; on y peut reconnaître une qualité de famille
propre aux deux cousins, Calogrenant et Yvain.

Hors de la cour d'Artur, l'on remarquera le vavasseur
courtois qui fait bon accueil à Calogrenant, comme le fait
à Erec le pauvre vavasseur père d'Énide, de même les hôtes
successifs de Lancelot. Mais cette fois l'hôte obligeant se
fait un mérite d'accueillir volontiers les « chevaliers errants »
(l'expression est rare), et paraît regretter de n'en plus rece-
voir autant qu'il le désirerait.

Esclados-le-Roux, époux de Laudine, est un seigneur fier
et brutal, dont l'ardeur ne va pas jusqu'à la démesure et
qui, durement frappé, n'hésite pas à fuir pour trouver refuge
en son château.

Le comte Alier qui veut s'emparer de la terre de Nori-
son, et obtenir du même coup la main de la dame, ne fait
pas meilleure figure quand il se trouve devant la défense
organisée et soutenue par Yvain.

La charité de l'ermite n'empêche pas qu'il souhaite de
ne plus revoir auprès de sa cellule l' « homme sauvage »
qu'il a secouru.

Harpin de la Montagne n'est pas un chevalier, c'est un
géant féroce et infâme qui ne veut que pillage, massacre
ou déshonneur pour ce qu'il déteste ; il n'a d'un chevalier
ni l'armure, avec son vêtement de peau d'ours, ni l'armement,
avec l'énorme pieu qu'il brandit à deux mains, et son impuis-
sance à se défendre contre les coups d'estoc et de taille de
l'épée d'Yvain.

Laudine et Lunete ne paraissent pas priser très haut l'ardeur et la vaillance des chevaliers défenseurs éventuels de leur château, et les officiers de Laudine sont obligés de se mettre à trois pour soutenir la lutte avec celui qui voudrait arracher Lunete à leur rigueur.

Quant au seigneur du château de Pesme-Aventure, avec son apparence de prud'homme et le charme tranquille de sa vie familiale, ce n'est qu'un impitoyable exploiteur des habiles et malheureuses ouvrières laissées à sa discrétion, et il ne se soucie que de garder le bénéfice de cette situation, même à l'aide du concours de véritables « maufés ».

Si bien que le personnage le plus sympathique parmi ces rôles secondaires paraît être le gardien de taureaux sauvages, sauvage lui-même et hideux à voir, qui effraye Calogrenant et le renseigne à peine, non sans le railler, un peu comme fait, dans *Aucassin et Nicolette*, le vilain bouvier bourru et tendre. Il est difficile de ne pas rapprocher les deux scènes.

On n'en est que plus frappé de trouver des sentiments remarquablement humains chez la bête sauvage et noble, le lion, qui voue à son sauveur Yvain une reconnaissance sans limites, allant jusqu'à paraître souffrir avec lui de sa peine et vouloir participer au désir de mettre fin à sa vie par excès de chagrin. Quelle que soit ici l'exagération de la légende antique du lion reconnaissant, elle était bien de nature à mettre Yvain en une situation morale hors de pair.

Certains personnages de second plan paraissent, dans *Yvain*, traités avec plus de sympathie que d'autres : la dame de Norison par exemple qui, très attachée à la possession de l'onguent qu'elle tient de la fée Morgane, se réjouit qu'il ait du moins servi à rendre la raison au pauvre Yvain, et accepte sans difficulté le mensonge de sa suivante destiné à en expliquer la perte, et ne serait pas fâchée de retenir comme défenseur, et comme époux, le vaillant chevalier à qui elle a porté un si précieux secours.

La fille du vavasseur et celle du châtelain de Pesme-

Aventure ont elles aussi de la grâce, mais la dame de la Fontaine et Lunete ont des personnalités plus marquées et des rôles plus actifs.

L'on a voulu retrouver dans l'histoire de la première l'influence du conte de la matrone d'Ephèse et la marque, chez Chrétien de Troyes, d'une certaine misogynie railleuse qui insisterait sur l'inconstance des femmes : et sans doute Laudine n'a pas la constance d'affection d'une Griseldis. Mais sa situation est tout autre : Laudine est à la tête d'un fief qu'elle a le devoir de défendre. Cette défense imposée ne peut être le fait d'une femme, elle exige un défenseur qui ait le droit et le pouvoir de l'assurer : Esclados-le-Roux disparu, il est indispensable de lui donner un remplaçant, et la douleur, si violente et sincère, de sa veuve ne peut pas sans forfaiture la soustraire à ce devoir. De savoir si ce second mariage fera oublier la première affection, c'est une question que nous n'avons pas à nous poser plus que ne le fait Chrétien. Il reste que la dame de la Fontaine acceptera, sans l'avoir recherché, pour son nouvel époux, celui-là même qui a causé la mort du premier. Elle ne le fait d'ailleurs pas sans débat et il faudra toute l'habileté dialectique de Lunete pour l'emporter sur les résistances de la jeune veuve. Toutefois on voit mal quel autre parti elle pourrait prendre dans la nécessité urgente qui la presse. C'est peut-être d'ailleurs la particularité de ce cas qui a intéressé et séduit le romancier, et, sans vouloir abuser d'une comparaison dangereuse, elle se trouve entraînée par une sorte de raison d'État, tout comme Chimène à l'égard de Rodrigue.

Lunete, dans ces conditions, apparaît comme l'expression et l'instrument de la Raison, et son habileté intelligente consiste surtout à concilier cette Raison — que Chrétien met si volontiers en opposition avec l'Amour — d'une part avec l'amour antérieur de sa maîtresse pour Esclados, d'autre part avec l'amour nouveau que ne peut manquer d'inspirer à sa maîtresse le jeune héros, que Lunete connaît déjà, et qu'elle estime. De là l'importance du rôle de Lunete et de ses dialogues avec sa maîtresse, dont elle n'est pas seulement la suivante ou la messagère, mais la conseillère, et même la sage conscience, et dont les mérites sont assez évidents pour avoir séduit Gauvain, comme ils ont gagné la confiance d'Yvain ; ainsi s'explique mieux le retour de faveur accordé par sa maîtresse à Lunete, un moment sacrifiée contre toute justice.

Sans vouloir rechercher si la dame de la Fontaine et Lunete, les deux premiers rôles féminins de cette merveilleuse histoire, n'ont pas gardé quelque chose du caractère des fées, auxquelles fait légitimement songer la Fontaine défendue par la dame et auprès de laquelle Lunete, grâce à Yvain, gardera la vie et recouvrera la liberté, nous ne saurions oublier que Lunete dispose du pouvoir d'invisibilité de l'anneau qui sauvera Yvain, et qu'elle est en relations avec la « demoiselle sauvage » qui l'a renseignée (et par elle sa maîtresse) sur les projets d'Artur et de sa cour, de même que la dame de Norison est en rapports avec la fée Morgane et lui doit le don de l'onguent merveilleux qui guérira Yvain.

Parmi les silhouettes fugitives du roman d'Yvain, il faut noter les deux filles du seigneur de la Noire-Épine, l'aînée, autoritaire, désirant garder tout l'héritage de son père, revêche au point d'être insupportable à tous, et la cadette, conciliante, prête à se contenter d'une portion de l'héritage, toutes deux décidées à confier la défense de leurs causes, l'une au célèbre Gauvain et l'autre, à défaut de Gauvain, au Chevalier au Lion, resté anonyme. La cadette se met à la recherche d'Yvain et, au prix d'immenses difficultés réussit à le faire rejoindre et à l'intéresser à son sort, si bien que le conflit entre les sœurs pourra enfin s'apaiser grâce à la justice d'Artur.

Comme dans les autres romans de Chrétien, le récit d'*Yvain* est coupé de scènes mouvementées à plusieurs personnages dans des décors divers.

Il nous suffira d'en citer ici des exemples :

1. Propos de chevaliers à la cour d'Artur.

2. Réception de Calogrenant par le vavasseur obligeant et sa fille.

3. Les taureaux sauvages et leur gardien.

4. La fontaine « bouillante », le grand pin, le perron et la chapelle.

5. La tempête effroyable déchaînée tour à tour par Calogrenant, Yvain, Artur, et de nouveau, Yvain pour forcer la volonté de sa dame.

6. Après la tempête, le retour sur le pin des oiseaux qui s'étaient enfuis et qui reprennent, chacun sur sa feuille, leurs chants tous différents, accordés en une merveilleuse symphonie symbolique de la paix rétablie.

Ces deux épisodes sont des éléments vraiment merveilleux du roman.

7. Les portes coulissantes du château d'Esclados sont une curiosité mécanique plus qu'une merveille ; la description de Chrétien n'en est d'ailleurs pas très claire.

8. Au contraire l'anneau qui rend invisible est une merveille traditionnelle.

9. Cortège funèbre d'Esclados et sa grande pompe, et douleur de la veuve.

10. Vaine recherche du meurtrier par la mesnie d'Esclados avec des détails presque comiques.

11. Conseils de Lunete et débats avec sa maîtresse pour la décider à épouser le vainqueur.

12. Recherche fictive d'Yvain et sa présentation à la dame de la Fontaine qui l'accepte après un débat d'amour fort pressant.

13. Arrivée d'Artur et de ses guerriers et ridicule déconvenue de Keu devant Yvain.

14. Joie de Gauvain et consentement de sa dame au départ avec lui d'Yvain pour un temps strictement limité.

15. Oubli par Yvain du délai fixé et venue à la cour de

la messagère de la dame de la Fontaine qui dénonce la faute d'Yvain et lui retire l'amour de sa dame.

16. Yvain pris de folie. Sa vie dans les bois, sans vêture, en « homme sauvage ».

17. Yvain reconnu, grâce à une cicatrice, par une suivante de la dame de Norison et guéri grâce à un onguent donné par la fée Morgane.

18. Yvain, au service de sa bienfaitrice, repousse les attaques du comte Alier et lui impose la paix, mais n'accepte pas de devenir l'époux de la dame.

19. Yvain, retourné à sa vie errante, sauve de l'attaque d'un serpent à la gueule enflammée un lion, qui par reconnaissance se fait le compagnon et l'aide du chevalier.

20. Le hasard ramène Yvain à la fontaine sous le pin. Sa douleur se réveille et, dans une défaillance, il se blesse avec son épée au grand désespoir de son lion.

21. Mais il entend sortir de la vieille chapelle les plaintes d'une femme qui y est enfermée : c'est Lunete condamnée à être brûlée vive, à l'instigation de trois officiers de Laudine, pour la trahison d'Yvain. Celui-ci promet de revenir le lendemain pour défendre son amie.

22. Yvain hébergé par une famille accueillante, mais plongée dans le désespoir : deux de ses fils ont été tués, deux autres sont menacés de l'être par un voisin géant, Harpin de la Montagne, qui veut livrer leur sœur à d'ignobles serviteurs.

23. Au matin, avec l'aide de son lion, Yvain tue Harpin, après un combat très différent des combats chevaleresques, et délivre ainsi ses hôtes de leur souci.

24. Puis il revient au bûcher préparé pour Lunete, bat les trois félons qui l'avaient accusée auprès de sa maîtresse. Celle-ci pourra rendre sa confiance à Lunete, mais ne saura pas qui a été le sauveur de sa suivante, qu'elle ne connaîtra que sous le nom du « Chevalier au lion ».

25. Tandis qu'Yvain et son lion sont quelque temps au repos pour guérir leurs blessures, la mort du seigneur de la

Noire-Épine entraîne un drame cntre ses deux filles, l'aînée, autoritaire et revêche, la cadette, plus conciliante, mais également désireuse de trouver un défenseur ; renseignée par Lunete sur la valeur du Chevalier au Lion, elle se décide à requérir son secours et pour cela commence une quête d'un nouveau genre pour le retrouver, ce qui amènera le duel merveilleux de Gauvain et d'Yvain.

26. Auparavant une nouvelle lutte se présente à Yvain, celle du château de Pesme-Aventure, où il découvre un atelier, où 300 jeunes filles travaillent à des ouvrages de fil d'or et de soie : c'est déjà, dans des conditions un peu spéciales (jeunes filles, travail industriel au profit d'un exploiteur), une manière de camp de prisonniers ou de déportés soumis à un travail forcé.

27. Yvain poursuivant sa recherche trouve les maîtres du château qui lui font bel accueil et forment un tableau très séduisant : un homme étendu sur un lit de soie écoute sa fille lui lire un roman, tandis que la mère s'approche pour entendre, elle aussi, la lecture ; la jeune fille est d'une beauté admirable et elle reçoit Yvain de la manière la plus délicate.

28. Au matin, Yvain veut prendre congé, mais on le lui refuse, à moins qu'il ne lutte avec les deux « maufés » et n'en triomphe, obtenant ainsi la main de la fille de la maison et la liberté des travailleuses qu'il souhaite délivrer.

29. C'est encore une lutte « vilaine », hors de l'usage chevaleresque qu'Yvain livre aux deux fils de diable, armés de lourdes masses cerclées de métal ; Yvain est vainqueur grâce à l'aide ingénieuse de son lion, et il quitte cet abominable repaire, en dédaignant la belle demoiselle dont on lui offrait la main et les richesses, mais en menant devant lui toutes les malheureuses que le châtelain lui a abandonnées, dont la joie est revenue et qu'il libère enfin.

Il y a dans tout cet épisode des scènes de haut ton ou de grâce certaine qui en justifient l'étendue.

30. Le jugement du différend des héritières de la Noire-Épine sera fixé par le duel entre les deux champions qui

s'ignorent, Gauvain et Yvain ; un moment vient où ils se reconnaissent : le combat finit sans vainqueur ni vaincu, et c'est l'arbitrage d'Artur qui règle la question.

31. Yvain s'en va avec son lion ; il a fini le cycle de ses travaux, mais il n'en a pas fini avec sa peine et, pour obtenir le pardon de sa dame, il résout de la replonger dans les dangers dont il l'avait une fois sauvée : il reviendra à la fontaine et déchaînera sans fin la tempête. La dame est alors frappée d'une terreur que Lunete exploite en lui conseillant de quérir l'aide de celui dont on sait la victoire sur le géant, sur les officiers de cette dame, etc..., c'est-à-dire Yvain. Elle obtient de sa maîtresse le serment d'oublier sa colère contre celui-ci, et elle part à la recherche du Chevalier au Lion. L'habileté de la discussion de Lunete et son ingéniosité pour prendre sa maîtresse au piège d'un serment solennel sont très notables.

32. Voici Yvain aux pieds de son épouse réconciliée en une scène belle et plaisante, et la joie est revenue pour tous, grâce à l'astucieuse et dévouée Lunete.

IV. — Sources, versions étrangères et date.

Sources d'Yvain. — Il est assez facile de trouver des rapprochements entre les noms et incidents du roman d'*Yvain* et des récits celtiques. Yvain, fils d'Urien, peut être identifié avec Owein, fils d'Uryen, roi de Rheged dans le Nord de l'Angleterre ; le nom de Laudunet, père de l'épouse d'Yvain, et le nom de Laudine, si c'est bien là celui de la dame, peuvent être rapprochés de celui du district de Lothian : il y a dans la *Navigatio Brandani* des chœurs d'oiseaux comme sur les branches du grand pin de la Fontaine défendue : et la fontaine même a des analogies dans les récits relatifs à la fontaine de Barenton, mais il est probable que Chrétien ne connaissait pas ces récits de façon précise puisqu'il transporte la fontaine dans la forêt de

Brocéliande, fontaine et forêt bien connues des auteurs français du XIIe siècle, comme nous le voyons par le *Roman de Rou* de Wace, et qui sont en Armorique. Et comme Yvain, ainsi que Calogrenant et Artur se déplacent de « Carduel en Gales » jusqu'en Brocéliande sans que nous soyons avisés qu'ils aient passé la Manche, il faut bien conclure que la géographie romanesque de Chrétien, et aussi ses réminiscences des récits celtiques, manquent ici particulièrement de précision.

VERSIONS ÉTRANGÈRES. — *Yvain* est représenté hors de France :

a) par l'*Iwein* de Hartmann von Aue composé avant 1204 et qui suit de très près le roman de Chrétien.

b) par un conte gallois *(Owein et Lunet)* traduit dans les *Mabinogion* de J. Loth, sensiblement moins complet que le poème français, et dont il est difficile d'affirmer qu'il soit absolument indépendant de celui-ci.

c) par une traduction en moyen anglais *(Ivain et Gvain)*.

d) par des versions nordiques.

Aucune de ces versions ne présente pour nous l'intérêt de nous faire remonter à un récit éventuellement antérieur à celui de Chrétien.

Quant au *lai de Laudunet*, auquel le roman d'Yvain (2154-5) fait allusion et dont le nom se rapproche de celui de Laudine, nous ne le connaissons d'aucune manière.

DATE DE COMPOSITION. — *Yvain* est probablement de la même période que la « *Charrete* », puisque les deux poèmes font état de la même aventure de Gauvain à la recherche de Guenièvre.

V. — La copie de Guiot.

Les observations présentées dans les Introductions de nos éditions d'Erec et Enide (p. XXXVII-XLVII) et du *Chevalier de la Charrete* (p. XXXIII-XL), s'appliquent à la copie du *Chevalier au Lyon* ; on ne trouvera donc ici, tirés de celle-ci, que quelques exemples précis qui viennent confirmer ou compléter ces observations.

Écriture et présentation.

L'écriture de Guiot est très claire. Il prend soin, assez fréquemment, de surmonter la lettre *i* d'un fin accent oblique qui détache celle-ci des jambages similaires voisins : *uin mui* 593, *enture* 3574, *tutse* 3590, etc., ou permet d'éviter des confusions : *li iaianz* 4238. Guiot se sert également de cet accent pour indiquer des diérèses nécessaires : *aie* 2933, 4358, *oïrent* 219, *reïne* 62, 3919, etc. ; *i* adverbe, en particulier, peut être signalé de cette façon : *i a* 153, 616, 4955, *i ot* 180, 191, etc...

Dans les finales -*eu*, -*eue*, la diérèse peut être marquée par un fin trait oblique au-dessous de l'*e* : *ęu* 1623, 2922, 4636, 5214, *ęuę* 721, 4887, *vęu* 2903, 4395, *vęuę* 1212-13, 5221, 5921, 6319, *decęuę* 3659, *gęu* 5821, *sęuę* : *tęuę* 4275-76, etc. Le même trait oblique souscrit peut servir à détacher deux mots involontairement soudés : *donçliert* 5940, *ęnaies* 5957.

Dans quelques cas Guiot utilise un *e* intérieur pour avertir le lecteur que deux voyelles auxquelles se joint cet *e* doivent être lues en diérèse : *lyeon* 5013, 5032, 5173, 5440, 5520, etc., *suiest* (*suïst*) 6599.

Enfin la diérèse peut se trouver marquée par l'intercalation d'un *h* : *vehee* 686, 2240, 4590, etc.

Dans la copie d'*Yvain* comme dans celles d'*Erec* et de *Lancelot*, Guiot emploie deux signes de ponctuation :

1º Un signe analogue à un point d'exclamation après des interjections ou des interrogatifs de surprise : *ahi !* 1626, 2265 (2 fois) — *ha !* 1206, 1226, 1670, 3063, 3591, 4355, 4408, 5113, 6039, 6269, 6292, 6390 — *moi !* 2026 — *boen !* 1209 — *sui !* 5983 ;

2º des points simples : en dehors des emplois courants après des abréviations ou pour encadrer des chiffres ou des initiales de noms propres abrégés, les points marquent moins des divisions logiques entre propositions ou phrases que des suspensions rythmiques, par exemple entre les termes d'une énumération, après un enjambement ou avant un rejet. Sauf exception, nous les avons maintenus à la place qu'ils marquaient en leur substituant une ponctuation moderne (virgule, etc.), mais nous en avons donné la liste dans nos *Notes critiques*.

Trois grandes initiales ornées et dorées, portant sur plusieurs lignes, et soixante-huit capitales montantes bleues et rouges, portant sur deux, trois et parfois quatre vers divisent le texte à intervalles inégaux ; il faut y ajouter un passage (v. 6143) où a été réservée sur quatre lignes la place d'une initiale ornée (voir *Notes critiques*). Nous avons exactement marqué par des alinéas la place de ces coupes, sauf en un passage (v. 173) où nous avons introduit un alinéa, sans qu'il y eût de lettre montante dans le ms.

Graphie.

I. *Voyelles et diphtongues.*

A. *Voyelles orales :*

1. Affaiblissement de *a* en *e* : *lermes* 1471, 2704, *meniere* (*manière*) 1517, *menoir* 2638.

2. Passage éventuel de *e* à *a* devant *n* : *espranent* 1468, *pranent* 1860.

3. Alternance de *e* ou *i* et de *ei, oi* : *proie,* 269, *proiere* 271,

despoire 1429, *sormoinne* 1323, *oirre* 2480, *chandoile* 3243 ;
en particulier, emploi général de *oi* pour *e* dans les verbes,
fut. 5 : *avroiz* 516, 1321, etc., *iroiz* 597, *movroiz* 602, *pren-
droiz* 1023.

4. Diphtongaison dialectale de *e* entravé : *autiex* 298,
quiex 329, 357 ; *biax* 464, *oisiax* 461, 463.

5. Alternance de *o* et de *ue* : *chevols* 1158, mais *detuert*
(*detort*) 1159.

B. *Diphtongues* :

1. Alternance de *ai, ei, e* : *meison* 220, 504, *afeitiee* 239,
feire 248, 551, 1308, *treis* 283, *leiz* 287, *reison* 324, 503,
leissa 544, *eise* 1325, *ei* 5013 ; *vet* 596, *forfet* 915, *fez* 1215,
het 1365, *pes* 1435, mais *peis* 3285 ; *plet* 1734, mais *plait* 1746 ;
et (*ait*) 3556, 3592, 6200.

2. Alternance de *oi* et *ei* : *oroilles* 297, *consoille* 3650,
mervoille 366, *voille* 668, *poinne* 892, *soigle* 2880, mais *cor-
teisie* 636.

3. Alternance de *oe* et *ue* : *oevre* 965, 1330, *oel* 1475, mais
uel 2187 ; *voelent* 1648, mais *vuel* 1797.

4. Alternance de *ue, ui* et *oi* : *conuistre* 282, mais *conoistre*
6719 ; *conuisse* : *angoisse* 4349-50, *suil* 5605, mais *suel* 5623 ;
artuel : *soloil* 2997-98.

C. *Diphtongues suivies de l + consonne* :

e précédé ou non de *i* ou de *u* est représenté par *a* : *mialz*
(*mielz*) 31, 112, 674, etc. L'*u* précédent devient *i* : *vialt*
(*vuelt*) 696, *requialt* 1448, *siaut* 1837, *ialz* 300, 442, *diax* 988,
1390, *diaus* 1311, *viax* 377, 395, *chevriax* 399, *moiax* 4068 ;
cf. *solauz* 2404, 3245.

D. *Voyelles et diphtongues devant nasales.*

1. *an* est la notation la plus fréquente, mais non l'unique
pour *a* et *e* suivis de nasale : *anclose* 338, *antrer* 47, *mantent*
26, *san* 76, 636, *tanroie* 555, *tans* 806, *vanter* 717, *vantre* 167,

vanz 158 ; *aventage* 1321, *tracent* 1267. Mais *e* est souvent
conservé à l'initiale devant *n* : *anbedui* 905, mais *enbedui* 902,
anemie 1364, mais *enemie* 1483 ; *annor* 60, mais *enor* 41, 210,
706, etc. On notera l'alternance des deux graphies pour la
préposition *en* dans les v. 2027-2033.

2. *an* remplace *on* dans le pronom indéfini 6, 1528, etc.,
en 628, 1410, etc., *l'en* 594, 1339, 1528, etc. Les deux gra-
phies se retrouvent à l'intérieur du mot dans : *volantez* 1554,
volantiers 607, mais *dongier* 1446.

3. Alternance de *an*, *en*, *ain* et *ein* : *frainchise* 5981,
leingue 614-15, 620 ; *vilain* 292, mais *vileins* 286 ; *taint* 870,
feins 3416, *pein* 3463 ; *ençois* 2087, 2261, mais *einçois* 43,
693 ; *ensi* 49, 1875, 5263, 6707, mais *einsi* 5781, 6641.

4. Alternance de *oen* et de *uen* : *boens* 1, 40, 125, 1209,
mais *buens* 17, 520, 1209, *suens* 18, 519.

II. *Hiatus, élision, contraction, enclise.*

1. Assez fréquents hiatus de *e*, dont il faut tenir compte
pour la mesure du vers, notamment après *que* (plus d'une
centaine), après *se* hypothétique 1530, 2592, etc., après *je*
1457, 1828, 1905, 2917, etc., après *ce* 1500, 1670, 1943, 2905,
etc., après *ne* 1198, 1276, 1577, 2608, etc., et après des subs-
tantifs : *dame* 2159, *sire* 2316.

2. A l'inverse, diverses élisions : la plus fréquente est celle
de *i* dans *si* adverbe conjonctif devant un verbe 296, 426,
471, 1048, etc., devant *an* 20, 1342, 1786, devant *i* 386, 531.
On trouve élidés de même : *se* hypothétique devant *an*,
an- 899, 1528, devant *a*, *a-* 395, 1370, devant *o-* 1769, 1783 ;
sa possessif devant *e-* 2661, 3405.

3. Forme tonique de pronom élidée : *por qu'* 1227.

4. Enclise fréquente du pronom personnel *li*, *les* : *jel* 1721,
3580, 3643, *jes* 6370, *nel* 83, 1218, 1689, 2029, *quel* 4488,
sel 1040, 1615, 1711, etc., *ses* 2981, 3859, 4099.

III. *Consonnes.*

1. *l* intérieur devant consonnes est souvent maintenu : *colchier* 2870, mais *couche* 4650 ; *chevols* 1158, mais *chevox* 295 ; *dolz* 1299, *genolz* 1975, *estolz* 2082, mais *estout* 1638, 6288, *cos* 819, 1373, *fos* 1432, *afost* 3787 ; *voldroit* 1778, mais *vouroie* 2585 ; *volsist* 1425, mais *vousisse* 6236 ; *valt* 31, *requialt* 1448, *siaut* : *vialt* 1837-38. Alternance de *ll* avec *rl* : *merlast* 5552.

2. Le son *j* peut être noté par *g* devant *e* ou *i* : *ge* 483, 1439, 2048, *gié* 260, 1773, 3845 ; mais *menja* 2852, *chanjoient* 3825.

3. La finale de *donc* ou *dont* se présente sous des formes diverses : *don* 575, 871, 1206, *donc* 1351, 1556, *dont* 2190, *dom* 1409, 1518, 1863, *adom* 6496.

4. *n, r, s* sont souvent redoublés : *amainne* 737, *chaainne* 387, *fontainne* 371, 380 (mais *fontaine* 665), *painne* 182, 372, *sormoinne* 1323, *semainne* 1576 ; *ocirre* 990, 1557, *consirrer* 3115, *desirre* 1557 ; *desfansse* 875, 1668, *ancenssier* 1169, *despansse* 1171, *forssenoit* 1204, *verssa* 803 ; mais on trouve également des simplifications de consonnes intérieures : *asez* 2871, *raseüre* 1939, *asise* 5496, *porrisoit* 5605, *puise* 3717, *arache* 5606, *chanbrete* 1583, 5560, *ceinturete* 1893, *meisonete* 2839.

5. *s* de valeur phonétique incertaine, devant une consonne intérieure, *c, d, l, n, r, t* : *peresce* 80, *forteresce* 196, 513, *proesce* 2, 79, 363, *largesce* 1296 ; *risdee* 5413 ; *grausle* 776 ; *ranposne* 630 ; *desrien* 5895 ; *trest* 3000, *moston* 5629.

6. *x* final alterne normalement avec *us, ls, s* : *ax* 57, 66, etc., *Dex* 210, 451, 807, etc., *Kex* 55, 69, 86, etc. (mais *Ques* 2180), *tex* 44, 1239, *jex* 1870, *quex* 2604, *mortex* 1240, *sorcix* 299, *vix* 3866 (mais *vis* 32), *chevox* 295.

7. *g* final joint à une nasale : *tesmoing* 35, *loing* 36, *poing* 1031, *soing* 692, *ting* 183, *ving* 192, *plaing* 503, *estraing* 345, *ling* 1816, *respong* 5996.

8. Emploi de *c'* pour *qu'* 283, 951, 1147, 1466, etc.

9. Confusion de *cl* et *gl* : *siegle* 1553, 1556, 2803.

10. Alternance de *n*, *nn* et *gn* : *seinors* 5470, *sainne* 5377, *seinnent* : *pleignent* 1197-98.

11. Incertitude des finales : *e* (*et*) 5980, *banc* (*ban*) 2205, *dira* corr. (*dirai*) 3595, *hera* 2204.

Morphologie.

1. Pronoms : *lo* 4046 ; *el* = *ele* 1969, 2462, 2557, 3512, 4806, 5952, *ceu* = *ce* (ms. *cue* corr.) en rime avec *aleu* 1407.

2. Formes verbales : *siudre* 550, 552, *siudrai* 746, *siue* 5021, *siust* 754, *suiest* 6599, de *sivre* ; *paroil* pr. 1 de *parler* 5290 ; *aut* subj. pr. 3 de *aler* ; *vost* pa. 3, *vostrent* pa. 6 de *voloir*.

Syntaxe.

1. Accord du participe après *avoir* : *mise* 2482, *donees* 3329.

2. Tour pronominal employé avec *estre* : *soi estre* 4290. (cf. J. Frappier, *Mélanges Nitze*, 126-133).

3. *Jusque* (= jusqu'à ce que) 459.

Versification.

Rimes identiques : *cos* 819-820, *fuit* 3267-68, *mis* 6041-42.

Rimes imparfaites : *quatre* : *conbate* 3861-62, *pansé* : *sez* 6565-66.

RÉFÉRENCES BIBLIOGRAPHIQUES

ACHER (J.), *Notes sur le texte du Chevalier au Lion*, dans *Zeitschrift für Französische Sprache und Literatur*, XXXV (1909-1910), p. 149-157.

BROWN (A. C. L.), *Ywain, A study in the origins of Arthurian Romance*, dans *Harvard Studies and notes in Phil. and Lit.*, Boston, VIII (1903), p. 1-147.

BROWN (A. C. L.), *The Knight of the Lion*, dans *Publ. the Mod. langu. Assoc. of America*, XX (1904), p. 673-706.

— *Chretien's Yvain*, dans *Modern Philology*, IX (1911-12), p. 109-128.

BRUGGER (E.), *Yvain and his Lion*, dans *Stud. in honor of W. A. Nitze, Modern Philology*, XXVIII (1941), p. 267-87.

CHOTZEN (T. M.), *Le lion d'Owein et ses prototypes celtiques*, dans *Neophilologus*, XVIII (1902), p. 51-58 et 131-136.

FOERSTER (W.), *Kristian von Troyes... sämtliche Werke*, Halle, 1914.

— *Kristian von Troyes, sämtliche Werke*, t. II, *Yvain*, Halle, 1926.

FRAPPIER (J.), *Le roman breton, Yvain ou le chevalier au lion*, Paris, Centre de documentation Universitaire, 1952.

— *Le tour je me sui chez Chrétien de Troyes*, dans *Romance Philology*, IX (1955-56) [*William A. Nitze Testimonial*, I], p. 126-133.

— *Chrétien de Troyes. L'homme et l'œuvre*, Paris, Connaissance des Lettres, 1957.

HARRIS (J.), *The role of the Lion in Chretien de Troyes* 'Yvain, P.M.L.A., LXIV (1949), p. 1143-1163.

LEWIS (C. B.), *The function of the gong in the source of Chrestien de Troyes* 'Yvain, dans *Zeits. f. rom. Phil.*, XLVII (1927), p. 254-70.

LINKER (R. W.), *Yvain*, Chapel Hill, N. C., 1940.

LOOMIS (R. S.), *Arthurian tradition and Chrétien de Troyes*, New-York, 1949.

— *Calogrenanz and Chrestien's originality*, dans *Modern Language Notes*, XLIII (1928), p. 215-223.

LOTH (J. M.), *Les Mabinogion du Livre Rouge de Hergest...*, 2 vol., Paris, 1913.

MARY (A.), *Le Chevalier au lion* (adaptation d'*Yvain*), Paris, 1923, nouv. éd. 1944.

NITZE (W. A.), *The Fountain defended*, dans *Modern Philology*, VII (1909), p. 146 et suiv.

— *Yvain and the Myth of the Fountain*, dans *Speculum*, XXX (1955), p. 170-179.

PIQUET (F.), *Étude sur Hartmann d'Aue* (Thèse pour le doctorat), Paris, 1898.

PUTZ (R.), *Chrestien's* Yvain *und Hartmann's* Ywein *nach ihrem gedankengehalt verglichen*, Neustrelitz, 1927.

REASON (J. H.), *An inquiry into the structural style and originality of Chrestien's* Yvain, Washington, 1958.

REID (T. B. W.), *Yvain*, Manchester, 1943, 2e éd., 1948.

RICHTER (E.), *Die künstlerische Stoffgestaltung in Chrestien's* Ivain, dans *Zeitschrift für roman. Philol.*, XXXIX (1918), p. 285-297.

SPARNAY (H.), *Zu Yvain-Owein*, dans *Zeitschrift für roman. Philol.*, XLVI (1926), p. 517-562.

LE CHEVALIER AU LION

Artus, li boens rois de Bretaingne
   la cui proesce nos enseigne
que nos soiens preu et cortois,
tint cort si riche come rois   4
a cele feste qui tant coste,
qu'an doit clamer la Pantecoste.
Li rois fu a Carduel en Gales ;
aprés mangier, par mi ces sales   8
cil chevalier s'atropelerent
la ou dames les apelerent
ou dameiseles ou puceles.
Li un recontoient noveles,   12
li autre parloient d'Amors,
des angoisses et des dolors
et des granz biens qu'orent sovant
li deciple de son covant,   16
qui lors estoit molt dolz et buens ;
mes or i a molt po des suens
qu'a bien pres l'ont ja tuit lessiee,
s'an est Amors molt abessiee,   20
car cil qui soloient amer
se feisoient cortois clamer
et preu et large et enorable ;
or est Amors tornee a fable   24

por ce que cil qui rien n'en santent
dïent qu'il aiment, mes il mantent,
et cil fable et mançonge an font
qui s'an vantent et droit n'i ont.   28
Mes or parlons de cez qui furent,
si leissons cez qui ancor durent,
car molt valt mialz, ce m'est a vis,
uns cortois morz c'uns vilains vis.   32
Por ce me plest a reconter
chose qui face a escouter
del roi qui fu de tel tesmoing
qu'an en parole et pres et loing ;   36
si m'acort de tant as Bretons
que toz jorz durra li renons
et par lui sont amenteü
li boen chevalier esleü   40
qui a enor se traveillierent.   [79 *b*]
Mes cel jor molt se merveillierent
del roi qui einçois se leva,
si ot de tex cui molt greva   44
et qui molt grant parole an firent,
por ce que onques mes nel virent
a si grant feste an chanbre antrer
por dormir ne por reposer ;   48
mes cel jor ensi li avint
que la reïne le detint,
si demora tant delez li
qu'il s'oblia et endormi.   52
A l'uis de la chanbre defors
fu Didonez et Sagremors
et Kex et mes sire Gauvains,
et si i fu mes sire Yvains,   56
et avoec ax Qualogrenanz,

uns chevaliers molt avenanz,
qui lor a comancié un conte,
non de s'annor, mes de sa honte. 60
Que que il son conte contoit
et la reïne l'escoutoit,
si s'est delez le roi levee
et vient sor ax tot a celee, 64
qu'ainz que nus la poïst veoir,
se fu lessiee entr'ax cheoir,
fors que Calogrenanz sanz plus
sailli an piez contre li sus. 68
Et Kex, qui molt fu ranponeus,
fel et poignanz et venimeus,
li dist : « Par Deu, Qualogrenant,
molt vos voi or preu et saillant, 72
et certes molt m'est bel quant vos
estes li plus cortois de nos ;
et bien sai que vos le cuidiez,
tant estes vos de san vuidiez. 76
S'est droiz que ma dame le cuit
que vos avez plus que nos tuit
de corteisie et de proesce :
ja le leissames por peresce, 80
espoir, que nos ne nos levames
ou por ce que nos ne deignames.
Mes par Deu, sire, nel feïsmes,
mes por ce que nos ne veïsmes 84
ma dame, ainz fustes vos levez. [79 c]
— Certes, Kex, ja fussiez crevez,
fet la reïne, au mien cuidier,
se ne vos poïssiez vuidier 88
del venin don vos estes plains.
Enuieus estes, et vilains,

de tancier a voz conpaignons.
  — Dame, se nos n'i gaeignons,   92
fet Kex, an vostre conpaignie,
gardez que nos n'i perdiens mie.
Je ne cuit avoir chose dite
qui me doie estre a mal escrite   96
et, s'il vos plest, teisons nos an :
il n'est corteisie ne san
de plet d'oiseuse maintenir ;
cist plez ne doit avant venir,   100
que nus nel doit an pris monter.
Mes feites nos avant conter
ce qu'il avoit encomancié,
car ci ne doit avoir tancié. »   104
A ceste parole s'espont
Qualogrenanz, et si respont :
« Dame, fet il, de la tançon
ne sui mie en grant sospeçon ;   108
petit m'an est, et molt po pris.
Se Kex a envers moi mespris,
je n'i avrai ja nul domage :
a mialz vaillant et a plus sage,   112
mes sire Kex, que je ne sui,
avez vos dit honte et enui,
car bien an estes costumiers.
Toz jorz doit puïr li fumiers,   116
et toons poindre, et maloz bruire,
et felons enuier et nuire.
Mes je ne conterai hui mes,
se ma dame m'an leisse an pes,   120
et je li pri qu'ele s'an teise,
que la chose qui me despleise
ne me comant, soe merci.

— Dame, trestuit cil qui sont ci,   124
fet Kex, boen gré vos en savront
et volantiers l'escoteront ;
ne n'an faites ja rien por moi,
mes, foi que vos devez le roi,   128
le vostre seignor et le mien,   [80 a]
comandez li, si feroiz bien.
— Qualogrenant, dist la reïne,
ne vos chaille de l'ataïne   132
mon seignor Keu le seneschal ;
costumiers est de dire mal,
si qu'an ne l'en puet chastïer.
Comander vos vuel et prïer   136
que ja n'en aiez au cuer ire,
ne por lui ne lessiez a dire
chose qui nos pleise a oïr,
se de m'amor volez joïr,   140
mes comanciez tot de rechief.
— Certes, dame, ce m'est molt grief
que vos me comandez a feire ;
einz me leissasse un des danz traire,   144
se correcier ne vos dotasse,
que je hui mes rien lor contasse ;
mes je ferai ce qu'il vos siet,
comant que il onques me griet,   148
des qu'il vos plest ; or escotez !
Cuers et oroilles m'aportez,
car parole est tote perdue
s'ele n'est de cuer entandue.   152
De cez i a qui la chose oent
qu'il n'entandent, et si la loent ;
et cil n'en ont ne mes l'oïe,
des que li cuers n'i entant mie ;   156

as oroilles vient la parole,
ausi come li vanz qui vole,
mes n'i areste ne demore,
einz s'an part en molt petit d'ore,   160
se li cuers n'est si esveilliez
qu'au prendre soit apareilliez ;
car, s'il le puet an son oïr
prendre, et anclorre, et retenir,   164
les oroilles sont voie et doiz
par ou s'an vient au cuer la voiz ;
et li cuers prant dedanz le vantre
la voiz, qui par l'oroille i antre.   168
Et qui or me voldra entandre,
cuer et oroilles me doit randre,
car ne vuel pas parler de songe,
ne de fable, ne de mançonge.   172
Il m'avint plus a de set anz   [80 b]
que je, seus come païsanz,
aloie querant aventures,
armez de totes armeüres   176
si come chevaliers doit estre ;
et tornai mon chemin a destre
par mi une forest espesse.
Molt i ot voie felenesse,   180
de ronces et d'espines plainne ;
a quelqu'enui, a quelque painne,
ting cele voie, et ce santier ;
a bien pres tot le jor antier   184
m'en alai chevalchant issi,
tant que de la forest issi,
et ce fu en Broceliande.
De la forest, en une lande   188
entrai, et vi une bretesche

a demie liue galesche;
se tant i ot, plus n'i ot pas.
Cele part ving plus que le pas,   192
vi la bretesche et le fossé
tot an viron parfont et lé,
et sor le pont an piez estoit
cil cui la forteresce estoit,   196
sor son poing un ostor müé.
Ne l'oi mie bien salüé,
quant il me vint a l'estrié prendre,
si me comanda a descendre.   200
Je descendi, qu'il n'i ot el,
car mestier avoie d'ostel;
et il me dist tot maintenant
plus de set foiz en un tenant,   204
que beneoite fust la voie
par ou leanz entrez estoie.
A tant en la cort en antrames,
le pont et la porte passames.   208
En mi la cort au vavasor,
cui Dex doint et joie et enor
tant com il fist moi cele nuit,
pendoit une table; ce cuit   212
qu'il n'i avoit ne fer ne fust
ne rien qui de cuivre ne fust.
Sor cele table, d'un martel
qui panduz ert a un postel   216
feri li vavasors trois cos.   [80 c]
Cil qui leissus erent anclos
oïrent la voiz et le son,
s'issirent fors de la meison   220
et vienent an la cort a val.
Je descendi de mon cheval,

et uns des sergenz le prenoit ;
et je vi que vers moi venoit   224
une pucele bele et gente.
En li esgarder mis m'antente,
qu'ele estoit bele, et longue, et droite ;
de moi desarmer fu adroite   228
qu'ele le fist et bien et bel,
et m'afubla d'un cort mantel
vair d'escarlate peonace ;
et se nos guerpirent la place   232
que avoec moi ne avoec li
ne remest nus, ce m'abeli,
que plus n'i querroie veoir.
Et ele me mena seoir   236
el plus bel praelet del monde,
clos de bas mur a la reonde.
La la trovai si afeitiee,
si bien parlant, si anseigniee,   240
de tel solaz et de tel estre,
que molt m'i delitoit a estre,
ne ja mes por nul estovoir
ne m'an queïsse removoir ;   244
mes tant me fist, la nuit, de guerre
li vavasors, qu'il me vint querre,
qant de soper fu tans et ore ;
n'i poi plus feire de demore,   248
si fis lors son comandemant.
Del soper vos dirai briemant
qu'il fu del tot a ma devise,
des que devant moi fu assise   252
la pucele qui s'i assist.
Après mangier itant me dist
li vavasors qu'il ne savoit

le terme, puis que il avoit   256
herbergié chevalier errant
qui aventure alast querant;
n'en ot, piece a, nul herbergié.
Aprés me repria que gié   260
par son ostel m'an revenisse   [80 *a*]
an guerredon et .an servise,
et je li dis : « Volentiers, sire »,
que honte fust de l'escondire;   264
petit por mon oste feïsse
se cest don li escondeïsse.

Molt fui bien la nuit ostelez,
et mes chevax fu establez   268
que g'en oi molt proié le soir.
Lors que l'en pot le jor veoir,
si fu bien fette ma proiere;
mon boen oste et sa fille chiere   272
au Saint Esperit comandai;
a trestoz congié demandai,
si m'en alai lués que je poi.
L'ostel gaires esloignié n'oi,   276
quant je trovai, en uns essarz,
tors salvages, ors et lieparz,
qui s'antreconbatoient tuit
et demenoient si grant bruit   280
et tel fierté et tel orguel,
se voir conuistre vos an vuel,
c'une piece me treis arriere
que nule beste n'est tant fiere   284
ne plus orguelleuse de tor.
Uns vileins, qui resanbloit Mor,
leiz et hideus a desmesure,
einsi tres leide criature   288

qu'an ne porroit dire de boche,
assis s'estoit sor une çoche,
une grant maçue en sa main.
Je m'aprochai vers le vilain,   292
si vi qu'il ot grosse la teste
plus que roncins ne autre beste,
chevox mechiez et front pelé,
s'ot pres de deus espanz de lé,   296
oroilles mossues et granz
autiex com a uns olifanz,
les sorcix granz et le vis plat,
ialz de çuete, et nes de chat,   300
boche fandue come lous,
danz de sengler aguz et rous,
barbe rosse, grenons tortiz,
et le manton aers au piz,   304
longue eschine torte et boçue;   [80 *b*]
apoiez fu sor sa maçue,
vestuz de robe si estrange
qu'il n'i avoit ne lin ne lange,   308
einz ot a son col atachiez
deus cuirs de novel escorchiez,
ou de deus tors ou de deus bués.
An piez sailli li vilains, lués   312
qu'il me vit vers lui aprochier;
ne sai s'il me voloit tochier,
ne ne sai qu'il voloit enprendre,
mes je me garni de desfandre,   316
tant que je vi que il estut,
en piez toz coiz, ne ne se mut,
et fu montez desor un tronc,
s'ot bien dis et set piez de lonc; 320
si m'esgarda, ne mot ne dist,

ne plus c'une beste feïst,
et je cuidai qu'il ne seüst
parler, ne reison point n'eüst.   324
Tote voie tant m'anhardi,
que je li dis : « Va, car me di
se tu es boene chose ou non. »
Et il me dist qu'il ert uns hom.   328
« Quiex hom ies tu ? — Tex con tu voiz ;
si ne sui autres nule foiz.
— Que fez tu ci ? — Ge m'i estois,
et gart les bestes de cest bois.   332
— Gardes ? Par saint Pere de Rome,
ja ne conuissent eles home ;
ne cuit qu'an plain ne an boschage
puisse an garder beste sauvage,   336
n'en autre leu, por nule chose,
s'ele n'est lïee et anclose.
— Je gart si cestes et justis
que ja n'istront de cest porpris.   340
— Et tu comant ? Di m'an le voir.
— N'i a celi qui s'ost movoir
des que ele me voit venir,
car quant j'en puis une tenir,   344
si l'estraing si par les deus corz,
as poinz que j'ai et durs et forz,
que les autres de peor tranblent
et tot en viron moi s'asanblent,   348
ausi con por merci crïer ;   [80 c]
ne nus ne s'i porroit fïer,   352
fors moi, s'antr'eles s'estoit mis,
qu'il ne fust maintenant ocis.
    Einsi sui de mes bestes sire,
et tu .me redevroies dire   356

quiex hom tu ies, et que tu quiers.
— Je sui, fet il, uns chevaliers
qui quier ce que trover ne puis ;
assez ai quis, et rien ne truis.   360
— Et que voldroies tu trover ?
— Avanture, por esprover
ma proesce et mon hardemant.
Or te pri et quier et demant,   364
se tu sez, que tu me consoille
ou d'aventure ou de mervoille.
— A ce, fet il, faudras tu bien :
d'aventure ne sai je rien,   368
n'onques mes n'en oï parler.
Mes se tu voloies aler
ci pres jusqu'a une fontainne,
n'en revandroies pas sanz painne,   372
se ne li randoies son droit.
Ci pres troveras or en droit
un santier qui la te manra.
Tote la droite voie va,   376
se bien viax tes pas anploier,
que tost porroies desvoier :
il i a d'autres voies mout.
La fontainne verras qui bout,   380
s'est ele plus froide que marbres.
Onbre li fet li plus biax arbres
c'onques poïst former Nature.
En toz tens sa fuelle li dure,   384
qu'il ne la pert por nul iver.
Et s'i pant uns bacins de fer
a une si longue chaainne
qui dure jusqu'an la fontainne.   388
Lez la fontainne troverras

un perron, tel con tu verras ;
je ne te sai a dire quel,
que je n'en vi onques nul tel ;   392
et d'autre part une chapele
petite, mes ele est molt bele.
S'au bacin viax de l'eve prandre   [81 a]
et desus le perron espandre,   396
la verras une tel tanpeste
qu'an cest bois ne remanra beste,
chevriax ne cers, ne dains ne pors,
nes li oisel s'an istront fors ;   400
car tu verras si foudroier,
vanter, et arbres peçoier,
plovoir, toner, et espartir,
que, se tu t'an puez departir   404
sanz grant enui et sanz pesance,
tu seras de meillor cheance
que chevaliers qui i fust onques. »
Del vilain me parti adonques   408
qu'il i ot la voie mostree.
Espoir si fu tierce passee,
et pot estre pres de midi,
quant l'arbre et la fontainne vi.   412
Bien sai de l'arbre, c'est la fins,
que ce estoit li plus biax pins
qui onques sor terre creüst.
Ne cuit c'onques si fort pleüst   416
que d'eve i passast une gote,
einçois coloit par desor tote.
A l'arbre vi le bacin pandre,
del plus fin or qui fust a vandre   420
encor onques en nule foire.
De la fontainne, poez croire,

qu'ele boloit com iaue chaude.
Li perrons ert d'une esmeraude   424
perciee ausi com une boz,
et s'a quatre rubiz desoz,
plus flanboianz et plus vermauz
que n'est au matin li solauz,   428
quʼant il apert en orïant ;
ja, que je sache a escïant,
ne vos an mantiraï de mot.
La mervoille a veoir me plot   432
de la tanpeste et de l'orage,
don je ne me ting mie a sage ;
que volentiers m'an repantisse
tot maintenant, se je poïsse,   436
quant je oi le perron crosé
de l'eve au bacin arosé.
Mes trop en i verssai, ce dot ;
que lors vi le ciel si derot   [81 b] 440
que de plus de quatorze parz
me feroit es ialz li esparz ;
et les nues tot mesle mesle
gitoient pluie, noif et gresle.   444
Tant fu li tans pesmes et forz
que cent foiz cuidai estre morz
des foudres qu'antor moi cheoient,
et des arbres qui peceoient.   448
Sachiez que molt fui esmaiez,
tant que li tans fu rapaiez.
Mes Dex tost me rasegura
que li tans gaires ne dura,   452
et tuit li vant se reposerent ;
des que Deu plot, vanter n'oserent.
Et quant je vi l'air cler et pur,

de joie fui toz asseür ;   456
que joie, s'onques la conui,
fet tot oblier grant enui.
Jusque li tans fu trespassez
vi sor le pin toz amassez   460
oisiax, s'est qui croire le vuelle,
qu'il n'i paroit branche ne fuelle,
que tot ne fust covert d'oisiax ;
s'an estoit li arbres plus biax ;   464
doucemant li oisel chantoient,
si que molt bien s'antr'acordoient ;
et divers chanz chantoit chascuns ;
c'onques ce que chantoit li uns   468
a l'autre chanter ne oï.
De lor joie me resjoï ;
s'escoutai tant qu'il orent fet
lor servise trestot a tret ;   472
que mes n'oï si bele joie
ne ja ne cuit que nus hom l'oie,
se il ne va oïr celi
qui tant me plot et abeli   476
que je m'an dui por fos tenir.
Tant i fui que j'oï venir
chevaliers, ce me fu a vis,
bien cuidai que il fussent dis,   480
tel noise et tel bruit demenoit
uns seus chevaliers qui venoit.

   Quant ge le vi tot seul venant,   [81 c]
mon cheval restraing maintenant,   484
n'a monter demore ne fis ;
et cil, come mautalentis,
vint plus tost c'uns alerïons,
fiers par sanblant come lïons ;   488

de si haut con il pot crïer
me comança a desfïer,
et dist : « Vassax, molt m'avez fet,
sanz desfïance, honte et let.   492
Desfïer me deüssiez vos,
se il eüst reison an vos,
ou au moins droiture requerre,
einz que vos me meüssiez guerre.   496
Mes se je puis, sire vasax,
sor vos retornera cist max
del domage qui est paranz ;
en viron moi est li garanz   500
de mon bois qui est abatuz.
Plaindre se doit qui est batuz ;
et je me plaing, si ai reison,
que vos m'avez de ma meison   504
fors chacié a foudre et a pluie ;
fet m'avez chose qui m'enuie,
et dahez ait cui ce est bel,
qu'an mon bois et an mon chastel   508
m'avez feite tele envaïe,
ou mestier ne m'eüst aïe
ne de grant tor ne de haut mur.
Onques n'i ot home asseür   512
an forteresce qui i fust
de dure pierre ne de fust.
Mes sachiez bien que des or mes
n'avroiz de moi trives ne pes. »   516
A cest mot, nos antrevenimes,
les escuz anbraciez tenimes,
si se covri chascuns del suen.
Li chevaliers ot cheval buen   520
et lance roide ; et fu sanz dote

plus granz de moi la teste tote.
Einsi del tot a meschief fui,
que je fui plus petiz de lui   524
et ses chevax miaudres del mien.
Par mi le voir, ce sachiez bien,
m'an vois por ma honte covrir.   [81 *a*]
Si grant cop con je poi ferir   528
li donai, c'onques ne m'an fains,
el conble de l'escu l'atains ;
s'i mis trestote ma puissance
si qu'an pieces vola ma lance ;   532
et la soe remest antiere,
qu'ele n'estoit mie legiere,
einz pesoit plus, au mien cuidier,
que nule lance a chevalier,   536
qu'ainz nule si grosse ne vi.
Et li chevaliers me feri
si durement que del cheval
par mi la crope, contre val,   540
me mist a la terre tot plat ;
si me leissa honteus et mat,
c'onques nus ne me regarda.
Mon cheval prist et moi leissa ;   544
si se mist arriere a la voie.
Et je, qui mon roi ne savoie,
remés angoisseus et pansis.
Delez la fontainne m'asis   548
un petit, si me sejornai ;
le chevalier siudre n'osai
que folie feire dotasse.
Et, se je bien siudre l'osasse,   552
ne sai ge que il se devint.
En la fin, volantez me vint

qu'a mon oste covant tanroie
et que a lui m'an revanroie.   556
Ensi me plot, ensi le fis,
mes jus totes mes armes mis
por plus aler legieremant,
si m'an reving honteusemant.   560
   Quant je ving la nuit a ostel
trovai mon oste tot autel,
ausi lié et ausi cortois,
come j'avoie fet einçois.   564
Onques de rien ne m'aparçui,
ne de sa fille ne de lui,
que moins volentiers me veïssent
ne que moins d'enor me feïssent   568
qu'il avoient fet l'autre nuit.
Grant enor me porterent tuit,
les lor merciz, an la meison,   [81 b]
et disoient c'onques mes hom   572
n'an eschapa, que il seüssent
ne que il oï dire eüssent,
de la don j'estoie venuz
qu'il n'i fust morz ou retenuz.   576
Ensi alai, ensi reving ;
au revenir por fol me ting.
Si vos ai conté come fos
ce c'onques mes conter ne vos.   580
— Par mon chief, fet mes sire Yvains,
vos estes mes cosins germains ;
si nos devons molt entr'amer ;
mes de ce vos puis fol clamer   584
quant vos tant le m'avez celé.
Se je vos ai fol apelé,
je vos pri qu'il ne vos an poist,

que, se je puis, et il me loist,   588
g'irai vostre honte vangier.
— Bien pert que c'est aprés mangier,
fet Kex, qui teire ne se pot :
plus a paroles an plain pot   592
de vin qu'an un mui de cervoise ;
l'en dit que chaz saous s'anvoise.
Aprés mangier, sanz remüer,
vet chascuns Loradin tüer,   596
Et vos iroiz vengier Forré !
Sont vostre panel aborré
et voz chauces de fer froiees
et voz banieres desploiees ?   600
Or tost, por Deu, mes sire Yvain,
movroiz vos enuit ou demain ?
Feites le nos savoir, biax sire,
quant vos iroiz an cest martire,   604
que nos vos voldrons convoier ;
n'i avra prevost ne voier
qui volantiers ne vos convoit.
Et si vos pri, comant qu'il soit,   608
n'en alez pas sanz noz congiez.
Et se vos anquenuit songiez
malvés songe, si remenez !
— Comant ? Estes vos forssenez,   612
mes sire Kex, fet la reïne,
que vostre leingue onques ne fine ?

  La vostre leingue soit honie   [81 c]
que tant i a d'escamonie !   616
Certes, vostre leingue vos het
que tot le pis que ele set
dit a chascun, comant qu'il soit.
Leingue qui onques ne recroit   620

de mal dire soit maleoite !
La vostre leingue si esploite
qu'ele vos fet par tot haïr :
mialz ne vos puet ele traïr.   624
Bien sachiez, je l'apeleroie
de traïson, s'ele estoit moie.
Home qu'an ne puet chastïer
devroit en au mostier lïer   628
come desvé, devant les prones.
— Certes, dame, de ses ranposnes,
fet mes sire Yvains, ne me chaut.
Tant puet, et tant set, et tant vaut   632
mes sire Kex, an totes corz,
qu'il n'i iert ja müez ne sorz.
Bien set ancontre vilenie
respondre san et corteisie,   636
ne nel fist onques autremant.
Or, savez vos bien se je mant ;
mes je n'ai cure de tancier,
ne de folie ancomancier ;   640
que cil ne fet pas la meslee
qui fiert la premiere colee,
einz la fet cil qui se revange.
Bien tanceroit a un estrange   644
qui ranpone son conpaignon.
Ne vuel pas sanbler le gaignon
qui se herice et se reguingne
quant autres gaingnons le rechingne. »   648
    Que que il parloient ensi
li rois fors de la chanbre issi
ou il ot fet longue demore,
que dormi ot jusqu'a ceste ore.   652
Et li baron, quant il le virent,

tuit an piez contre lui saillirent,
et il toz raseoir les fist.
Delez la reïne s'asist,   656
et la reïne maintenant
les noveles Calogrenant
li reconta tot mot a mot,   [82 a]
que bien et bel conter li sot.   660
Li rois les oï volantiers
et fist trois sairemanz antiers,
l'ame Uterpandagron son pere,
et la son fil, et la sa mere,   664
qu'il iroit veoir la fontaine,
ja einz ne passeroit quinzaine,
et la tempeste et la mervoille,
si que il i vanra la voille   668
mon seignor saint Jehan Baptiste,
et s'i panra la nuit son giste,
et dit que avoec lui iroient
tuit cil qui aler i voldroient.   672
De ce que li rois devisa
tote la corz mialz l'en prisa,
car molt i voloient aler
li baron et li bacheler.   676
Mes qui qu'an soit liez et joianz,
mes sire Yvains an fu dolanz,
qu'il i cuidoit aler toz seus ;
si fu destroiz et angoisseus   680
del roi, qui aler i devoit.
Por ce seulemant li grevoit
qu'il savoit bien que la bataille
avroit mes sire Kex, sanz faille,   684
einz que il, s'il la requeroit ;
ja vehee ne le seroit ;

ou mes sire Gauvains meïsmes,
espoir, li demandera primes.   688
Se nus de ces deus la requiert,
ja contredite ne lor iert.
Mes il ne les atendra mie,
qu'il n'a soing de lor conpaignie,   692
einçois ira toz seus, son vuel,
ou a sa joie ou a son duel,
et, qui que remaigne a sejor,
il vialt estre jusqu'a tierz jor   696
an Brocelïande, et querra,
s'il puet, tant que il troverra
l'estroit santier tot boissoneus,
que trop an est cusançoneus,   700
et la bande et la meison fort
et le solaz et le deport
de la cortoise dameisele   [82 b]
qui molt est avenanz et bele,   704
et le prodome avoec sa fille
qui a enor feire s'essille,
tant est frans et de boene part.
Puis verra les tors et l'essart   708
et le grant vilain qui le garde.
Li veoirs li demore et tarde
del vilain qui tant par est lez,
granz, et hideus, et contrefez,   712
et noirs a guise d'esperon.
Puis verra, s'il puet, le perron,
et la fontainne, et le bacin,
et les oisiax desor le pin ;   716
si fera plovoir et vanter.
Mes il ne s'en quiert ja vanter,
ne ja, son vuel, nus nel savra

jusque tant que il en avra   720
grant honte ou grant enor eüe,
puis si soit la chose seüe.

   Mes sire Yvains de la cort s'anble
si qu'a nul home ne s'asanble,   724
mes seus vers son ostel s'en va.
Tote sa mesniee trova,
si comande a metre sa sele
et un suen escuier apele   728
cui il ne celoit nule rien.
« Di, va ! fet il, avoec moi vien
la fors, et mes armes m'aporte !
Je m'an istrai par cele porte   732
sor mon palefroi, tot le pas.
Garde ne demorer tu pas,
qu'il me covient molt loing errer.
Et mon cheval fai bien ferrer,   736
si l'amainne tost aprés moi,
puis ramanras mon palefroi.
Mes garde bien, ce te comant,
s'est nus qui de moi te demant,   740
que ja noveles li an dïes :
se or de rien an moi te fïes,
ja mar t'i fïeroies mes.
— Sire, fet il, or aiez pes,   744
que ja par moi nus nel savra.
Alez, que je vos siudrai la. »
Mes sire Yvains maintenant monte   [82 c]
qu'il vangera, s'il puet, la honte   748
son cosin, einz que il retort.
Li escuiers maintenant cort
au boen cheval, si monta sus,
que de demore n'i ot plus,   752

qu'il n'i failloit ne fers ne clos.
Son seignor siust toz les galos
tant que il le vit descendu,
qu'il l'avoit un po atendu   756
loing del chemin, en un destor.
Tot son hernois et son ator
en aporte ; cil l'atorna.
Mes sire Yvains ne sejorna,   760
puis qu'armez fu, ne tant ne quant,
einçois erra, chascun jor, tant
par montaignes et par valèes,
et par forez longues et lees,   764
par leus estranges et salvages,
et passa mainz felons passages,
et maint peril et maint destroit,
tant qu'il vint au santier estroit   768
plain de ronces et d'oscurtez ;
et lors fu il asseürez
qu'il ne pooit mes esgarer.
Qui que le doie conparer,   772
ne finera tant que il voie
le pin qui la fontainne onbroie,
et le perron et la tormante
qui grausle, et pluet, et tone, et vante.   776
La nuit ot, ce poez savoir,
tel oste com il vost avoir ;
car plus de bien et plus d'enor
trueve il assez el vavasor   780
que ne vos ai conté et dit ;
et an la pucele revit
de san et de biauté cent tanz
que n'ot conté Calogrenanz,   784
qu'an ne puet pas dire la some

de prode fame et de prodome,
des qu'il s'atorne, a grant bonté.
Ja n'iert tot dit ne tot conté   788
que leingue ne puet pas retreire
tant d'enor con prodon fet feire.
Mes sire Yvains cele nuit ot   [82 *a*]
molt boen ostel, et molt li plot.   792
Et vint es essarz l'andemain,
si vit les tors et le vilain
qui la voie li anseingna ;
mes plus de cent foiz se seingna   796
de la mervoille que il ot,
comant Nature feire sot
oevre si leide et si vilainne.
Puis erra jusqu'a la fontainne,   800
si vit quan qu'il voloit veoir.
Sanz arester et sanz seoir
verssa sor le perron de plain
de l'eve le bacin tot plain.   804
Et maintenant vanta et plut,
et fist tel tans con faire dut.
Et quant Dex redona le bel
sor le pin vindrent li oisel   808
et firent joie merveilleuse
sor la fontainne perilleuse.
Einz que la joie fust remeise,
vint, d'ire plus ardanz que breise,   812
uns chevaliers, a si grant bruit
con s'il chaçast un cerf de ruit ;
et maintenant qu'il s'antrevirent,
s'antrevindrent et sanblant firent   816
qu'il s'antrehaïssent de mort.
Chascuns ot lance roide et fort ;

si s'antredonent si granz cos
qu'andeus les escuz de lor cos   820
percent, et li hauberc deslicent ;
les lances fandent et esclicent,
et li tronçon volent an haut.
Li uns l'autre a l'espee assaut   824
si ont au chaple des espees
les guiges des escuz colpees
et les escuz dehachiez toz
et par desus et par desoz   828
si que les pieces an depandent,
n'il ne s'an cuevrent ne desfandent ;
car si les ont harigotez
qu'a delivre, sor les costez,   832
et sor les piz, et sor les hanches,
essaient les espees blanches.
Felenessemant s'antr'espruevent,   [82 *b*)
n'onques d'un estal ne se muevent   836
ne plus que feïssent dui gres ;
einz dui chevalier plus angrés
ne furent de lor mort haster.
N'ont cure de lor cos gaster   840
que mialz qu'il puent les anploient ;
les hiaumes anbuingnent et ploient
et des haubers les mailles volent,
si que del sanc assez se tolent ;   844
car d'ax meïsmes sont si chaut
lor hauberc, que li suens ne vaut
a chascun gueres plus d'un froc.
Anz el vis se fierent d'estoc,   848
s'est mervoille comant tant dure
bataille si fiere et si dure.
Mes andui sont de si fier cuer

que li uns por l'autre a nul fuer　　852
de terre un pié ne guerpiroit
se jusqu'a mort ne l'enpiroit ;
et de ce firent molt que preu
c'onques lor cheval an nul leu　　856
ne ferirent ne maheignierent,
qu'il ne vostrent ne ne deignierent,
mes toz jorz a cheval se tienent
que nule foiz a pié ne vienent :　　860
s'an fu la bataille plus bele.
En la fin, son hiaume escartele
au chevalier mes sire Yvains ;
del cop fu estonez et vains　　864
li chevaliers ; molt s'esmaia
qu'ainz si felon cop n'essaia,
qu'il li ot desoz le chapel
le chief fandu jusqu'au cervel,　　868
tant que del cervel et del sanc
taint la maille del hauberc blanc,
don si tres grant dolor santi
qu'a po li cuers ne li manti.　　872
S'il s'an foï, n'a mie tort,
qu'il se santi navrez a mort ;
car riens ne li valut desfansse.
Si tost s'an fuit, com il s'apansse,　　876
vers son chastel toz esleissiez,
et li ponz li fu abeissiez
et la porte overte a bandon ;　　[82 c]
et mes sire Yvains de randon　　880
quan qu'il puet aprés esperone.
Si con girfauz grue randone,
qui de loing muet et tant l'aproche
qu'il la cuide panre et n'i toche,　　884

ensi cil fuit, et cil le chace
si pres qu'a po qu'il ne l'anbrace,
et si ne le par puet ataindre,
et s'est si pres que il l'ot plaindre   888
de la destrece que il sant ;
mes toz jorz a foïr entant,
et cil de chacier s'esvertue,
qu'il crient sa poinne avoir perdue   892
se mort ou vif ne le retient,
que des ranpones li sovient
que mes sire Kex li ot dites.
N'est pas de la promesse quites   896
que son cosin avoit promise,
ne creüz n'iert an nule guise
s'anseignes veraies n'an porte.
A esperon jusqu'a la porte   900
de son chastel l'en a mené ;
si sont anz enbedui antré ;
home ne fame n'i troverent
es rues par ou il antrerent,   904
si vindrent anbedui d'eslés
par mi la porte del palés.
    La porte fu molt haute et lee,
si avoit si estroite antree   908
que dui home ne dui cheval
sanz anconbrier et sanz grant mal
n'i pooient ansanble antrer
n'an mi la porte entr'ancontrer ;   912
car ele estoit autresi faite
con l'arbaleste qui agaite
le rat, quant il vient au forfet,
et l'espee est an son aguet   916
desus, qui tret et fiert et prant,

qu'ele eschape lors et descent
que riens nule adoise a la clef,
ja n'i tochera si soef.   920
Ensi desoz la porte estoient
dui trabuchet qui sostenoient   [83 a]
a mont une porte colant
de fer esmolue et tranchant ;   924
se riens sor ces engins montoit,
la porte d'a mont descendoit,
s'estoit pris et dehachiez toz
cui la porte ateignoit desoz.   928
Et tot en mi a droit conpas
estoit si estroiz li trespas
con se fust uns santiers batuz.
El droit santier s'est anbatuz   932
li chevaliers, molt sagemant,
et mes sire Yveins solemant
hurte grant aleüre aprés,
si le vint ateignant si pres   936
qu'a l'arçon derriere le tint ;
et de ce molt bien li avint
qu'il se fu avant estanduz :
toz eüst esté porfanduz,   940
se ceste avanture ne fust,
que li chevax marcha le fust
qui tenoit la porte de fer.
Si con li deables d'anfer,   944
descent la porte et chiet a val
sanz enconbrier et sanz grant mal
derriere, et tranche tot par mi,
mes ne tocha, la Deu merci,   948
mon seignor Yvein maintenant,
qu'a res del dos li vint reant,

si c'anbedeus les esperons
li trancha a res des talons,   952
et il cheï molt esmaiez ;
cil qui estoit a mort plaiez
li eschapa en tel meniere.
Une autel porte avoit derriere   956
come cele devant estoit.
Li chevaliers qui s'an fuioit
par cele porte s'an foï,
et la porte aprés lui cheï.   960
Ensi fu mes sire Yvains pris.
Molt angoisseus et antrepris
remest dedanz la sale anclos,
qui tot estoit cielee a clos   964
dorez, et pointes les meisieres
de boene œvre et de colors chieres.   [83 b]
Mes de rien si grant duel n'avoit
con de ce que il ne savoit   968
quel part cil an estoit alez.
Une chanbrete iqui delez
oï ovrir d'un huis estroit,
que que il ert an son destroit,   972
s'an issi une dameisele,
gente de cors et de vis bele,
et l'uis aprés li referma.
Quant mon seignor Yvein trova,   976
si l'esmaia molt de premiers :
« Certes, fet ele, chevaliers,
je criem que mal soiez venuz :
se vos estes ceanz tenuz   980
vos i seroiz toz depeciez,
que mes sire est a mort plaiez
et bien sai que vos l'avez mort.

Ma dame an fet un duel si fort   984
et ses genz an viron lui crïent,
que par po de duel ne s'ocïent ;
si vos sevent il bien ceanz,
mes entr'ax est li diax si granz   988
que il n'i pueent or entandre,
si vos voelent ocirre ou pandre :
a ce ne pueent il faillir,
quant il vos voldront assaillir. »   992
Et mes sire Yvains li respont :
« Ja, se Deu plest, ne m'ocirront
ne ja par aus pris ne serai.
— Non, fet ele, que g'en ferai   996
avoec vos ma puissance tote.
N'est mie prodon qui trop dote :
por ce cuit que prodom soiez
que n'iestes pas trop esmaiez.   1000
Et sachiez bien, se je pooie,
servise et enor vos feroie,
car vos la feïstes ja moi.
Une foiz, a la cort le roi   1004
m'envoia ma dame an message ;
espoir, si ne fui pas si sage,
si cortoise, ne de tel estre
come pucele deüst estre,   1008
mes onques chevalier n'i ot
qu'a moi deignast parler un mot   [83 c]
fors vos, tot seul, qui estes ci ;
mes vos, la vostre grant merci,   1012
m'i enorastes et servistes ;
de l'enor que vos m'i feïstes
vos randrai ja le guerredon.
Bien sai comant vos avez non   1016

et reconeü vos ai bien :
filz estes au roi Urïen,
et s'avez non mes sire Yvains.
Or soiez seürs et certains   1020
que ja, se croire me volez,
n'i seroiz pris ne afolez :
et cest mien anelet prendroiz
et, s'il vos plest, sel me randroiz   1024
quant je vos avrai delivré. »
Lors li a l'anelet livré,
si li dist qu'il avoit tel force
com a, desus le fust, l'escorce   1028
qu'el le cuevre qu'an n'en voit point ;
mes il covient que l'en l'anpoint
si qu'el poing soit la pierre anclose ;
puis n'a garde de nule chose   1032
cil qui l'anel an son doi a,
que ja veoir ne le porra
nus hom, tant ait les ialz overz,
ne que le fust qui est coverz   1036
de l'escorce, qu'an n'en voit point.
Mon seignor Yvain ce anjoint,
et, quant ele li ot ce dit,
sel mena seoir en un lit   1040
covert d'une coute si riche
qu'ainz n'ot tel li dus d'Osteriche ;
cele dit que, se il voloit,
a mangier li aporteroit ;   1044
et il dist qu'il li estoit bel.
La dameisele cort isnel
en sa chanbre, et revint molt tost,
s'aporta un chapon en rost   1048
et vin qui fu de boene grape,

plain pot, covert de blanche nape ;
Si li a a mangier offert
cele qui volentiers le sert ;   1052
et cil, cui bien estoit mestiers,   [83 *a*]
menja et but molt volentiers.

   Quant il ot mangié et beü,
furent par leanz espandu   1056
li chevalier qui le queroient,
qui lor seignor vangier voloient,
qui ja estoit an biere mis.
Et cele li a dit : « Amis,   1060
oez qu'il vos quierent ja tuit ;
molt i a grant noise et grant bruit,
mes, qui que veigne, et qui que voise,
ne vos movez ja por la noise   1064
que vos ne seroiz ja trovez,
se de cest lit ne vos movez ;
ja verroiz plainne ceste sale
de gent molt enuieuse et male   1068
qui trover vos i cuideront ;
et si cuit qu'il aporteront
par ci le cors por metre an terre ;
si vos comanceront a querre   1072
et desoz bans et desoz liz.
Si seroit solaz et deliz
a home qui peor n'avroit,
quant gent si avuglez verroit :   1076
qu'il seront tuit si avuglé,
si desconfit, si desjuglé,
que il anrageront tuit d'ire ;
je ne vos sai ore plus dire,   1080
ne je n'i os plus demorer.
Mes Deu puisse je aorer

qui m'a doné le leu et l'eise
de feire chose qui vos pleise,　　　　　　　1084
que molt grant talant en avoie. »
Lors s'est arriers mise a la voie
et, quant ele s'an fu tornee,
fu tote la genz atornee　　　　　　　　　　1088
qui de deus parz as portes vindrent
et bastons et espees tindrent ;
si ot molt grant fole et grant presse
de gent felenesse et angresse ;　　　　　　1092
et virent del cheval tranchié,
devant la porte, la mitié.
Lors si cuidoient estre cert,
quant li huis seroient overt,　　　　　　　1096
que dedanz celui troveroient　　　　　　　[83 b]
que il por ocirre queroient.
Puis firent traire a mont les portes
par coi maintes genz furent mortes,　　　1100
mes il n'i ,ot a celui siege
tandu ne paveillon ne piege,
einz i entrerent tuit de front ;
et l'autre mitié trovee ont　　　　　　　　1104
del cheval mort devant le suel ;
mes onques entr'ax n'orent oel
don mon seignor Yvain veïssent
que molt volentiers oceïssent ;　　　　　　1108
et il les veoit anragier,
et forssener, et correcier,
et disoient : « Ce que puet estre ?
que ceanz n'a huis ne fenestre　　　　　　1112
par ou riens nule s'an alast,
se ce n'ert oisiax qui volast,
ou escuriax, ou cisemus,

ou beste ausi petite ou plus,   1116
que les fenestres sont ferrees,
et les portes furent fermees
lors que mes sire en issi fors ;
morz ou vis est ceanz li cors,   1120
que defors ne remest il mie ;
la sele assez plus que demie
est ça dedanz, ce veons bien,
ne de lui ne trovomes rien   1124
fors que les esperons tranchiez
qui li cheïrent de ses piez ;
or au cerchier par toz ces engles,
si lessomes ester ces gengles,   1128
qu'ancor est il ceanz, ce cuit,
ou nos somes anchanté tuit,
ou tolu le nos ont maufé. »
Ensi trestuit d'ire eschaufé   1132
par mi la sale le queroient
et par mi les paroiz feroient,
et par les liz, et par les bans,
mes des cos fu quites et frans   1136
li liz, ou cil estoit couchiez,
qu'il n'i fu feruz ne tochiez,
mes assez ferirent antor
et molt randirent grant estor   1140
par tot leanz de lor bastons,   [83 c]
com avugles qui a tastons
va aucune chose cerchant.
Que qu'il aloient reverchant   1144
desoz liz, et desoz eschames,
vint une des plus beles dames
c'onques veïst riens terrïene.
De si tres bele crestïene   1148

ne fu onques plez ne parole;
mes de duel feire estoit si fole
qu'a po qu'ele ne s'ocioit
a la foiee, si crioit   1152
si haut com ele pooit plus,
et recheoit pasmee jus;
et quant ele estoit relevee,
ausi come fame desvee,   1156
se comançoit a dessirier
et ses chevols a detranchier;
ses mains detuert et ront ses dras,
si se repasme a chascun pas,   1160
ne riens ne la puet conforter,
que son seignor en voit porter
devant li, en la biere, mort,
don ja ne cuide avoir confort;   1164
por ce crioit a haute voiz.
L'eve beneoite, et les croiz,
et li cierge, aloient avant
avoec les dames d'un covant,   1168
et li texte, et li ancenssier,
et li clerc, qui sont despanssier
de feire la haute despansse
a cui la cheitive ame pansse.   1172
    Mes sire Yvains oï les criz
et le duel, qui ja n'iert descriz,
ne nus ne le porroit descrivre,
ne tex ne fu escriz an livre;   1176
et la processïons passa,
mes en mi la sale amassa
entor la biere uns granz toauz,
que li sans chauz, clers, et vermauz,   1180
rissi au mort par mi la plaie;

et ce fu provance veraie
qu'ancor estoit leanz, sanz faille,
cil qui ot feite la bataille   1184
et qui l'avoit mort et conquis.   [84 a]
Lors ont par tot cerchié et quis,
et reverchié, et tremüé
si que tuit furent tressüé   1188
de grant angoisse, et de tooil,
qu'il orent por le sanc vermoil
qui devant aus fu degotez ;
puis fu molt feruz et botez   1192
mes sire Yveins, la ou il jut ;
mes ainz por ce ne se remut ;
et les genz plus et plus crioient
por les plaies qui escrevoient ;   1196
si se mervoillent por coi seinnent,
n'il ne truevent de coi se pleingnent
et dist chascuns et cil et cist :
« Entre nos est cil qui l'ocist,   1200
ne nos ne le veomes mie :
ce est mervoille et deablie. »
Por ce tel duel par demenoit
la dame, qu'ele forssenoit,   1204
et crioit come fors del san :
« Ha ! Dex, don ne trovera l'an
l'omecide, le traïtor,
qui m'a ocis mon boen seignor ?   1208
Boen ? Voire le meillor des buens !
Voirs Dex, li torz an seroit tuens
se tu l'en leisses eschaper.
Autrui que toi n'en doi blasmer   1212
que tu le m'anbles a veüe.
Einz tex force ne fu veüe,

ne si lez torz con tu me fez,
que nes veoir ne le me lez,   1216
celui qui est si pres de moi.
Bien puis dire, quant je nel voi,
que antre nos s'est ceanz mis
ou fantosmes ou anemis ;   1220
s'an sui anfantosmee tote ;
ou il est coarz, si me dote.
Coarz est il, quant il me crient ;
de grant coardise li vient,   1224
qant devant moi mostrer ne s'ose.
Ha ! fantosme, coarde chose,
por qu'ies vers moi acoardie,
quant vers mon seignor fus hardie ?   1228
Que ne t'ai ore an ma baillie ?   [84 b]
Ta puissance fust ja faillie !
Por coi ne te puis or tenir ?
Mes ce, comant pot avenir   1232
que tu mon seignor oceïs,
se an traïson nel feïs ?
Ja voir par toi conquis ne fust
mes sires, se veü t'eüst,   1236
qu'el monde son paroil n'avoit,
ne Dex ne hom ne l'i savoit,
ne il n'en i a mes nul tex.
Certes, se tu fusses mortex,   1240
n'osasses mon seignor atendre
qu'a lui ne se pooit nus prendre. »

    Ensi la dame se debat,
ensi tot par li se conbat,   1244
ensi tot par li se confont
et, avoec lui, ses genz refont
si grant duel que greignor ne pueent,

Le cors an portent, si l'anfueent ;   1248
et tant ont quis et tribolé
que de querre sont saolé,
si le leissent tot par enui,
qu'il ne pueent veoir nelui   1252
qui de rien an face a mescroire.
Et les nonains et li provoire
orent ja fet tot le servise ;
repeirié furent de l'iglise   1256
et venu sor la sepouture.
Mes de tot ice n'avoit cure
la dameisele de la chanbre :
de mon seignor Yvain li manbre ;   1260
s'est a lui venue molt tost
et dit : « Biau sire, a molt grant ost
a ceanz ceste gent esté.
Molt ont par ceanz tanpesté   1264
et reverchiez toz ces quachez,
plus menuemant que brachez
ne vet tracent perdriz ne caille.
Peor avez eü sanz faille.   1268
— Par foi, fet il, vos dites voir ;
ja si grant ne cuidai avoir.
Encores, se il pooit estre,
ou par pertuis ou par fenestre   1272
verroie volentiers la fors   [84 c]
la procession et le cors. »
Mes il n'avoit antancïon
n'au cors, n'a la processïon,   1276
qu'il volsist qu'il fussent tuit ars,
si li eüst costé cent mars.
Cent mars ? Voire, plus de cent mile.
Mes por la dame de la vile,   1280

que il voloit veoir, le dist ;
et la dameisele le mist
a une fenestre petite.
Quan qu'ele puet vers lui s'aquite   1284
de l'enor qu'il li avoit feite.
Par mi cele fenestre agueite
mes sire Yvains la bele dame,
qui dit : « Biau sire, de vostre ame   1288
ait Dex merci, si voiremant
com onques, au mien escïant,
chevaliers sor cheval ne sist
qui de rien nule vos vausist.   1292
De vostre enor, biax sire chiers,
ne fu onques nus chevaliers,
ne de la vostre conpaignie ;
largesce estoit la vostre amie   1296
et hardemanz vostre conpainz.
En la conpaignie des sainz
soit la vostre ame, biax dolz sire ! »
Lors se deront et se dessire   1300
trestot quan que as mains li vient.
A molt grant poinne se retient
mes sire Yveins, a que qu'il tort,
que les mains tenir ne li cort.   1304
Mes la dameisele li prie,
et loe, et comande, et chastie,
come gentix et deboneire,
qu'il se gart de folie feire   1308
et dit : « Vos estes ci molt bien.
Gardez, ne vos movez por rien,
tant que cist diaus soit abeissiez ;
et ces genz departir leissiez,   1312
qu'il se departiront par tens.

S'or vos contenez a mon sens,
si con je vos lo contenir,
granz biens vos an porra venir.   1316
Ci poez ester et seoir,   [84 a]
et anz et fors les genz veoir
qui passeront par mi la voie,
ne ja n'iert nus hom qui vos voie,   1320
si avroiz molt grant aventage ;
mes gardez vos de dire outrage,
car qui se desroie, et sormoinne,
et d'outrage feire se poinne,   1324
quant il en a et eise et leu,
je l'apel plus malvés que preu.
Gardez, se vos pansez folie,
que por ce ne la feites mie.   1328
Li sages son fol pansé cuevre
et met, s'il puet, le san a oevre.
Or vos gardez bien come sages
que n'i lessiez la teste an gages,   1332
qu'il n'en panroient reançon ;
soiez por vos an cusançon,
et de mon consoil vos soveigne ;
s'estez an pes tant que je veigne,   1336
que je n'os plus ci arester,
car g'i porroie trop ester,
espoir, que l'en m'an mescresroit
por ce que l'en ne me verroit   1340
avoec les autres an la presse,
s'an panroie male confesse. »
A tant s'en part et cil remaint
qui ne set an quel se demaint,   1344
que del cors qu'il voit qu'an enfuet
li poise, quant avoir n'en puet

aucune chose qu'il an port
tesmoing qu'il l'a ocis et mort ;   1348
s'il n'en a tesmoing et garant,
que mostrer puisse a parlemant,
donc iert il honiz en travers,
tant est Kex, et fel, et pervers,   1352
plains de ranpones et d'enui,
qu'il ne garra ja mes a lui,
einz l'ira formant afeitant
et gas et ranpones gitant,   1356
ausi con il fist l'autre jor.
Males ranpones a sejor
li sont el cors batanz et fresches.
Mes de son çucre et de ses bresches   1360
li radolcist novele amors   [84 *b*]
qui par sa terre a fet un cors ;
s'a tote sa proie acoillie ;
son cuer a o soi s'anemie,   1364
s'aimme la rien qui plus le het.
Bien a vangiee, et si nel set,
la dame la mort son seignor ;
vangence en a feite greignor,   1368
que ele panre n'an seüst,
s'Amors vangiee ne l'eüst,
qui si dolcemant le requiert
que par les ialz el cuer le fiert ;   1372
et cist cos a plus grant duree
que cos de lance ne d'espee :
cos d'espee garist et sainne
molt tost, des que mires i painne ;   1376
et la plaie d'Amors anpire
quant ele est plus pres de son mire.
   Çclc plaie a mes sire Yvains,

dom il ne sera ja mes sains,   1380
qu'Amors s'est tote a lui randue.
Les leus ou ele ert espandue
vet reverchant, et si s'an oste ;
ne vialt avoir ostel ne oste   1384
se cestui non, et que preuz fet
quant de malvés leu se retret
por ce qu'a lui tote se doint.
Ne cuit qu'aillors ait de lui point ;   1388
si cerche toz ces vix ostex ;
s'est granz diax quant Amors est tex
et quant ele si mal se prueve
qu'el plus despit leu qu'ele trueve   1392
se herberge ele autresi tost
com an tot le meillor de l'ost.
Mes or est ele bien venue,
ci iert ele bien maintenue   1396
et ci li fet boen sejorner.
Ensi se devroit atorner
Amors qui est molt haute chose,
car mervoille est comant ele ose   1400
de honte an malvés leu descendre.
Celui sanble qui an la cendre
et an la poudre espant son basme
et het enor, et ainme blasme,   1404
et destranpre suie de miel,   [84 c]
et mesle çucre avoeques fiel.
Mes or n'a ele pas fet ceu,
logiee s'est an franc aleu,   1408
dom nus ne li puet feire tort.
Quant en ot anfoï le mort,
s'an partirent totes les genz ;
clers, ne chevaliers, ne sergenz,   1412

ne dame n'i remest, que cele
qui sa dolor mie ne cele.
Mes iqui remest tote sole,
et sovant se prant a la gole,   1416
et tort ses poinz, et bat ses paumes,
et list en un sautier, ses saumes,
anluminé a letres d'or.
Et mes sire Yvains est ancor   1420
a la fenestre ou il l'esgarde ;
et quant il plus s'an done garde,
plus l'ainme, et plus li abelist.
Ce qu'ele plore et qu'ele list   1424
volsist qu'ele lessié eüst
et qu'a lui parler li pleüst.
An ce voloir l'a Amors mis
qui a la fenestre l'a pris ;   1428
mes de son voloir se despoire,
car il ne puet cuidier ne croire
que ses voloirs puisse avenir,
et dit : « Por fos me puis tenir,   1432
quant je vuel ce que ja n'avrai ;
son seignor a mort li navrai
et je cuit a li pes avoir !
Par foi, je ne cuit pas savoir,   1436
qu'ele me het plus or en droit
que nule rien, et si a droit.
D'or en droit ai ge dit que sages,
que fame a plus de cent corages.   1440
Celui corage qu'ele a ore,
espoir, changera ele ancore ;
ainz le changera sanz espoir ;
molt sui fos quant je m'an despoir,   1444
et Dex li doint ancor changier,

qu'estre m'estuet an son dongier
toz jorz mes, des qu'Amors le vialt
Qui Amor en gré ne requialt   1448
des que ele an tor li l'atret   [85 a]
felenie et traïson fet ;
et je di, qui se vialt si l'oie,
que cil n'a dróit en nule joie.   1452
Mes por ce ne perdrai je mie,
toz jorz amerai m'anemie,
que je ne la doi pas haïr
se je ne voel Amor traïr.   1456
Ce qu'Amors vialt doi je amer.
Et doit me ele ami clamer ?
Oïl, voir, por ce que je l'aim.
Et je m'anemie la claim   1460
qu'ele me het, si n'a pas tort,
que ce qu'ele amoit li ai mort.
Donques sui ge ses anemis ?
Nel sui, certes, mes ses amis.   1464
Grant duel ai de ses biax chevox
c'onques rien tant amer ne vox,
que fin or passent, tant reluisent.
D'ire m'espranent et aguisent,   1468
quant je les voi ronpre et tranchier ;
n'onques ne pueent estanchier
les lermes, qui des ialz li chieent :
totes ces choses me dessieent.   1472
A tot ce qu'il sont plain de lermes
si qu'il n'en est ne fins ne termes,
ne furent onques si bel oel.
De ce qu'ele plore me duel,   1476
ne de rien n'ai si grant destrece
come de son vis qu'ele blece,

qu'il ne l'eüst pas desservi :
onques si bien taillié ne vi,   1480
ne si fres, ne si coloré ;
mes ce me par a acoré
que ele est a li enemie.
Et voir, ele ne se faint mie   1484
qu'au pis qu'ele puet ne se face,
et nus cristauz ne nule glace
n'est si clere ne si polie.
Dex ! Por coi fet si grant folie   1488
et por coi ne se blece mains ?
Por coi detort ses beles mains,
et fiert son piz et esgratine ?
Don ne fust ce mervoille fine   1492
a esgarder, s'ele fust liee,   [85 b]
quant ele est or si bele iriee ?
Oïl voir, bien le puis jurer,
onques mes si desmesurer   1496
ne se pot an biauté Nature,
que trespassee i a mesure,
ou ele, espoir, n'i ovra onques.
Comant poïst ce estre donques ?   1500
Don fust si grant biauté venue ?
Ja la fist Dex, de sa main nue,
por Nature feire muser.
Tot son tans i porroit user   1504
s'ele la voloit contrefere,
que ja n'en porroit a chief trere
nes Deus, s'il s'an voloit pener,
ce cuit, ne porroit asener   1508
que ja mes nule tel feïst,
por poinne que il i meïst.
    Ensi mes sire Yvains devise,

celi qui de duel se debrise,   1512
n'ainz mes ne cuit qu'il avenist
que nus hom qui prison tenist,
tel com mes sire Yvains la tient,
que de la teste perdre crient,   1516
amast an si fole meniere,
dom il ne fera ja proiere
ne autres por lui, puet cel estre.
Tant demora a la fenestre   1520
qu'il an vit la dame raler,
et que l'en ot fet avaler
anbedeus les portes colanz.
De ce fust uns autres dolanz   1524
que mialz amast sa delivrance
qu'il ne feïst la demorance ;
et il met tot autant a oevre
se l'en les clot, con s'an les oevre.   1528
Il ne s'an alast mie certes,
se eles li fussent overtes,
ne se la dame li donast
congié, et si li pardonast   1532
la mort son seignor boenemant,
si s'en alast seüremant,
qu'Amors et Honte le retienent
qui de deus parz devant li vienent :   1536
il est honiz, se il s'en va   [85 c]
que ce ne recresroit en ja
qu'il eüst ensi esploitié ;
d'autre part, ra tel covoitié   1540
de la bele dame veoir
au moins, se plus n'en puet avoir,
que de la prison ne li chaut :
mialz vialt morir que il s'en aut.   1544

Mes la dameisele repeire,
qui li vialt conpaignie feire,
et solacier, et deporter,
et porchacier, et aporter   1548
quan que il voldra a devise.
De l'Amor qui en lui s'est mise
le trova trespansé et vain ;
si li a dit : « Mes sire Yvain,   1552
quel siegle avez vos puis eü ?
— Tel, fet il, qui molt m'a pleü.
— Pleü ? Por Deu, dites vos voir ?
Comant puet donc boen siegle avoir   1556
qui voit qu'an le quiert por ocirre ?
Cil ainme sa mort et desirre !
— Certes, fet il, ma dolce amie,
morir n'i voldroie je mie,   1560
et si me plot molt tote voie
ce que je vi, se Dex me voie,
et plot et pleira toz jorz mes.
— Or le leissons a tant an pes »,   1564
fet cele qui bien set antendre
ou ceste parole vialt tendre ;
« ne sui si nice ne si fole
que bien n'entande une parole ;   1568
mes or an venez aprés moi,
que je panrai prochein conroi
de vos gitier fors de prison.
Bien vos metrai a garison,   1572
s'il vos plest, enuit ou demain ;
or an venez, je vos an main. »
Et il respont : « Soiez certainne,
je n'an istrai fors, de semainne,   1576
en larrecin ne an enblee.

Quant la genz iert tote asanblee
par mi ces rues, la defors,
plus a enor m'en istrai lors,   1580
que je ne feroie nuitantre. »   [85 a]
A cest mot, aprés li s'en antre
dedanz la petite chanbrete.
La dameisele qui fu brete,   1584
fu de lui servir an espans,
si li fist creance et despans
de tot quan que il li covint.
Et quant leus fu, si li sovint   1588
de ce que il li avoit dit,
que molt li plot ce que il vit,
que par la sale le queroient
les genz qui de mort le haoient.   1592
    La dameisele estoit si bien
de sa dame, que nule rien
a dire ne li redotast,
a que que la chose montast,   1596
qu'ele estoit sa mestre et sa garde.
Et por coi fust ele coarde
de sa dame reconforter
et de son bien amonester ?   1600
La premiere foiz a consoil
li dist : « Dame, molt me mervoil
que folemant vos voi ovrer.
Dame, cuidiez vos recovrer   1604
vostre seignor por vostre duel ?
— Nenil, fet ele, mes mon vuel
seroie je morte d'enui.
— Por coi ? — Por aler aprés lui.   1608
— Aprés lui ? Dex vos an desfande
qui ausi boen seignor vos rande

si com il an est posteïs.
— Einz tel mançonge ne deïs,   1612
qu'il ne me porroit si boen randre.
— Meillor, se vos le volez prandre,
vos randra il, sel proverai.
— Fui ! Teis ! Ja tel ne troverai.   1616
— Si feroiz, dame, s'il vos siet.
Mes or dites, si ne vos griet,
vostre terre, qui desfandra
quant li rois Artus i vendra   1620
qui doit venir l'autre semainne
au perron et a la fontainne ?
N'en avez vos eü message
de la dameisele sauvage   1624
qui letres vos en anvea ?   [85 b]
Ahi ! con bien les anplea !
Vos deüssiez or consoil prendre
de vostre fontainne desfandre,   1628
et vos ne finez de plorer !
N'i eüssiez que demorer,
s'il vos pleüst, ma dame chiere ;
que certes une chanberiere   1632
ne valent tuit, bien le savez,
li chevalier que vos avez :
ja par celui qui mialz se prise
n'en iert escuz ne lance prise.   1636
De gent malveise avez vos mout,
mes ja n'i avra si estout
qui sor cheval monter en ost,
et li rois vient a si grant ost   1640
qu'il seisira tot, sanz desfansse. »
La dame set molt bien et pansse
que cele la consoille an foi ;

mes une folie a en soi   1644
que les autres fames i ont :
trestotes, a bien pres, le font,
que de lor folie s'ancusent
et ce qu'eles voelent refusent.   1648
« Fui ! fet ele, lesse m'an pes.
Se je t'an oi parler ja mes,
ja mar feras, mes que t'an fuies :
tant paroles que trop m'enuies.   1652
— A beneür, fet ele, dame,
bien i pert que vos estes fame,
qui se corroce quant ele ot
nelui qui bien feire li lot. »   1656
Lors s'an parti, si la leissa ;
et la dame se rapanssa
qu'ele avoit si grant tort eü ;
molt volsist bien avoir seü   1660
comant ele poïst prover
qu'an porroit chevalier trover
meillor c'onques ne fu ses sire :
se li orroit volentiers dire,   1664
mes ele li a desfandu.
An ce panser a atendu
jusque tant que ele revint ;
mes onques desfansse n'en tint,   1668
einz li redit tot maintenant :   [85 c]
« Ha ! dame, est ce ore avenant,
qui si de duel vos ocïez ?
Por Deu, car vos en chastïez,   1672
si le laissiez seviaus de honte :
a si haute dame ne monte
que duel si longuemant mainteigne.
De vostre enor vos resoveigne   1676

et de vostre grant gentillesce.
Cuidiez vos que tote proesce
soit morte avoec vostre seignor ?
Que autresi boen ou meillor   1680
an sont remés par mi le monde.
— Se tu ne manz, Dex me confonde !
Et ne por quant un seul m'an nome
qui ait tesmoing de si preudome   1684
con mes sire ot tot son ahé.
— Et vos m'an savrïez mal gré,
si vos recorroceriez
et m'en remenaceriez.   1688
— Nel ferai, je t'en asseür.
— Or soit a vostre boen eür,
qui vos en est a avenir,
se il vos venoit a pleisir.   1692
Et ce doint Dex que il vos pleise !
Ne voi rien por coi je m'an teise,
que nus ne nos ot ne escoute.
Vos me tanroiz ja por estoute,   1696
mes bien puis dire, ce me sanble,
quant dui chevalier sont ansanble
venu a armes en bataille,
li quex cuidiez vos qui mialz vaille,   1700
quant li uns a l'autre conquis ?
An droit de moi doing je le pris
au veinqueor. Et vos, que feites ?
— Il m'est avis que tu m'agueites,   1704
si me viax a parole prandre.
— Par foi, vos poez bien entandre
que je m'an vois par mi le voir,
et si vos pruef par estovoir   1708
que mialz valut cil qui conquist

vostre seignor, que il ne fist :
il le conquist et sel chaça
par hardemant anjusque ça,   1712
et si l'enclost an sa meison.   [86 a]
— Or ai ge oï desreison,
la plus grant c'onques mes fust dite.
Fui ! plainne de mal esperite,   1716
ne mes devant moi ne reveingnes,
por coi de lui parole teignes.
— Certes, dame, bien le savoie
que ja de vos gré n'en avroie,   1720
et jel vos dis molt bien avant.
Mes vos m'eüstes an covant
que ja ire n'en avrïez
ne mal gré ne m'an savrïez.   1724
Mal m'avez mon covant tenu,
si m'est or ensi avenu
et dit m'avez vostre pleisir ;
si ai perdu un boen teisir. »   1728
   A tant vers sa chanbre retorne,
la ou mes sire Yvains sejorne
cui cle garde a molt grant eise ;
mes n'i ot chose qui li pleise,   1732
qant la dame veoir ne puet,
et del plet que cele li muet
ne se garde, ne n'an set mot.
Mes la dame tote nuit ot   1736
a li meïsmes grant tançon,
qu'ele estoit en grant cusançon
de sa fonteinne garantir.
Si se comance a repantir   1740
de celi qu'ele avoit blasmee,
et leidie, et mesaamee,

qu'ele est tote seüre et certe
que por loier, ne por desserte,   1744
ne por amor qu'a celui ait,
ne l'en mist ele onques en plait.
Et plus ainme ele li que lui,
ne sa honte ne son enui   1748
ne li loeroit ele mie,
que trop est sa leax amie.
Ez vos ja la dame changiee :
de celi qu'ele ot leidangiee   1752
ne cuide ja mes a nul fuer
que amer la doie an son cuer,
et celui qu'ele ot refusé
ra molt lëaumant escusé   1756
par reison et par droit de plet   [86 b]
qu'il ne li avoit rien mesfet,
si se desresne tot ensi
con s'il fust venuz devant li ;   1760
lors sel comance a pleidoier :
« Viax tu donc, fet ele, noier
que par toi ne soit morz mes sire ?
— Ce, fet il, ne puis je desdire,   1764
einz l'otroi bien. — Di donc por coi
feïs le tu ? Por mal de moi,
por haïne, ne por despit ?
— Ja n'aie je de mort respit   1768
s'onques por mal de vos le fis.
— Donc n'as tu rien vers moi mespris
ne vers lui n'eüs tu nul tort,
car s'il poïst, il t'eüst mort ;   1772
por ce, mien escïant, cuit gié
que j'ai bien et a droit jugié. »
Ensi par li meïsmes prueve

que droit san et reison i trueve   1776
qu'an lui haïr n'a ele droit,
si an dit ce qu'ele voldroit,
et par li meïsmes s'alume
ensi come li feus qui fume   1780
tant que la flame s'i est mise,
que nus ne la soufle n'atise.
Et s'or venoit la dameisele,
ja desresneroit la querele   1784
dom ele l'a tant pleidoiee,
s'an a esté bien leidoiee.
Et cele revint par matin,
si recomança son latin   1788
la ou ele l'avoit leissié,
et cele tint le chief bessié,
qui a mesfete se santoit
de ce que leidie l'avoit ;   1792
mes or li voldra comander
et del chevalier demander
le non, et l'estre, et le linage ;
si s'umelie come sage,   1796
et dit : « Merci crïer vos vuel
del grant oltrage et de l'orguel
que je vos ai dit come fole,
si remanrai a vostre escole.   1800
Mes dites moi, se vos savez,   [86 c]
del chevalier don vos m'avez
tenue a plet si longuemant
quiex hom est il, et de quel gent.   1804
Se il est tex qu'a moi ateigne,
mes que de par lui ne remaigne,
je le ferai, ce vos otroi,
seignor de ma terre et de moi.   1808

Mes il le covanra si fere,
qu'an ne puisse de moi retrere
ne dire : « C'est cele qui prist
celui qui son seignor ocist.   1812
— E non Deu, dame, ensi iert il.
Seignor avroiz le plus gentil,
et le plus gent, et le plus bel
qui onques fust del ling Abel.   1816
— Comant a non ? — Mes sire Yvains.
— Par foi, cist n'est mie vilains,
einz est molt frans, je le sai bien,
et s'est filz au roi Urïen.   1820
— Par foi, dame, vos dites voir.
— Et quant le porrons nos avoir ?
— Jusqu'a quint jor. — Trop tarderoit,
que, mon vuel, ja venuz seroit.   1824
Veigne enuit ou demain, seviax.
— Dame, ne cuit pas c'uns oisiax
poïst tant en un jor voler.
Mes je i ferai ja aler   1828
un mien garçon qui molt tost cort,
qui ira bien jusqu'a la cort
le roi Artus, au mien espoir,
au moins jusqu'a demain au soir,   1832
que jusque la n'iert il trovez.
— Cist termes est trop lons assez :
li jor sont lonc. Mes dites li
que demain au soir resoit ci   1836
et voist plus tost que il ne siaut,
car bien s'esforcera, s'il vialt :
de deus jornees fera une ;
et anquenuit luira la lune,   1840
si reface de la nuit jor,

et je li donrai au retor
quan qu'il voldra que je li doingne.
— Sor moi leissiez ceste besoingne,   1844
que vos l'avroiz, a tot le mains,   [86 a]
jusqu'a tierz jor antre voz mains.
Et au demain remanderoiz
vos genz et si demanderoiz   1848
consoil del roi qui doit venir.
Por la costume maintenir
de vostre fontainne desfandre
vos covendroit boen consoil prandre ;   1852
et il n'i avra ja si haut
qui s'ost vanter que il i aut.
Lors porroiz dire tot a droit
que marïer vos covendroit.   1856
Uns chevaliers molt alosez
vos requiert, mes vos ne l'osez
panre, s'il nel vos loent tuit
et s'il nel pranent an conduit :   1860
tant les quenuis je a malvés
que, por autrui chargier le fes
dom il seroient tuit chargié,
vos an vanront trestuit au pié,   1864
et si vos an mercïeront
que fors de grant peor seront.
Car qui peor a de son onbre,
s'il puet, volentiers se desconbre   1868
d'ancontre de lance ou de dart,
que c'est malvés jex a coart. »
Et la dame respont : « Par foi,
ensi le vuel, ensi l'otroi,   1872
et je l'avoie ja pansé
si con vos l'avez devisé,

et tot ensi le ferons nos.
Mes ci por coi demorez vos ?   1876
Alez ! Ja plus ne delaiez !
Si faites tant que vos l'aiez,
et je remanderai mes genz. »
Ici fine li parlemanz.   1880
Cele fet sanblant qu'anvoit querre
mon seignor Yvain en sa terre,
si le fet chascun jor baignier,
son chief laver et apleignier ;   1884
et avoec ce li aparoille
robe d'escarlate vermoille,
de veir forree a tot la croie.
N'est riens qu'ele ne li acroie   1888
qui coveigne a lui acesmer :   [86 *b*]
fermail d'or a son col fermer,
ovré a pierres precïeuses
qu'il font leanz molt gracïeuses,   1892
et ceinturete, et aumosniere
qui fu d'une riche sainiere ;
bien l'a de tot apareillié.
Et a sa dame a conseillié   1896
que revenuz est ses messages :
si a esploitié come sages.
« Comant, fet ele, quant venra
mes sire Yveins ? — Ceanz est ja.   1900
— Ceanz est il ? Venez donc tost,
celeemant et an repost
demantres qu'avoec moi n'est nus.
Gardez que n'en i veigne nus,   1904
que g'i harroie molt le cart. »
La dameisele a tant s'an part ;
s'est venue a son oste arriere,

mes ne mostra mie a sa chiere   1908
la joie que ses cuers avoit,
einz dit que sa dame savoit
qu'ele l'avoit leanz gardé,
et dit : « Mes sire Yvain, par·Dé,   1912
n'a mes mestier neant celee
tant est de vos la chose alee
que ma dame ceanz vos set,
qui molt me blasme et molt me het,   1916
et molt m'en a acoisonee ;
mes tel seürté m'a donee
que devant li vos puis conduire
sanz vos de rien grever ne nuire.   1920
Ne vos grevera rien, ce croi,
fors tant, don mantir ne vos doi
que je feroie traïson,
qu'avoir vos vialt en sa prison,   1924
et si i vialt avoir le cors
que nes li cuers n'an soit defors.
— Certes, fet il, ce voel je bien,
que ce ne me grevera rien,   1928
qu'an sa prison voel je molt estre.
— Si seroiz vos, par la main destre
don je vos teing ! Or an venez,
mes a mon los vos contenez   1932
si sinplemant devant sa face   [86 c]
que male prison ne vos face.
Ne por ce ne vos esmaiez :
ne cuit mie que vos aiez   1936
prison qui trop vos soit grevainne. »
La dameisele ensi l'en mainne ;
si l'esmaie, et sel raseüre,
et parole par coverture   1940

de la prison ou il iert mis,
que sanz prison n'est nus amis,
por ç'a droit se prison le clainme
que sanz prison n'est nus qui ainme.   1944
 La dameisele par la main
en mainne mon seignor Yvain
la ou il iert molt chier tenuz ;
si crient il estre mal venuz,   1948
et s'il le crient, n'est pas mervoille.
Sor une grant coute vermoille
troverent la dame seant.
Molt grant peor, ce vos creant,   1952
ot mes sire Yvains a l'entree
de la chanbre, ou il ont trovee
la dame qui ne li dist mot ;
et por ce grant peor en ot,   1956
si fu de peor esbaïz
qu'il cuida bien estre traïz,
et s'estut loing cele part la,
tant que la ·pucele parla   1960
et dit : « .Vc. dahez ait s'ame
qui mainne an chanbre a bele dame
chevalier, qui ne s'an aproche,
et qui n'a ne lengue, ne boche,   1964
ne san, dom acointier se sache ! »
Maintenant par le braz le sache,
si li dit : « En ça vos traiez,
chevaliers, ne peor n'aiez   1968
de ma dame qu'el ne vos morde ;
mes querez la pes et l'acorde,
et g'en proierai avoec vos
que la mort Esclados le Ros,   1972
qui fu ses sires, vos pardoint. »

Mes sire Yvains maintenant joint
ses mains, si s'est a genolz mis
et dit, come verais amis :   1976
« Dame, voir, ja ne vos querrai   [87 a]
merci, einz vos mercïerai
de quan que vos me voldroiz feire,
que riens ne me porroit despleire.   1980
— Non, sire ? Et se je vos oci ?
— Dame, la vostre grant merci,
que ja ne m'an orroiz dire el.
— Einz mes, fet ele, n'oï tel,   1984
que si vos metez a devise
del tot an tot en ma franchise
sanz ce que nes vos en esforz.
— Dame, nule force si forz   1988
n'est come cele, sanz mantir,
qui me comande a consantir
vostre voloir del tot an tot.
Rien nule a feire ne redot   1992
que moi vos pleise a comander,
et, se je pooie amander
la mort don j'ai vers vos mesfet,
je l'amanderoie sanz plet.   1996
— Comant ? fet ele : or le me dites,
si soiez de l'amande quites,
se vos de rien me mesfeïstes,
quant vos mon seignor m'oceïstes ?   2000
— Dame, fet il, vostre merci ;
quant vostre sires m'asailli,
quel tort oi je de moi desfandre ?
Qui autrui vialt ocirre ou prandre,   2004
se cil l'ocit qui se desfant,
dites se de rien i mesprant.

— Nenil, qui bien esgarde droit ;
et, je cuit, rien ne me vaudroit   2008
qant fet ocirre vos avroie.
Et ce molt volentiers savroie
don cele force puet venir
qui vos comande a consentir   2012
a mon voloir, sanz contredit ;
toz torz et toz mesfez vos quit,
mes seez vos, si me contez
comant vos iestes si dontez.   2016
    — Dame, fet il, la force vient
de mon cuer, qui a vos se tient ;
an ce voloir m'a mes cuers mis.
— Et qui le cuer, biax dolz amis ?   2020
— Dame, mi oel. — Et les ialz, qui ?   [87 b]
— La granz biautez que an vos vi.
— Et la biautez qu'i a forfet ?
— Dame, tant que amer me fet.   2024
— Amer ? Et cui ? — Vos, dame chiere.
— Moi ? — Voire voir. — An quel meniere ?
— An tel que graindre estre ne puet ;
en tel que de vos ne se muet   2028
mes cuers, n'onques aillors nel truis ;
an tel qu'aillors pansser ne puis ;
en tel que toz a vos m'otroi ;
an tel que plus vos aim que moi ;   2032
en tel, s'il vos plest, a delivre
que por vos vuel morir ou vivre.
    — Et oseriez vos enprandre
por moi ma fontainne a desfandre ?   2036
— Oïl voir, dame, vers toz homes.
— Sachiez donc, bien acordé somes. »
Ensi sont acordé briemant.

Et la dame ot son parlemant   2040
devant tenu a ses barons
et dit : « De ci nos en irons
an cele sale ou ces genz sont
qui loé et conseillié m'ont,   2044
que mari a prendre m'otroient
por le besoing que il i voient.
Ci meïsmes a vos me doing
ne ge n'en irai ja plus loing   2048
qu'a seignor refuser ne doi
boen chevalier et fil de roi. »
  Or a la dameisele fet
quan qu'ele voloit antreset ;   2052
mes sire Yvains n'en ot pas ire,
ce vos puis bien conter et dire,
que la dame avoec li l'en mainne
en la sale, qui estoit plainne   2056
de chevaliers et de sergenz ;
et mes sire Yvains fu si genz
qu'a mervoilles tuit l'esgarderent,
et encontre ax tuit se leverent   2060
et tuit salüent et anclinent
mon seignor Yvain, et devinent :
« C'est cil qui ma dame prendra ;
dahez ait qui li desfandra   2064
qu'a mervoilles sanble prodome.   [87 c]
Certes, l'empererriz de Rome
seroit an lui bien marïee.
Car l'eüst il ja afïee   2068
et ele lui de nue main,
si l'espousast hui ou demain. »
Ensi parloient tuit d'un ranc.
Au chief de la sale ot un banc   2072

ou la dame s'ala seoir
la ou tuit la porent veoir,
et mes sire Yvains sanblant fist
qu'a ses piez seoir se volsist   2076
qant ele l'an leva a mont ;
et de la parole semont
son seneschal, que il la die,
si qu'ele soit de toz oïe.   2080
Lors comança li seneschax,
qui n'estoit ne estolz ne chax :
  « Seignor, fet il, guerre nos sourt :
n'est jorz que li rois ne s'atourt   2084
de quan qu'il se puet atorner
por venir noz terres gaster.
Ençois que la quinzainne past
sera trestote alee a gast,   2088
se boen mainteneor n'i a.
Qant ma dame se marïa,
n'a mie ancor sis anz parclos,
si le fist ele par voz los.   2092
Morz est ses sires, ce li poise.
N'a or de terre c'une toise
cil qui tot cest païs tenoit
et qui molt bien i avenoit :   2096
c'est granz diax que po a vescu.
Fame ne set porter escu
ne ne set de lance ferir ;
molt amander, et ancherir,   2100
se puet de panre un boen seignor.
Einz mes n'en ot mestier graignor ;
loez li tuit que seignor praingne,
einz que la costume remaingne   2104
qui an cest chastel a esté

plus de .lx. anz a passé. »
A cest mot dïent tuit ansanble
que bien a feire lor resanble.   2108
Et trestuit jusqu'aus piez li vienent ;   [87 a]
de son voloir an grant la tienent ;
si se fet preier de son buen,
tant que, ausi con maugré suen,   2112
otroie ce qu'ele feïst
se chascuns li contredeïst,
et dit : « Seignor, des qu'il vos siet,
cil chevaliers qui lez moi siet   2116
m'a molt proiee, et molt requise ;
de m'enor, et an mon servise
se vialt metre, et je l'an merci ;
et vos l'en mercïez ausi.   2120
N'onques mes certes nel conui,
s'ai molt oï parler de lui :
si hauz hom est, ce sachiez bien,
con li filz au roi Urïen.   2124
Sanz ce qu'il est de haut parage,
est il de si grant vasselage,
et tant a corteisie, et san,
que desloer nel me doit an.   2128
De mon seignor Yvain, ce cuit,
avez bien oï parler tuit ;
et ce est il qui me requiert.
Plus haut seignor qu'a moi n'afiert   2132
avrai au jor que ce sera. »
Tuit dïent : « Ja ne passera
cist jorz, se vos feites que sage,
qu'ainz n'aiez fet le marïage,   2136
que molt est fos qui se demore
de son preu feire une seule ore. »

Tant li prïent que ele otroie
ce qu'ele feïst tote voie,   2140
qu'Amors a feire li comande
ce don los et consoil demande ;
mes a plus grant enor le prant
quant congié en a de sa gent.   2144
Et les proieres rien n'i grievent,
einz li esmuevent et soulievent
le cuer a feire son talant :
li chevax qui pas ne va lant   2148
s'esforce quant an l'esperone ;
veant toz ses barons se done
la dame a mon seignor Yvain.
Par la main d'un suen chapelain   2152
prise a la dame de Landuc   [87 *b*]
l'andemain, qui fu fille au duc
Laududez, dom an note un lai.
Le jor meïsmes, sanz delai,   2156
l'espousa et firent lor noces.
Asez i ot mitres et croces,
que la dame i ot mandez
les esvesques et les abez.   2160

   Molt i ot gent de grant noblesce,
et molt i ot joie et leesce,
plus que conter ne vos porroie
quant lonc tans panssé i avroie ;   2164
einz m'an vuel teire que plus dire.
Mes or est mes sire Yvains sire,
et li morz est toz oblïez ;
cil qui l'ocist est marïez ;   2168
sa fame a, et ensanble gisent ;
et les genz ainment plus et prisent
le vif c'onques le mort ne firent.

A ces noces molt le servirent,   2172
qui durerent jusqu'a la voille
que li rois vint a la mervoille
de la fontainne et del perron,
et avoec lui si conpaignon,   2176
que trestuit cil de sa mesniee
furent an cele chevalchiee,
c'uns trestoz seus n'an fu remés.
Et si disoit mes sire Ques :   2180
« Por Deu, qu'est ore devenuz
mes sire Yvains, qui n'est venuz,
qui se vanta aprés mangier
qu'il iroit son cousin vangier ?   2184
Bien pert que ce fu aprés vin !
Foïz s'an est, je le devin,
qu'il n'i osast venir por l'uel.
Molt se vanta de grant orguel.   2188
Molt est hardiz qui loer s'ose
de ce dont autres ne l'alose,
ne n'a tesmoing de sa loange,
se ce n'est por fausse losange.   2192

   Molt a entre malvés et preu,
que li malvés antor le feu
dit de lui une grant parole,
si tient tote la gent por fole   2196
et cuide que l'en nel conoisse.   [87 c]
Et li preuz avroit grant angoisse,
s'il ooit redire a autrui
les proesces qui sont an lui.   2200
Ne por qant, certes, bien m'acort
a malvés, qu'il n'a mie tort ;
s'il ne le dit, qui ie dira ?
Tant se teisent d'ax li hera   2204

qui des vaillanz crïent le banc,
et les maivés gietent au vant
qu'il ne truevent qui por aus mante ;
fos est qui se prise ne vante. »   2208
Ensi mes sire Kex parloit
et mes sire Gauvains disoit :
« Merci, mes sire Kex, merci !
Se mes sire Yvains n'est or ci,   2212
ne savez quele essoine il a.
Onques voir si ne s'avilla
qu'il deïst de vos vilenie
tant com il set de corteisie.   2216
— Sire, fet il, et je m'an tes,
ne m'an orroiz parler hui mes,
des que je voi qu'il vos enuie. »
Et li rois por veoir la pluie   2220
versa de l'eve plain bacin
sor le perron, desoz le pin ;
et plut tantost molt fondelmant.
Ne tarda puis gueires granmant   2224
que mes sire Yvains sanz arest
entra armez en la forest
et vint plus tost que les galos
sor un cheval molt grant, et gros,   2228
fort, et hardi, et tost alant.
Et mes sire Kex ot talant
qu'il demanderoit la bataille,
car, quiex que fust la definaille,   2232
il voloit comancier toz jorz
les meslees et les estorz
ou il i eüst grant corroz.
Au pié le roi vient devant toz   2236
que ceste bataille li lest.

« Kex, fet li rois, des qu'il vos plest
et devant toz l'avez rovee,
ne vos doit pas estre vehee. »   2240
Kex l'en mercie et puis si monte.   [88 a]
S'or li puet feire un po de honte
mes sire Yvains, liez an sera
et molt volantiers li fera,   2244
que bien le reconuist as armes.
L'escu a pris par les enarmes
et Kex le suen, si s'antr'esleissent,
chevax poignent, et lances beissent   2248
que il tenoient anpoigniees ;
un petit les ont aloigniees
tant que par les quamois les tienent,
et a ce que il s'antrevienent   2252
de tex cos ferir s'angoissierent
que andeus les lances froissierent
et vont jusqu'anz es poinz fandant.
Mes sire Yvains cop si puissant   2256
li dona, que de sus la sele
a fet Kex la torneboele,
et li hiaumes an terre fiert.
Plus d'enui feire ne li quiert   2260
mes sire Yvains, ençois descent
a la terre, et son cheval prent.
Ce fu molt bel a tel i ot,
et fu assez qui dire sot :   2264
« Ahi ! ahi ! con or gisiez
vos qui les autres despisiez !
Et ne por quant s'est il bien droiz
qu'an le vos pardoint ceste foiz   2268
por ce que mes ne vos avint. »
Entre tant, devant le roi vint

mes sire Yvains, et par le frain
menoit le cheval en sa main,   2272
por ce que il li voloit rendre ;
si li dist : « Sire, feites prendre
ce cheval, que je mesferoie
se rien del vostre detenoie.   2276
— Et qui estes vos, fet li rois ?
Ne vos conoistroie des mois
au parler, se ne vos veoie
ou se nomer ne vos ooie.   2280
Lors s'est mes sire Yvains nomez ;
s'an est Kex de honte essomez,
et maz, et muz, et desconfiz,
qu'il dist qu'il s'an estoit foïz.   2284
Et li autre molt lié an sont   [88 b]
que de s'enor grant joie font.
Nes li rois grant joie an mena ;
mes mes sire Gauvains en a   2288
cent tanz plus grant joie que nus,
que sa conpaingnie amoit plus
que conpaignie qu'il eüst
a chevalier que l'en seüst.   2292
Et li rois li requiert et prie,
se lui ne poise, qu'il lor die
comant il avoit esploitié ;
rar molt avoit grant covoitié   2296
de savoir tote s'avanture ;
de voir dire molt le conjure,
et il lor a trestot conté
et le servise et la bonté   2300
que la dameisele li fist ;
onques de mot n'i entreprist ;
ne riens nule n'i oblia.

Et aprés ce le roi pria   2304
que il et tuit si chevalier
venissent a lui herbergier,
qu'enor et joie li feroient,
quant a lui herbergié seroient.   2308
Et li rois dit que volantiers
li feroit il, huit jorz antiers,
amor et joie et conpaignie.
Et mes sire Yvains l'en mercie.   2312
Ne de demore plus n'i font,
maintenant montent, si s'an vont
vers le chastel la droite voie.
Et mes sire Yvains envoie   2316
devant la rote un escuier,
qui portoit un faucon gruier,
por ce que il ne sorpreïssent
la dame, et que ses genz feïssent   2320
contre le roi ses meisons beles.
Qant la dame oï les noveles
del roi qui vient, s'en a grant joie.
N'i a nul qui la novele oie   2324
qui n'an soit liez, et qui n'en mont.
Et la dame toz les semont
et prie que contre lui voisent ;
et cil n'en tancent ne ne noisent,   2328
que de feire sa volanté   [88 c]
estoient tuit antalanté.
    Encontre le roi de Bretaingne
vont tuit sor granz chevax d'Espaingne,   2332
si salüent molt hautemant
le roi Artus premieremant
et puis sa conpaignie tote :
« Bien vaingne, font il, ceste rote   2336

qui de tant prodomes est plainne.
Beneoiz soit cil qui les mainne
et qui si boens ostex lor done. »
Contre le roi li chastiax sone   2340
de la joie que l'en i fet.
Li drap de soie sont fors tret
et estandu a paremant,
et des tapiz font pavemant   2344
que par les rues les estandent
contre le roi que il atandent,
et refont un autre aparoil :
entre le roi et le soloil   2348
cuevrent les rues des cortines.
Li sain, li cor, et les buisines
font le chastel si resoner
que l'en n'oïst pas Deu toner.   2352
La ou descendent les puceles,
sonent flaütes et vïeles,
tympre, freteles et tabor ;
d'autre part refont lor labor   2356
li legier sailleor qui saillent ;
trestuit de joie se travaillent,
et a ceste joie reçoivent
lor seignor, si con feire doivent.   2360
Et la dame rest fors issue,
d'un drap emperïal vestue,
robe d'ermine tote fresche,
an son chief une garlendesche   2364
tote de rubiz atiriee ;
ne n'ot mie la chiere iriee,
einz l'ot si gaie et si rïant
qu'ele estoit, au mien escïant,   2368
plus bele que nule contesse.   [88 a]

Tot an tor fu la presse espesse,
et disoient trestuit a tire :
« Bien veigne li rois et li sire   2372
des rois et des seignors del monde. »
Ne puet estre qu'a toz responde
li rois, qui vers lui voit venir
la dame a son estrié tenir.   2376
Et ce ne vost il pas atendre,
einz se haste molt de descendre ;
si descendi lués qu'il la vit
et ele le salue et dit :   2380
« Bien veigne, par cent mile foiz,
li rois mes sire, et beneoiz
soit mes sire Gauvains, ses niés.
— Et vostre cors et vostre chiés,   2384
fet li rois, bele criature,
ait joie et grant boene aventure. »
Puis l'enbraça par mi les flans,
li rois, come cortois et frans,   2388
et ele lui tot a plain braz.
Des autres parole ne faz
comant ele les conjoï,
mes onques mes parler n'oï   2392
de nes une gent tant joïe,
tant enoree, et tant servie.
De la joie assez vos contasse
se ma parole n'i gastasse ;   2396
mes seulemant de l'acontance
voel feire une brief remanbrance
qui fu feite a privé consoil
entre la lune et le soloil.   2400
Savez de cui je vos voel dire ?
Cil qui des chevaliers fu sire

et qui sor toz fu reclamez
doit bien estre solauz clamez.   2404
Por mon seignor Gauvain le di,
que de lui est tot autresi
chevalerie anluminee,
come solauz la matinee   2408
oevre ses rais, et clarté rant
par toz les leus ou il s'espant.
Et de celi refaz la lune
dom il ne puet estre que une,   2412
de grant foi et de grant aïe.   [88 *b*]
Et ne poroec, je nel di mie
seulemant par son grant renon,
mes por ce que Lunete ot non.   2416
     La dameisele ot non Lunete
et fu une avenanz brunete,
molt sage, et veziee, et cointe.
A mon seignor Gauvain s'acointe   2420
qui molt la prise, et qui molt l'ainme,
et por ce s'amie la clainme,
qu'ele avoit de mort garanti
son conpaignon et son ami ;   2424
si li offre molt son servise.
Et ele li conte et devise
a con grant poinne ele conquist
sa dame, tant que ele prist   2428
mon seignor Yvain a mari,
et comant ele le gari
des mains a cez qui le queroient :
entr'ax ert et si nel veoient.   2432
Mes sire Gauvains molt se rit
de ce qu'ele li conte et dit :
« Ma dameisele, je vos doing

et a mestier et sanz besoing 2436
un tel chevalier con je sui ;
ne me changiez ja por autrui,
se amander ne vos cuidiez ;
vostres sui et vos resoiez 2440
d'ore en avant ma dameisele.
— Vostre merci, sire » fet ele.
Ensi cil dui s'antr'acointoient,
li uns a l'autre se donoient, 2444
que d'autres i ot tel nonante
que aucune i ot bele, et gente,
et noble, et cointe, et preuz, et sage,
gentix dame, et de haut parage ; 2448
si s'i porront molt solacier,
et d'acoler, et de beisier,
et de parler, et de veoir,
et de delez eles seoir, 2452
itant en orent il au mains.
Or a feste mes sire Yvains
del roi, qui avoec li demore ;
et la dame tant les enore 2456
chascun par soi et toz ansanble, [88 c]
que tel fol i a cui il sanble
que d'amors veignent li atret
et li sanblant qu'ele lor fet ; 2460
et cez puet an nices clamer
qui cuident qu'el les voelle amer ;
qant une dame est si cortoise
qu'a un maleüreus adoise 2464
qu'ele li fet joie et acole,
fos est liez de bele parole,
si l'a an molt tost amusé.
A grant joie ont le tans usé 3468

trestote la semainne antiere :
deduit de bois et de riviere
i ot molt qui le vost avoir ;
et qui vost la terre veoir   2472
que mes sire Yvains ot conquise
en la dame que il ot prise,
si se repot aler esbatre
ou six liues, ou cinc, ou quatre,   2476
par les chastiax de la entor.
Qant li rois ot fet son sejor
tant que n'i vost plus arester,
si refist son oirre aprester ;   2480
mes il avoient la semainne
trestuit proié et mise painne
au plus qu'il s'an porent pener
que il en poïssent mener   2484
mon seignor Yvain avoec ax.
« Comant ! seroiz vos or de çax,
ce disoit mes sire Gauvains,
qui por leur fames valent mains ?   2488
Honiz soit de sainte Marie
qui por anpirier se marie !
Amander doit de bele dame
qui l'a a amie ou a fame,   2492
que n'est puis droiz que ele l'aint
que ses los et ses pris remaint.
Certes, ancor seroiz iriez
de s'amor, se vos anpiriez ;   2496
que fame a tost s'enor reprise,
ne n'a pas tort, s'ele despise
celui qui devient de li pire
el rëaume dom il est sire.   2500
Or primes doit vostre pris croistre.   [89 a]

Ronpez le frain et le chevoistre,
s'irons tornoier moi et vos,
que l'en ne vos apiaut jalos.   2504
Or ne devez vos pas songier,
mes les tornoiemanz ongier
et anpanre, et tot fors giter,
que que il vos doie coster.   2508
Assez songe qui ne se muet !
Certes, venir vos an estuet
que ja n'i avra autre essoine ;
gardez que en vos ne remoingne,   2512
biax conpainz, nostre conpaignie,
que en moi ne faura ele mie,
mervoille est comant en a cure,
de l'eisse qui toz jorz li dure.   2516
Bien a donc cist ou delaier
et plus est dolz a essaier
uns petiz biens, quant il delaie,
c'uns granz, qui tot ades l'essaie.   2520
Joie d'amors qui vient a tart
sanble la vert busche qui art,
qui dedanz rant plus grant chalor
et plus se tient en sa valor,   2524
quant plus demore a alumer.
An puet tel chose acostumer
qui molt est greveuse a retrere ;
quant an le vialt, nel puet an fere.   2528
Ne por ce ne le di ge mie,
se j'avoie si bele amie
con vos avez, biax dolz conpainz,
foi que je doi Deu et toz sainz,   2532
molt a enuiz la leisseroie !
A esciant, fos an seroie.

Tex done boen consoil autrui
qui ne savroit conseillier lui,   2536
ausi con li preescheor
qui sont desleal lecheor,
enseignent et dïent le bien
dom il ne vuelent feire rien ! »   2540
    Mes sire Gauvains tant li dist
ceste chose, et tant li requist
qu'il creanta qu'il le diroit
a sa fame, et puis s'an iroit,   2544
s'il an puet le congié avoir ;   [89 b]
ou face folie ou savoir,
ne leira que congié ne praigne
de retorner an la Bretaigne.   2548
La dame en a a consoil trete
qui de ce congié ne se guete,
si li dist : « Ma tres chiere dame,
vos qui estes mes cuers et m'ame,   2552
mes biens, ma joie, et ma santez,
une chose m'acreantez
por vostre enor et por la moie. »
La dame tantost li otroie,   2556
qu'el ne set qu'il vialt demander
et dit : « Biax sire, comander
me poez ce qui boen vos iert. »
Congié maintenant li requiert   2560
mes sire Yvains, de convoier
le roi, et d'aler tornoier,
que l'an ne l'apialt recreant.
Et ele dit : « Je vos creant   2564
le congié jusqu'a un termine.
Mes l'amors devanra haïne,
que j'ai en vos, toz an soiez

seürs, se vos trespassïez   2568
le terme que je vos dirai ;
sachiez que ja n'en mantirai :
se vos mantez, je dirai voir.
Se vos volez m'amor avoir   2572
et de rien nule m'avez chiere,
pansez de tost venir arriere
a tot le moins jusqu'a un an
huit jorz aprés la Saint Johan   2576
c'ui an cest jor sont les huitaves.
De m'amor soiez maz et haves,
se vos n'iestes jusqu'a ce jor
ceanz avoec moi au retor. »   2580
   Mes sire Yvains pleure et sopire
si fort qu'a poinnes le pot dire :
« Dame, cist termes est molt lons.
Se je poïsse estre colons   2584
totes les foiz que je vouroie,
molt sovant avoec vos seroie.
Et je pri Deu que, s'il li plest,
ja tant demorer ne me lest.   2588
Mes tex cuide tost revenir   [89 c]
qui ne set qu'est a avenir.
Et je ne sai que m'avenra,
Se essoines me detanra   2592
de malage ne de prison ;
s'avez de tant fet mesprison
quant vos n'en avez mis defors
au moins l'essoine de mon cors.   2596
— Sire, fet ele, et je li met ;
et ne por quant bien vos promet
que, se Dex de mort vos desfant,
nus essoines ne vos atant   2600

tant con vos sovanra de moi.
Mes or metroiz an vostre doi
cest mien anel, que je vos prest ;
et de la pierre quex ele est   2604
vos voel dire tot en apert :
prison ne tient ne sanc ne pert
nus amanz verais et leax,
ne avenir ne li puet max ;   2608
mes qui le porte, et chier le tient
de s'amie li resovient,
et si devient plus durs que fers ;
cil vos iert escuz et haubers   2612
et voir einz mes a chevalier
ne le vos prester ne baillier,
mes por amors le vos doing gié. »
Or a mes sire Yvains congié :   2616
molt out ploré au congié prendre.
Et li rois ne vost plus atendre
por rien qu'an dire li seüst,
einz li tardoit que l'en eüst   2620
toz lor palefroiz amenez,
apareilliez et anfrenez.
Des qu'il le vost, il fu tost fet ;
li palefroi lor sont fors tret,   2624
si n'i a mes que del monter.
Ne sai que plus doie conter,
comant mes sire Yvains s'en part,
ne des beisiers qu'an li depart,   2628
qui furent de lermes semé
et de dolçor anbaussemé.
Et del roi que vos conteroie,
comant la dame le convoie   2632
et ses puceles avoec li   [89 a]

et tuit li chevalier ausi ?
Trop i feroie de demore.
La dame, por ce qu'ele plore,   2636
prie li rois de remenoir
et de raler a son menoir ;
tant li prie qu'a molt grant poinne
s'an retorne, et ses genz an moinne.   2640
    Mes sire Yvains molt a enviz
est de s'amie departiz,
ensi que li cuers ne se muet.
Li rois le cors mener an puet   2644
mes del cuer n'en manra il point,
car si se tient et si se joint
au cuer celi qui se remaint
qu'il n'a pooir que il l'en maint ;   2648
des que li cors est sanz le cuer
don ne puet il estre a nul fuer ;
et se li cors sanz le cuer vit
tel mervoille nus hom ne vit.   2652
Ceste mervoille est avenue
que il a l'ame retenue
sanz le cuer, qui estre i soloit,
que plus siudre ne le voloit.   2656
Li cuers a boene remenance
et li cors vit en esperance
de retorner au cuer arriere ;
s'a fet cuer d'estrenge meniere   2660
de s'esperance qui se vant,
traïte, et fause de covant.
Ja, ce cuit, l'ore ne savra
qu'esperance traï l'avra ;   2664
car s'il un tot seul jor trespasse
del terme qu'il ont mis a masse,

molt a enviz trovera mes
en sa dame trives ne pes.   2668
Et je cuit qu'il le passera,
que departir ne le leira
mes sire Gauvains d'avoec lui.
Aus tornoiemanz vont andui   2672
par toz les leus ou l'en tornoie ;
et li anz passe tote voie,
sel fist tot l'an mes sire Yvains
si bien que mes sire Gauvains   2676
se penoit de lui enorer,   [89 *b*]
et si le fist tant demorer
que toz li anz fu trespassez
et de tot l'autre encor assez,   2680
tant que a la mi aost vint
que li rois cort et feste tint.
Et furent la voille devant
revenu del tornoiemant   2684
ou mes sire Yvains ot esté ;
s'an ont tot le pris aporté,
ce dit li contes, ce me sanble ;
et li dui chevalier ansanble   2688
ne vostrent en vile descendre,
einz firent lor paveillon tendre
fors de la vile et cort i tindrent
c'onques a cort de roi ne vindrent,   2692
einçois vint li rois a la lor,
car avoec ax sont li meillor
des chevaliers, et toz li plus.
Entr'ax seoit li rois Artus,   2696
quant Yvains tant encomança
a panser, que des lors en ça
que a sa dame ot congié pris,

ne fu tant de panser sorpris   2700
con de celui, car bien savoit
que covant manti li avoit
et trespassez estoit li termes.
A grant poinne tenoit ses lermes,   2704
mes honte li feisoit tenir ;
tant pansa qu'il virent venir
une dameisele a droiture ;
et vint molt tres grant aleüre   2708
sor un noir palefroi baucent ;
devant lor paveillon descent
que nus ne fu a son descendre,
ne nus n'ala son cheval prendre.   2712
Et lors que ele pot veoir
le roi, si leissa jus cheoir
son mantel, et desafublee
s'en est el paveillon antree   2716
et tres devant le roi venue ;
si dist que sa dame salue
le roi et mon seignor Gauvain
et toz les autres, fors Yvain,   2720
le mançongier, le guileor,   [89 c]
le desleal, le tricheor,
qu'il l'a guilee et deceüe ;
bien a sa guile aparceüe   2724
qu'il se feisoit verais amerres,
s'estoit fos, souduianz et lerres ;
sa dame a cil lerres souduite
qui n'estoit de nus max estruite   2728
ne ne cuidoit pas, a nul fuer,
qu'il li deüst anbler son cuer ;
cil n'anblent pas les cuers qui ainment,
si a tex qui larrons les claiment   2732

qui en amer sont non veant
et si n'an sevent nes neant.
Li amis prant le cuer s'amie
ensi qu'il ne li anble mie,   2736
einz le garde, et cil qui les anblent,
li larron qui prodome sanblent,
icil sont larron ipocrite
et traïtor, qui metent lite   2740
en cuers anbler don ax ne chaut ;
mes li amis quel part qu'il aut
le tient chier, et si le raporte.
Mes sire Yvains la dame a morte   2744
qu'ele cuidoit qu'il li gardast
son cuer, et si li raportast,
einçois que fust passez li anz.
Yvain, molt fus or oblianz   2748
quant il ne t'an pot sovenir
que tu devoies revenir
a ma dame jusqu'a un an ;
jusqu'a la feste saint Jehan   2752
te dona ele de respit ;
et tu l'eüs an tel despit
c'onques puis ne t'an remanbra.
Ma dame en sa chanbre poinz a   2756
trestoz les jorz et toz les tans,
car qui ainme, il est en espans,
mes tote nuit conte et asome,
n'onques ne puet panre boen some,   2760
les jorz qui vienent et qui vont.
Ensi li leal amant font
contre le tans et la seison.
N'est pas venue a desreison   2764
sa conplainte ne devant jor,   [90 a]

si ne di ge rien por clamor,
mes tant dit que traïz nos a
qui a ma dame trespassa.   2768
    Yvain, n'a mes cure de toi
ma dame, ainz te mande par moi
que ja mes vers li ne reveignes
ne son anel plus ne reteignes.   2772
Par moi que ci an presant voiz
te mande que tu li envoiz :
rant li, qu'a randre le t'estuet. »
Yvains respondre ne li puet,   2776
que sans et parole li faut ;
et la dameisele avant saut,
si li oste l'anel del doi ;
puis si comande a Deu le roi   2780
et toz les autres, fors celui
cui ele leisse an grant enui.
Et ses enuiz tot ades croist
que quan que il vit li angroist   2784
et quan que il ot li enuie ;
mis se voldroit estre a la fuie
toz seus en si salvage terre
que l'en ne le seüst ou querre,   2788
ne nus hom ne fame ne fust
qui de lui noveles seüst
ne plus que s'il fust en abisme.
Ne het tant rien con lui meïsme,   2792
ne ne set a cui se confort
de lui qui soi meïsme a mort.
Mes ainz voldroit le san changier
que il ne se poïst vengier   2796
de lui qui joie s'a tolue.
D'antre les barons se remue

qu'il crient entr'ax issir del san,
et de ce ne se gardoit l'an,   2800
si l'an leissierent seul aler :
bien sevent que de lor parler
ne de lor siegle n'a il soing.
Et il va tant que il fu loing   2804
des tantes et des paveillons.
Lors se li monte uns torbeillons
el chief, si grant que il forsane ;
si se dessire et se depane   2808
et fuit par chans et par arees,   [90 b]
et lessa ses genz esgarees
qui se mervoillent ou puet estre :
querant le vont destre et senestre   2812
par les ostex as chevaliers,
et par haies et par vergiers ;
sel quierent la ou il n'est pas.
Et il s'an vet plus que le pas   2816
tant qu'il trova delez un parc
un garçon qui tenoit un arc
et cinq saietes barbelees
qui molt erent tranchanz et lees.   2820
Yvains s'en va jusqu'au garçon
cui il voloit tolir l'arçon
et les saietes qu'il tenoit ;
por qant mes ne li sovenoit   2824
de rien que onques eüst feite.
Les bestes par le bois agueite,
si les ocit ; et se manjue
la venison trestote crue.   2828
Et tant conversa el boschage
com hom forsenez et salvage,
c'une meison a un hermite

trova, molt basse et molt petite ;   2832
et li hermites essartoit.
Quant vit celui qui nuz estoit
bien pot savoir, sanz nul redot,
qu'il n'ert mie an son san del tot ;   2836
et si fist il, tres bien le sot,
de la peor que il en ot,
se feri an sa meisonete ;
de son pain et de sa porrete   2840
par charité prist li boens hom,
si li mist fors de sa meison
desor une fenestre estroite ;
et cil vient la qui molt covoite :   2844
le pain sel prant et si i mort ;
ne cuit que onques de si fort
ne de si aspre eüst gosté
n'avoit mie .xx. solz costé   2848
li setiers don fu fez li pains,
qu'a toz mangiers est force fains
desatranpree et desconfite ;
tot menja le pain a l'ermite   2852
mes sire Yvains, que boen li sot ;   [90 c]
de l'eve froide but au pot.
Quant mangié ot, si se refiert
el bois, et cers et biches quiert ;   2856
et li boens hoem desoz son toit
prie Deu, quant aler l'en voit,
qu'il le desfande et qu'il le gart
que mes ne vaingne cele part.   2860
Mes n'est nus, tant po de san ait,
qui el leu ou l'en bien li fait
ne revaigne molt volentiers.
Puis ne passa huit jorz antiers   2864

tant com il fu an cele rage
que aucune beste salvage
ne li aportast a son huis.
Iceste vie mena puis,   2868
et li boens hom s'antremetoit
de lui colchier, et si metoit
asez de la venison cuire ;
et li peins, et l'eve, et la buire   2872
estoit toz jorz a la fenestre
por l'ome forsené repestre ;
s'avoit a mangier et a boivre
venison sanz sel et sanz poivre   2876
et aigue froide de fontainne.
Et li boens hoem estoit an painne
de cuir vandre et d'acheter pain
d'orge, et de soigle sanz levain ;   2880
s'ot puis tote sa livreison
pain a planté et veneison
qu'il li dona tant longuemant
c'un jor le troverent dormant   2884
en la forest deus dameiseles
et une lor dame avoec eles
de cui mesniee eles estoient.
Vers l'ome nu que eles voient   2888
cort et descent une des trois ;
mes molt le regarda einçois
que rien nule sor lui veïst
qui reconuistre li feïst ;   2892
si l'avoit ele tant veü
que tost l'eüst reconeü
se il fust de si riche ator
com il avoit esté maint jor.   2896
Au reconoistre molt tarda   [90 *a*]

et tote voie l'esgarda
tant qu'an la fin li fu a vis
d'une plaie qu'il ot el vis ;   2900
c'une tel plaie el vis avoit
mes sire Yvains, bien le savoit;
qu'ele l'avoit assez veü.
Por la plaie l'a. coneü,   2904
que ce est il, de rien n'en dote ;
mes de ce se mervoille tote,
comant ce li est avenu,
que si l'a trové povre et nu.   2908
Molt s'an seigne, et si s'an mervoille ;
cele ne le bote, n'esvoille,
einz prant le cheval, si remonte
et vient as autres, si lor conte   2912
s'aventure tot an plorant.
Ne sai qu'alasse demorant
a conter le duel qu'ele an fist,
mes plorant a sa dame dist :   2916
« Dame, je ai Yvain trové,
le chevalier mialz esprové
del monde, et le mialz antechié ;
mes je ne sai par quel pechié   2920
est au franc home mescheü ;
espoir, aucun duel a eü
qui le fet ensi demener ;
an puet bien de duel forsener,   2924
et savoir et veoir puet l'an
qu'il n'est mie bien an son san,
que ja voir ne li avenist
que si vilmant se contenist   2928
se il le san n'eüst perdu.
Car li eüst or Dex randu .

le san, au mialz que il ot onques,
et puis si li pleüst adonques   2932
qu'il remassist en vostre aïe.
Car trop vos a mal envaïe
li cuens Aliers qui vos guerroie.
La guerre de vos deus verroie   2936
a vostre grant enor finee,
se Dex si boene destinee
li donoit, qu'il se remeïst
en son san, et s'antremeïst   2940
de vos eidier a cest besoing. »   [90 *b*]
La dame dist : « Or n'aiez soing,
que certes, se il ne s'an fuit,
a l'aïde de Deu, ce cuit,   2944
li osterons nos de la teste
tote la rage et la tempeste.
Mes tost aler nos an covient,
car d'un oignemant me sovient   2948
que me dona Morgue la sage ;
et si me dist que si grant rage
n'est an teste, qu'il ne l'en ost. »
Vers le chastel s'an vont molt tost   2952
qu'il ert si prés qu'il n'i ot pas
plus de demie liue un pas,
des liues qui el païs sont,
car a mesure des noz sont   2956
les deus une, les quatre deus.
Et cil remaint dormant toz seus ;
et cele ala l'oignemant querre.
La dame un suen escrin desserre,   2960
s'an tret la boiste, et si la charge
a la dameisele, et trop large
li prie que ele n'en soit,

les temples et le front l'en froit,   2964
qu'aillors point metre n'en besoingne.
Les temples et le front l'en oingne,
et le remenant bien li gart,
qu'il n'a point de mal autre part   2968
fors que seulemant el cervel.
Robe veire, cote et mantel,
a fet porter, de soie an greinne.
Cele li porte et si li meinne   2972
an destre un palefroi molt buen,
et avoec ce i met del suen
chemise et braies deliees,
et chauces noires, et dougiees.   2976
A tot ce, si tres tost s'an va,
qu'ancor dormant celui trova
la ou ele l'avoit leissié.
Ses chevax met en un pleissié   2980
ses atache et lie molt fort,
et puis vient la ou cil se dort,
a tot la robe et l'oingnemant,
et fet un molt grant hardemant   [90 c]
que del forsené tant s'aproche
qu'ele le menoie et atoche ;
et prant l'oignemant, si l'en oint
tant com en la boiste an ot point,   2988
et tant sa garison covoite
que de l'oindre par tot esploite ;
si le met trestot an despanse
que ne li chaut de la desfanse   2992
sa dame, ne ne l'en sovient.
Plus en i met qu'il ne covient,
molt bien, ce li est vis, l'enploie :
les temples et le front l'en froie   2996

trestot le cors jus qu'an l'artuel.
Tant li froia au chaut soloil
les temples et trestot le cors
que del cervel li trest si fors   3000
la rage et la melencolie ;
mes del cors fist ele folie
qu'il ne li estoit nus mestiers.
S'il en i eüst cinc setiers,   3004
s'eüst ele autel fet, ce cuit.
La boiste an porte, si s'an fuit,
si s'est vers ses chevax reposte,
mes la robe mie n'en oste   3008
por ce que, se cil se ravoie,
vialt qu'apareilliee la voie,
et qu'il la preigne, si s'an veste.
Derriers un grant chasne s'areste   3012
tant que cil ot dormi assez,
qui fu gariz et respassez,
et rot son san et son mimoire.
Mes nuz se voit com un yvoire ;   3016
s'a grant honte ; et plus grant eüst
se il s'aventure seüst ;
mes ne sot por coi nuz se trueve.
Devant lui voit la robe nueve ;   3020
si se mervoille a desmesure
comant, et par quel aventure,
cele robe estoit la venue ;
et de sa char que il voit nue   3024
est trespansez et esbaïz
et dit que morz est et traïz,
s'einsi l'a trové ne veü
riens nule qui l'ait coneü.   [91 a]
Et tote voie si se vest,

et regarde vers la forest
s'il verroit nul home venir.
Lever se cuide et sostenir,   3032
mes ne puet tant qu'aler s'an puisse.
Mestiers li est qu'aïde truisse
qui li aïst et qui l'en maint ;
que si l'a ses granz max ataint   3036
qu'a poinnes puet sor piez ester.
Or ne vialt mes plus arester
la dameisele, ainz est montee,
et par delez lui est passee,   3040
si con s'ele ne l'i seüst.
Et cil, qui grant mestier eüst
d'aïde, ne li chausist quel,
qui l'en menast jusqu'a ostel   3044
tant qu'il fust auques en sa force,
de li apeler molt s'esforce.
Et la dameisele autresi
vet regardant environ li   3048
con s'ele ne sache qu'il a.
Esbaïe, vet ça et la
que droit vers lui ne vialt aler.
Et cil comance a rapeler :   3052
« Dameisele, de çal, de çal ! »
Et la dameisele adreça
vers lui son palefroi anblant.
Cuidier li fist par ce sanblant   3056
qu'ele de lui rien ne seüst,
n'onques la veü ne l'eüst,
et san et corteisie fist
quant devant lui vint, si li dist :   3060
« Sire chevaliers, que volez
qui a tel besoing m'apelez ?

— Ha ! fet il, dameisele sage,
trovez me sui an cest boschage,   3064
je ne sai par quel mescheance.
Por Deu et por vostre creance
vos pri que an toz guerredons
me prestez ou donez an dons   3068
ce palefroi que vos menez.
— Volentiers, sire, mes venez
avoec moi, la ou ge m'an vois.
— Quel part, fet il ? — Fors de cest bois, [91 b]
jusqu'a un chastel ci selonc.
— Dameisele, or me dites donc
se vos avez besoing de moi ?
— Oïl, fet ele, mes je croi   3076
que vos n'iestes mie bien sains ;
jusqu'a quinzainne, a tot le mains,
vos covendroit a sejor estre ;
le cheval que je maing an destre   3080
prenez, s'irons jusqu'a ostel. »
Et cil qui ne demandoit el
le prant et monte, si s'an vont
tant qu'il vindrent desor .I. pont   3084
don l'eve estoit roide et bruianz.
Et la dameisele giete anz
la boiste, qu'ele portoit vuide,
qu'ainsi vers sa dame se cuide   3088
de son oignemant escuser,
qu'ele dira que au passer
del pont, ensi li mescheï
que la boiste an l'eve cheï :   3092
por ce que de soz li çopa
ses palefroiz, li escapa
del poing la boiste, et a bien pres

que ele ne sailli aprés,   3096
mes adonc fust la perte graindre.
Ceste mançonge voldra faindre,
qant devant sa dame iert venue.
Lor voie ont ansanble tenue   3100
tant que au chastel sont venu ;
si a la dame retenu
mon seignor Yvain lieemant ;
et sa boiste, et son oingnemant,   3104
demanda a sa dameisele ;
mes ce fu seul a seul ; et cele
li a la mançonge retreite
si grant com ele l'avoit feite,   3108
que le voir ne l'en osa dire ;
s'en ot la dame molt grant ire
et dit : « Ci a molt leide perte,
que de ce sui je tote certe   3112
qu'ele n'iert ja mes recovree.
Mes des que la chose est alee
si n'i a que del consirrer.
Tel hore cuide an desirrer   3116
son bien qu'an desirre son mal ;   [91 c]
si con je crui, de cest vasal
don cuidai bien et joie avoir,
si ai perdu de mon avoir   3120
tot le meillor et le plus chier.
Ne por quant bien vos vuel prier
de lui servir sor tote rien.
— Ha ! dame, or dites vos molt bien   3124
que ce seroit trop vileins geus
qui feroit d'un domage deus. »
   A tant de la boiste se teisent ;
et mon seignor Yvain aeisent   3128

de quan qu'eles pueent ne sevent :
sel baignent, et son chief li levent,
et sel font rere et reoignier,
que l'en li poïst anpoignier   3132
la barbe a plain poing sor la face.
Ne vialt chose qu'an ne li face ;
s'il vialt armes, et an li done ;
s'il vialt cheval, en li sejorne,   3136
grant et bel et fort et hardi.
Tant sejorna qu'a un mardi
vint au chastel li cuens Aliers
a sergenz et a chevaliers,   3140
et mistrent feu et pristrent proies ;
et cil del chastel, tote voies,
montent, et d'armes se garnissent ;
armé et desarmé s'an issent   3144
tant que les coreors ateignent
qui por ax movoir ne se deignent,
einz les atendent a un pas.
Et mes sire Yvains fiert el tas,   3148
qui tant a esté sejornez
qu'an sa force fu retornez ;
si feri de si grant vertu
un chevalier par mi l'escu   3152
qu'il mist en un mont, ce me sanble,
cheval et chevalier ansanble :
n'onques puis cil ne se leva
qu'el vantre li cuers li creva   3156
et fu par mi l'eschine frez.
Un petit s'est arrieres trez
mes sire Yvains, et si recuevre ;   [91 a]
trestoz de son escu se cuevre   3160
et cort por le pas desconbrer.

Plus tost ne poïst an nonbrer
an preu, et deus, et trois, et quatre,
que l'en ne li veïst abatre 3164
quatre chevaliers araumant
plus tost, et plus delivremant.
Et cil qui avoec lui estoient
por lui grant hardemant prenoient ; 3168
que tex a poinne ovrer antasche,
quant il voit c'uns prodon alasche
devant lui tote une besoingne,
que maintenant honte et vergoingne 3172
li cort sus, et si giete fors
le povre cuer qu'il a el cors,
si li done sostenemant,
cuer de prodome et hardemant. 3176
Ensi sont cil devenu preu,
si tient chascuns molt bien son leu
en la meslee et an l'estor.
Et la dame fu en la tor 3180
de son chastel montee an haut
et vit la meslee et l'asaut
au pas desresnier et conquerre,
et vit assez gisanz par terre 3184
des afolez et des ocis,
des suens et de ses anemis,
et plus des autres que des suens.
Mes li cortois, li preuz, li buens, 3188
mes sire Yvains trestot ausi
les feisoit venir a merci
con fet li faucons les cerceles.
Et disoient et cil et celes 3192
qui el chastel remés estoient
et des batailles l'esgardoient :

« Haï ! Con vaillant soldoier,
con fet ses anemis ploier !   3196
Con roidemant il les requiert !
Tot autresi antr'ax se fiert
con li lÿons antre les dains
quant l'engoisse et chace la fains.   3200
Et tuit nostre autre chevalier
an sont plus hardi et plus fier
que ja, se par lui seul ne fust,   [91 b]
lance brisiee n'i eüst,   3204
n'espee traite por ferir.
Molt doit an amer et cherir
un prodome quant en le trueve.
Veez or comant cil se prueve,   3208
veez com il se tient el ranc ;
or veez com il taint de sanc
et sa lance et s'espee nue ;
veez comant il les remue ;   3212
veez comant il les antasse,
com il lor vient, com il lor passe,
com il ganchist, com il retorne !
Mes au ganchir petit sejorne   3216
et molt demore an son retor ;
veez quant il vient an l'estor,
com il a po son escu chier,
com il le leisse detranchier ;   3220
n'en a pitié ne tant ne qant,
mes de ce se voit molt en grant
des cos vangier que l'en li done.
Qui de trestot le bois d'Argone   3224
li avroit fet lances, ce cuit,
n'i avroit il nule anquenuit
qu'an ne l'en fet tant metre an fautre

com il peçoie devant autre.   3228
Et veez comant il le fet
de l'espee, quant il la tret !
onques ne fist par Durandart
Rolanz, des Turs, si grant essart   3232
en Roncevax ne an Espaigne.
Se il eüst an sa conpaigne
auques de si fez conpaignons,
li fel de coi nos nos pleignons   3236
s'en alast come desconfiz
ou il en remassist honiz. »
Et dïent que buer seroit nee
cui il avroit s'amor donee,   3240
qui si est as armes puissanz
et de sor toz reconoissanz,
si con cierges antre chandoiles
et la lune antre les estoiles,   3244
et li solauz de sor la lune ;
et de chascun et de chascune
a si les cuers que tuit voldroient,   [91 c]
por la proesce qu'an lui voient,   3248
que il eüst lor dame prise
et fust la terre an sa justise.
    Ensi tuit et totes prisoient
celui don verité disoient   3252
que cez de la a si atainz
que il s'an fuient qui ainz ainz ;
mes il les chace molt de pres
et tuit si conpaignon aprés   3256
que lez lui sont ausi seür
con s'il fussent tuit clos a mur
haut et espés de pierre dure.
La chace molt longuemant dure   3260

tant que cil qui fuient estanchent
et cil qui chacent lor detranchent
toz lor chevax et esboelent.
Les vis desor les morz roelent   3264
qui s'antr'afolent et ocïent,
leidemant s'antre contralïent.
Et li cuens tot adés s'an fuit
mes mes sire Yvains pas ne fuit   3268
qui de lui siudre ne se faint :
tant le chace que il l'ataint
au pié d'une ruiste montee,
et ce fu molt pres de l'antree   3272
d'un fort recet qui estoit suens ;
iqui fu retenuz li cuens
c'onques riens ne li pot eidier
et sanz trop longuemant pleidier   3276
an prist la foi mes sire Yvains,
que, des que il le tint as mains
et il furent seul per a per
n'i a neant del eschaper,   3280
ne del ganchir, ne del desfandre,
einz li plevist qu'il s'iroit randre
a la dame de Norison,
si se metroit an sa prison   3284
et feroit peis a sa devise.
Et quant il en ot la foi prise,
si li fist son chief desarmer
et l'escu jus del col oster,   3288
et l'espee li randi nue.
Ceste enors li est avenue
qu'il an mainne le conte pris,   [92 a]
si le rant a ses anemis   3292
qui n'en font pas joie petite.

Mes ainz fu la novele dite
au chastel, que il i venissent;
encontre ax tuit et totes issent,   3296
et la dame devant toz vient.
Mes sire Yvains par la main tient
le prisonier, si li presante.
Sa volanté et son creante   3300
fist lors li cuens oltreemant,
et par foi et par seiremant
et par ploiges l'en fist seüre;
ploige li done, et si li jure   3304
que toz jorz mes pes li tanra
et que ses pertes li randra
quan qu'ele an mosterra par prueves,
et refera les meisons nueves   3308
que il avoit par terre mises.
Qant ces choses furent asises
ensi com a la dame sist,
mes sire Yvains congié an quist   3312
que ele ne li donast mie,
se il a fame, ou a amie,
la volsist panre et noçoier;
neïs siudre ne convoier   3316
ne s'i vost il lessier un pas,
einz s'an parti en es le pas
c'onques rien n'i valut proiere.
Or se mist a la voie arriere   3320
et leissa molt la dame iriee
que il avoit molt feite liee.
Et con plus liee l'avoit feite,
plus li poise et plus se desheite   3324
quant il ne vialt plus demorer,
c'or le volsist ele enorer.

et sel feïst, se lui pleüst,
seignor de quan que ele eüst,   3328
ou ele li eüst donees
por son servise granz soldees
si granz com il les volsist prendre.
Mes il n'en vost onques entendre   3332
parole d'ome ne de fame ;
des chevaliers et de la dame
s'est partiz, mes que bien l'en poist   [92 b]
que plus remenoir ne li loist.   3336
   Mes sire Yvains pansis chemine
par une parfonde gaudine
tant qu'il oï en mi le gaut
un cri molt dolereus et haut.   3340
Si s'adreça lors vers le cri
cele part ou il l'ot oï,
et, quant il parvint cele part,
vit un lÿon, en un essart,   3344
et un serpant qui le tenoit
par la coe, et si li ardoit
trestoz les rains de flame ardant.
N'ala mie molt regardant   3348
mes sire Yvains cele mervoille ;
a lui meïsmes se consoille
auquel d'aus deus il aidera ;
lors dit qu'au lÿon se tanra,   3352
qu'a venimeus ne a felon
ne doit an feire se mal non,
et li serpanz est venimeus,
si li saut par la boche feus,   3356
tant est de felenie plains.
Por ce panse mes sire Yvains
qu'il l'ocirra premieremant ;

s'espee tret et vint avant   3360
et met l'escu devant sa face,
que la flame mal ne li face
que il gitoit par mi la gole,
qui plus estoit lee d'une ole.   3364
Se li lÿons aprés l'asaut,
la bataille pas ne li faut,
mes que qu'il l'en aveingne aprés,
eidier li voldra il adés,   3368
que pitiez li semont et prie
qu'il face secors et aïe
a la beste gentil et franche.
A s'espee, qui soef tranche,   3372
va le felon serpant requerre ;
si le tranche jusqu'anz en terre
et les deus mitiez retronçone,
fiert et refiert, et tant l'en done   3376
que tot le demince et depiece.
Mes il li covient une piece
tranchier de la coe au lÿon   [92 c]
por la teste au serpant felon   3380
qui par la coe le tenoit ;
tant con tranchier an covenoit
en trancha, c'onques moins ne pot.
Quant le lÿon delivré ot,   3384
si cuida qu'il li covenist
conbatre, et que sus li venist ;
mes il ne le se pansa onques.
Oez que fist li lÿons donques,   3388
con fist que preuz et deboneire,
com il li comança a feire
sanblant que a lui se randoit,
que ses piez joinz li estandoit   3392

et vers terre encline sa chiere;
si s'estut sor ses piez derriere
et puis si se ragenoilloit,
et tote sa face moilloit   3396
de lermes, par humilité.
Mes sire Yvains, por verité,
set que li lÿons le mercie
et que devant lui s'umilie   3400
por le serpant que il a mort
et lui delivré de la mort;
si li plest molt ceste aventure.
Por le venin et por l'ordure   3404
del serpant, essuie s'espee,
si l'a el fuerre rebotee,
puis si se remet a la voie.
Et li lÿons lez lui costoie   3408
que ja mes ne s'an partira,
toz jorz mes avoec lui ira
que servir et garder le vialt.
Devant a la voie s'aquialt   3412
si qu'il santi desoz le vant
si com il en aloit devant
bestes salvages en pasture;
si le semont feins et nature   3416
d'aler an proie et de chacier
por sa vitaille porchacier;
ce vialt Nature que il face;
un petit s'est mis en la trace   3420
tant qu'a son seignor a mostré
qu'il a senti et ancontré
vant et fleir de salvage beste.   [92 *a*]
Lors le regarde et si s'areste   3424
que il le vialt servir an gré;

car encontre sa volenté
ne voloit aler nule part.
Et cil parçoit a son esgart   3428
qu'il li mostre que il l'atant.
Bien l'aparçoit, et bien l'entant,
que s'il remaint, il remanra,
et, se il le siust, il panra   3432
la veneison qu'il a santie.
Lors le semont et si l'escrie
ausi com un brachet feïst ;
et li lÿons maintenant mist   3436
le nes au vant qu'il ot santi ;
ne ne li ot de rien manti,
qu'il n'ot pas une archiee alee
quant il vit en une valee   3440
tot seul pasturer un chevrel.
Celui panra il ja son vuel,
si fist il au premier asaut,
et si an but le sanc tot chaut.   3444
Qant ocis l'ot, si le gita
sor son dos, et si l'en porta
tant que devant son seignor vint,
et puis an grant chierté le tint   3448
por la grant amor qu'an lui ot.
Ja fu pres de nuit, se li plot
qu'ilueques se herbergeroit
et le chevrel escorcheroit   3452
tant com il en voldroit mangier.
Lors le comance a escorchier ;
le cuir li fant desus la coste,
de la longe un lardé li oste ;   3456
et tret le feu d'un chaillot bis,
si l'a de busche sesche espris ;

puis mist en une broche an rost
son lardé cuire au feu molt tost ;   3460
sel rostist tant que il fu cuiz,
mes del mangier ne fu deduiz
qu'il n'i ot ·pein ne vin ne sel,
ne nape, ne coutel, ne el ;   3464
que qu'il manja, devant lui jut
ses lÿons, c'onques ne se mut ;
einz l'a tot adés regardé   [92 *b*]
tant qu'il ɔt de son gras lardé   3468
tant mangié que il n'en vost plus.
Et del chevrel le soreplus
manja li lÿons jusqu'as os ;
et il tint son chief an repos   3472
tote la nuit sor son escu,
a tel repos come ce fu ;
et li lÿons ot tant de sens
qu'il veilla et fu an espens   3476
del cheval garder, qui pessoit
l'erbe qui petit l'engressoit.

Au main s'an alerent ensanble
et itel vie, ce me sanble,   3480
com il orent la nuit menee
remenerent a la vespree,
et pres que tote une quinzainne,
tant qu'aventure a la fontainne   3484
desoz le pin, les amena.
Las ! par po ne reforsena
mes sire Yvains, cele foiee,
quant la fontainne a aprochiee,   3488
et le perron, et la chapele ;
mil foiz las et dolanz s'apele,
et chiet pasmez, tant fu dolanz ;

et s'espee qui ert colanz   3492
chiet del fuerre, si li apointe
es mailles del hauberc la pointe
enprés le col, pres de la joe ;
n'i a maille qui ne descloe,   3496
et l'espee del col li tranche
la pel desoz la maille blanche,
si qu'il an fist le sanc cheoir.
Li lÿons cuide mort veoir   3500
son conpaignon et son seignor ;
einz de rien n'ot ire graignor,
qu'il comança tel duel a fere,
n'oï tel conter ne retrere,   3504
qu'il se detuert et grate et crie
et s'a talant que il s'ocie
de l'espee, qu'il li est vis
qui ait son boen seignor ocis.   3508
A ses danz l'espee li oste
et sor un fust gisant l'acoste
et derriers a un tronc l'apuie   [92 c]
qu'il a peor qu'el ne s'an fuie   3512
qant il i hurtera del piz.
Ja fust ses voloirs aconpliz
quant cil de pasmeisons revint ;
et li lÿons son cors retint   3516
qui a la mort toz escorsez
coroit come pors forsenez
qui ne prant garde ou il se fiere.
Mes sire Yvains en tel meniere   3520
devant le perron se pasma.
Au revenir molt se blasma
de l'an que trespassé avoit
por coi sa dame le haoit,   3524

et dit : « Que fet quant ne se tue
cil las qui joie s'est tolue ?
Que fais je, las, qui ne m'oci ?
Comant puis je demorer ci   3528
et veoir les choses ma dame ?
En mon cors por coi remaint ame ?
Que· fet ame an si dolant cors ?
Se ele an ert alee fors,   3532
ne seroit pas en tel martire.
Haïr et blasmer et despire
me doi, voir, molt, et je si faz.
Qui pert sa joie et son solaz   3536
par son mesfet et par son tort
molt se doit bien haïr de mort.
Haïr et ocirre se doit ;
et je, tant con nus ne me voit,   3540
por quoi m'esparg que ne me tu ?
Donc n'ai je ce lÿon veü
qui por moi a si grant duel fet
qu'il se volt m'espee antreset   3544
par mi le cors el piz boter ?
Et je doi la mort redoter
qui ai ma joie a duel changiee ?
De moi s'est leesce estrangiee   3548
et tuit solaz. N'en dirai plus ;
que ce ne porroit dire nus,
s'ai demandee grant oiseuse.
Des joies fu la plus joieuse   3552
cele qui m'ert aseüree ;
mes molt ot petite duree.
Et qui ce pert par son mesfet   [93 a]
n'est droiz que boene aventure et. »   3556
     Que que cil ensi se demante,

une cheitĭve, une dolante,
estoit en la chapele anclose,
qui vit et oï ceste chose   3560
par le mur qui estoit crevez.
Maintenant qu'il fu relevez
de pasmeisons, si l'apela :
« Dex ! fet ele, que voi ge la ?   3564
Qui est qui se demante si ? »
Et cil li respont : « Et vos qui ?
— Je sui, fet ele, une cheitive
la plus dolante riens qui vive. »   3568
Cil li respont : « Tes, fole riens !
Tex diax est joie ! Tex est biens
envers les max don ge lenguis.
Tant con li hom a plus apris   3572
a delit et a joie vivre,
plus le desvoie et plus l'enivre
de quan qu'il a que un autre home ;
li foibles hom porte la some   3576
par us et par acostumance,
c'uns autres de plus grant puissance
ne porteroit por nule rien.
— Par foi, fet ele, jel sai bien   3580
que c'est parole tote voire ;
mes por ce ne fet mie a croire
que vos aiez plus mal de moi,
et por ce mie ne le croi,   3584
qu'il m'est a vis que vos poez
aler quel part que vos volez,
et je sui ci anprisonee ;
si m'est tex faesons donee   3588
que demain serai ceanz prise
et livree a mortel juïse.

— Ha ! Dex, fet il, por quel forfet ?
— Sire chevaliers, ja Dex n'et   3592
de l'ame de mon cors merci
se je l'ai mie desservi !
Et ne por quant si vos dirai
le voir, que ja n'en mantirai.   3596
Por ce ceanz sui an prison
qu'an m'apele de traïson,
ne je ne truis qui m'an desfande   [93 b]
que l'en demain ne m'arde ou pande.   3600
   — Or primes, fet il, puis je dire
que li miens diax et la moie ire
a la vostre dolor passee
qu'estre porriez delivree   3604
par qui que soit de cest peril,
donc ne porroit ce estre. — Oïl !
mes je ne sai encor par cui :
il ne sont ancore que dui   3608
qui osassent por moi enprandre
bataille a trois homes desfandre.
— Comant ? Por Deu, sont il donc troi ?
— Oïl, sire, a la moie foi :   3612
troi sont qui traïtre me clainment.
   — Et qui sont cil qui tant vos ainment
don li uns si hardiz seroit
qu'a trois conbatre s'oseroit   3616
por vos sauver et garentir ?
   — Je le vos dirai sanz mantir :
li uns est mes sire Gauvains
et li autres mes sire Yvains   3620
por cui demain serai a tort
livree a martire de mort.
   — Por lequel, fet il, l'avez dit ?

— Sire, se Damedex m'aït   3624
por le fil au roi Urïen.
— Or vos ai entandue bien ;
mes vos n'i morroiz ja sanz lui.
Je meïsmes cil Yvain sui   3628
por cui vos estes an esfroi ;
et vos estes cele, ce croi,
qui en la sale me gardastes ;
ma vie et mon cors m'i salvastes   3632
entre les deus portes colanz
ou ge fui pensis et dolanz
et angoisseus et antrepris ;
morz i eüsse esté et pris   3636
se ne fust vostre boene aïe.
Or me dites, ma dolce amie,
qui cil sont qui de traïson
vos apelent, et an prison   3640
vos ont mise et an cest reclus.
— Sire, nel vos celerai plus
des qu'il vos plest que jel vos die.
Voirs est que je ne me fains mie   [93 c]   3644
de vos eidier an boene foi.
Par l'amonestemant de moi,
ma dame a seignor vos reçut ;
mon los et mon consoil an crut   3648
et par la sainte Paternostre
plus por son preu que por le vostre
le cuidai feire et cuit ancor :
itant vos an reconuis or,   3652
s'enor et vostre volenté
porquis, se Dex me doint santé.
Mes quant ç'avint que vos eüstes
l'an trespassé que vos deüstes   3656

revenir a ma dame ça,
tantost a moi se correça
et molt se tint a deceüe
de ce qu'ele m'avoit creüe.   3660
Et quant ce sot li seneschax,
uns fel, uns traîtres mortax,
qui grant envie me portoit
por ce que ma dame creoit   3664
moi plus que lui de maint afeire,
si vit bien c'or porroit il feire
entre moi et li grant corroz.
An plainne cort et veant toz   3668
m'amist que por vos l'oi traïe
et je n'oi consoil ne aïe
fors de moi seule qui disoie
c'onques vers ma dame n'avoie   3672
traïson feite ne pansee.
Sire, por Deu, com esfreee
tot maintenant, sanz consoil prendre,
dis je m'an feroie desfandre   3676
d'un chevalier ancontre trois.
Onques ne fu cil si cortois
que il le deignast refuser,
ne ressortir ne reüser   3680
ne m'an poi, por rien qu'avenist.
Ensi a parole me prist ;
si me covint d'un chevalier
encontre trois gage a baillier   3684
et par respit de trente jorz.
Puis ai esté an maintes corz :
a la cort le roi Artus fui   [93 *a*]
n'i trovai consoil en nelui   3688
ne n'i trovai qui me deïst

de vos chose qui me seïst,
car il n'en savoient noveles.
— Et mes sire Gauvain, chaeles,   3692
li frans, li dolz, ou ert il donques ?
A s'aïe ne failli onques
dameisele desconseilliee.
— Cil me feïst joiant et liee,   3696
se je a cort trové l'eüsse ;
ja requerre ne li seüsse
riens nule qui me fust vehee ;
mes la reïne en a menee   3700
uns chevaliers, ce me dit an,
don li rois fist que fors del san,
quant aprés li l'en envoia ;
et Kex, ce cuit, la convoia   3704
jusqu'au chevalier qui l'en mainne ;
s'an est or entrez an grant painne
mes sire Gauvains qui la quiert.
Ja mes nul jor a sejor n'iert   3708
jusque tant qu'il l'avra trovee.
Tote la verité provee
vos ai de m'aventure dite.
Demain morrai de mort despite,   3712
si serai arse sanz respit
por mal de vos et por despit. »
Et il respont : « Ja Deu ne place
que l'en por moi nul mal vos face ;   3716
ja, que je puise, n'i morroiz !
Demain atendre me porroiz
apareillié lonc ma puissance
de metre an vostre delivrance   3720
mon cors, si con je le doi feire.
Mes de conter ne de retreire

as genz qui je sui ne vos chaille !
Que qu'aveigne de la bataille   3724
gardez que l'en ne m'i conoisse.
— Sire, certes, por nule angoisse
vostre non ne descoverroie.
La mort cinçois an soferroie,   3728
des que vos le volez ensi ;
et ne por quant ice vos pri
que ja por moi n'i reveigniez.   [93 *b*]
Ne vuel pas que vos anpreigniez   3732
bataille si tres felonesse.
Vostre merci de la promesse
que volantiers la feroiez,
mes trestoz quites an soiez,   3736
que mialz est que je seule muire
que je les veïsse deduire
de vostre mort et de la moie.
Ja por ce n'en eschaperoie,   3740
quant il vos avroient ocis ;
s'est mialz que vos remaingniez vis
que nos i fussiens mort andui.
— Molt avez or dit grant enui,   3744
fet mes sire Yvains, bele amie,
espoir ou vos ne volez mie
estre delivre de la mort,
ou vos despisiez le confort,   3748
que je vos faz, de vos eidier.
N'an quier or plus a vos pleidier
que vos avez tant fet por moi,
certes, que faillir ne vos doi   3752
a nul besoing que vos aiez.
Bien sai que molt vos esmaiez,
mes, se Deu plest an cui je croi,

il an seront honi tuit troi.   3756
  Or n'i a plus que je m'an vois,
ou que soit, logier an ce bois,
que d'ostel pres ne sai ge point.
— Sire, fet ele, Dex vos doint   3760
et boen ostel et boene nuit
et de chose qui vos enuit,
si con je le desir, vos gart. »
Mes sire Yvains a tant s'an part,   3764
et li lÿons toz jorz aprés.
Sont tant alé qu'il vindrent pres
d'un fort recet a un baron
qui clos estoit tot an viron   3768
de mur espés et fort et haut.
Li chastiax ne cremoit assaut
de mangonel ne de perriere,
qu'il estoit forz a grant meniere ;   3772
mes fors des murs estoit esrese
la place, qu'il n'i ot remese
an estant borde ne meison.   [93 *c*]
Assez en orroiz la reison   3776
une autre foiz, quant leus sera.
La plus droite voie s'en va
mes sire Yvains vers le recet ;
et vaslet saillent jusqu'a set   3780
qui li ont un pont avalé ;
si li sont a l'encontre alé,
mes del lÿon, que venir voient
avoec lui, duremant s'esfroient,   3784
si li dïent que, s'il li plest,
son lÿon a la porte lest
qu'il ne les afost et ocie ;
et il respont : « N'en parlez mie   3788

que ja n'i enterrai sanz lui :
ou nos avrons l'ostel andui,
ou je me remanrai ça fors
qu'autretant l'aim come mon cors.   3792
Et ne por quant, n'en dotez rien,
que je le garderai si bien
qu'estre porroiz tot asseür. »
Cil responent : « A boen eür ! »   3796
    A tant sont el chastel antré
et vont tant qu'il ont ancontré
chevaliers, dames et sergenz,
et dameiseles avenanz   3800
qui le salüent, et descendent,
et a lui desarmer entandent ;
si li dïent : « Bien soiez vos,
biax sire, venuz antre nos,   3804
et Dex vos i doint sejorner
tant que vos an puisiez torner. »
A grant joie et a grant enor
des le plus haut jusqu'au menor   3808
li font joie et formant s'an painnent ;
a grant joie a l'ostel l'en mainnent
et tant grant joie li ont feite.
Une dolors qui les desheite   3812
lor refet la joie oblïer ;
si recomancent a crïer,
et plorent, et si s'esgratinent.
Ensi molt longuemant ne finent   3816
de joie feire et de plorer :
joie por lor oste enorer
font sanz ce que talant n'en aient,   [94 a]
car d'une aventure s'esmaient   3820
qu'il atendent a l'andemain ;

s'an sont tuit seür et certain
qu'il l'avront, einz que midis soit.
Mes sire Yvains s'esbaïssoit   3824
de ce que si sovant chanjoient
que duel et joie demenoient.
S'an mist le seignor a reison
del chastel et de la meison :   3828
« Por Deu, fet il, biax dolz chiers sire,
ice pleiroit vos il a dire
por coi m'avez tant enoré
et tant fet joie, et puis ploré ?   3832
— Oïl, s'il vos vient a pleisir ;
mes le celer et le teisir
devrïez vos asez voloir ;
chose qui vos face doloir   3836
ne vos dirai je ja, mon vuel ;
lessiez nos feire nostre duel
si n'an metez ja rien a cuer.
— Ce ne porroit estre a nul fuer   3840
que je duel feire vos veïsse
ne rien a mon cuer n'an meïsse ;
einz le desir molt a savoir
quelque duel que j'en doie avoir.   3844
— Donc, fet il, le vos dirai gié.
Molt m'a uns jaianz domagié
qui voloit que je li donasse
ma fille, qui de biauté passe   3848
totes les puceles del monde.
Li fel jaianz, cui Dex confonde,
a non Harpins de la Montaingne ;
ja n'iert jorz que del mien ne praigne   3852
tot ce que il an puet ateindre.
Mialz de moi ne se doit nus plaindre,

ne duel feire, ne duel mener ;
de duel devroie forsener   3856
que sis filz chevaliers avoie,
plus biax el monde ne savoie ;
ses a toz sis li jaianz pris ;
veant moi en a deus ocis   3860
et demain ocirra les quatre,
se je ne truis qui s'an conbate
a lui, por mes filz delivrer,   [94 b]
ou se ge ne li voel livrer   3864
ma fille ; et quant il l'avra
as plus vix garçons qu'il savra
en sa meison, et as plus orz,
la livrera por lor deporz,   3868
qu'il ne la deigneroit mes prandre.
A demain puis ce duel atendre,
se Damedex ne m'an consoille.
Et por ce n'est mie mervoille,   3872
biax sire chiers, se nos plorons ;
mes por vos tant con nos poons
nos resforçons a la foice
de feire contenance liee ;   3876
que fos est qui prodome atret
entor lui, s'enor ne li fet,
et vos me resanblez prodome ;
or vos en ai dite la some,   3880
sire, de nostre grant destrece,
n'en chastel ne an forterece,
ne nos a lessié li jaianz
fors tant com il en a ceanz ;   3884
vos meïsmes bien le veïstes
s'enuit garde vos an preïstes,
qu'il n'a lessié vaillant un es

fors de ces murs qui sont remés ;   3888
ainz a trestot le borc plené ;
quant ce qu'il vost en ot mené,
si mist el remenant le feu ;
einsi m'a feit meint felon geu. »   3892
  Mes sire Yvains tot escouta
quan que ses ostes li conta,
et quant trestot escouté ot,
si li redist ce que lui plot :   3896
« Sire, fet il, de vostre enui
molt iriez et molt dolanz sui,
mes d'une chose me mervoil
se vos n'en avez quis consoil   3900
a la cort le boen roi Artu.
Nus hom n'est de si grant vertu
qu'a sa cort ne poïst trover
tex qui voldroient esprover   3904
lor vertu ancontre la soe. »
Et lors li descuevre et desnoe
li riches hom, que il eüst   [94 c]
boene aïe, se il seüst   3908
ou trouver mon seignor Gauvain.
« Cil ne l'anpreïst pas en vain
que ma fame est sa suer germainne ;
mes la fame le roi en mainne   3912
uns chevaliers d'estrange terre
qui a la cort l'ala requerre.
Ne por quant ja ne l'en eüst
menee, por rien qu'il peüst,   3916
ne fust Kex qui anbricona
le roi, tant que il li bailla
la reïne, et mist en sa garde.
Cil fu fos et cele musarde   3920

qui an son conduit se fïa,
et je resui cil qui i a
trop grant domage et trop grant perte,
que ce est chose tote certe   3924
que mes sire Gauvains li preuz
por sa niece et por ses neveuz,
fust ça venuz grant alcüre
se il seüst ceste aventure ;   3928
mes il nel set, don tant me grieve
que par po li cuers ne me crieve ;
einz est alez aprés celui,
cui Damedex doint grant enui,   3932
quant menee en a la reïne. »
Mes sire Yvains onques ne fine
de sopirer quant ce antant
de la pitié que il l'en prant ;   3936
li respont : « Biax dolz sire chiers,
je m'an metroie volentiers
en l'aventure et el peril,
se li jaianz et vostre fil   3940
venoient demain a tele ore
que n'i face trop grant demore,
que je serai aillors que ci
demain a ore de midi,   3944
si con je l'ai acreanté.
— Biax sire, de la volanté
vos merci ge, fet li prodom,
.c. mile foiz en un randon. »   3948
Et totes les genz de l'ostel
li redisoient autretel.

A tant vint d'une chanbre fors   [94 *a*]
la pucele gente de cors   3952
et de façon bele et pleisanz.

Molt vint sinple et mue et teisanz
c'onques ses diax ne prenoit fin,
vers terre tint le chief anclin ;   3956
et sa mere revint decoste
que mostrer lor voloit lor oste
li sires, qui les ot mandees ;
en lor mantiax anvelopées   3960
vindrent, por lor lermes covrir ;
et il lor comande a ovrir
les mantiax, et les chiés lever
et dit : « Ne vos doit pas grever   3964
ce que je vos comant a feire,
c'un franc home molt deboneire
nos a Dex et boene aventure
ceanz doné, qui m'aseüre   3968
qu'il se conbatra au jaiant.
Or n'en alez plus delaiant
qu'au pié ne l'en ailliez cheoir.
— Ce ne me lest ja Dex veoir,   3972
fet mes sire Yvains maintenant,
voir ne seroit mie avenant
que au pié me venist la suer
mon seignor Gauvain a nul fuer,   3976
ne sa niece, Dex m'an desfande
c'orguiauz en moi tant ne s'estande
que a mon pié venir les les.
Voir, ja n'oblieroie mes   3980
la honte que je en avroie.
Mes de ce boen gré lor savroie
se eles se reconfortoient
jusqu'a demain, que eles voient   3984
se Dex les voldra conseillier.
Moi ne covient il plus proier

mes que li jaianz si tost veingne
qu'aillors mantir ne me coveingne,   3988
que por rien je ne lesseroie
que demain a midi ne soie
au plus grant afeire por voir
que je onques poïsse avoir. »   3992
Ensi ne les volt pas del tot
aseürer, car an redot
est que li jaianz ne venist   [94 *b*]
a tele ore que il poïst   3996
venir a tens a la pucele
qui ert anclose an la chapele.
Et ne por quant tant lor promet
qu'an boene esperance les met ;   4000
et tuit et totes l'en mercïent,
qu'an s'esperance molt se fïent
et molt pansent qu'il soit preudon
por la conpaingnie au lÿon   4004
qui ausi dolcemant se gist
lez lui com uns aigniax feïst.
Por l'esperance qu'an lui ont
se confortent et joie font,   4008
n'onques puis duel ne demenerent.
Quant ore fu, si l'en menerent
colchier en une chanbre clere,
et la dameisele et sa mere   4012
furent andeus a son colchier,
qu'eles l'avoient ja molt chier
et cent mile tanz plus l'eüssent
se la corteisie seüssent   4016
et la grant proesce de lui.
Il et li lÿons anbedui
jurent leanz et reposerent,

qu'autres genz gesir n'i oserent,   4020
einz lor fermerent si bien l'uis
que il n'en porent issir puis
jusqu'au demain a l'enjornee.
Quant la chanbre fu desfermee,   4024
si se leva et oï messe
et atendi, por la promesse
qu'il lor ot feite, jusqu'a prime.
Le seignor del chastel meïsme   4028
apele oiant toz, si li dit :
« Sire, je n'ai plus de respit,
einz m'an irai, si ne vos poist,
que plus demorer ne me loist ;   4032
et sachiez bien certainnemant
que volentiers et boenemant,
se trop n'eüsse grant besoing
et mes afeires ne fust loing,   4036
demorasse encor une piece
por les neveuz et por la niece
mon seignor Gauvain que j'aim molt. »   [94 c]
Trestoz li cuers el vantre bolt   4040
a la pucele, de peor,
a la dame et au vavasor ;
tel peor ont qu'il ne s'en aut
que il li vostrent, de si haut   4044
com il furent, au pié venir ;
mes il ne lo vout pas sofrir
que lui ne fust ne bel ne buen.
Lors li ofre a doner del suen   4048
li sires, s'il an vialt avoir
ou soit de terre ou d'autre avoir,
mes ,que ancor un po atende.
Et il respont : « Dex me desfande   4052

que je ja rien nule n'en aie ! »
Et la pucele qui s'esmaie
comance molt fort a plorer,
si li prie de demorer.   4056
Come destroite et angoisseuse
por la reïne glorieuse
del ciel et des anges li prie,
et por Deu, qu'il ne s'an aut mie,   4060
einz atende encore un petit,
et por son oncle que il dit
qu'il le conuist et loe et prise.
Si l'an est molt grant pitiez prise   4064
quant il ot qu'ele se reclainme
de par l'ome que il plus ainme
et par la reïne des ciax
de par li qui est li moiax   4068
et la dolçors de pïeté.
D'angoisse a un sopir gité
que por le rëaume de Carse
ne voldroit que cele fust arse   4072
que il avoit aseüree ;
sa vie avroit corte duree
ou il istroit toz vis del sens
s'il n'i pooit venir a tens ;   4076
et d'autre part, autre destrece
le retient, la granz gentillece
mon seignor Gauvain son ami,
que par po ne li part par mi   4080
li cuers, quant demorer ne puet.
Ne por quant encor ne se muet,
einçois demore et si atant   [95 a]
tant que li jaianz vient batant   4084
qui les chevaliers amenoit ;

et un pel a son col tenoit,
grant et quarré, agu devant,
dom il les bousoit molt sovant ;   4088
et il n'avoient pas vestu
de robe vaillant un festu,
fors chemises sales et ordes ;
s'avoient bien lïez de cordes   4092
les piez et les mains, si seoient
sor quatre roncins qui clochoient,
meigres et foibles et redois.
Chevalchant vindrent lez le bois ;   4096
uns nains, fel come boz anflez,
les ot coe a coe noez,
ses aloit costoiant toz quatre,
onques ne les fina de batre   4100
d'unes corgiees a sis neuz
don molt cuidoit feire que preuz ;
les batoit si que tuit seinnoient ;
ensi vilmant les amenoient   4104
entre le jaiant et le nain.
Devant la porte, en mi un plain,
s'areste li jaianz, et crie
au preudome que il desfie   4108
ses filz de mort, s'il ne li baille
sa fille ; et a sa garçonaille
la liverra a jaelise,
car il ne l'ainme tant ne prise   4112
qu'an li se daingnast avillier ;
de garçons avra un millier
avoec lui sovant et menu,
qui seront poeilleus et nu   4116
si con ribaut et torchepot,
que tuit i metront lor escot.

Por po que li preudon n'enrage
qui ot celui qui a putage   4120
dit que sa fille li metra,
ou or an droit, si quel verra,
seront ocis si quatre fil ;
s'a tel destrece come cil   4124
qui mialz s'ameroit morz que vis.
Molt se clainme dolanz cheitis,
et plore formant, et sopire ;   [95 b]
et lors li ancomance a dire   4128
mes sire Yvains, con frans et dolz :
« Sire, molt est fel et estolz
cil jaianz, qui la fors s'orguelle ;
mes ja Dex ce sofrir ne vuelle   4132
qu'il ait pooir de vostre fille,
molt la despist et molt l'aville ;
trop seroit granz mesaventure
se si tres bele criature   4136
et de si haut parage nee
ert a garçons abandonee.

   « Ça, mes armes et mon cheval !
et feites le pont treire a val,   4140
si m'an lessiez oltre passer.
De nos deus covenra lasser
ou moi ou lui, ne sai le quèl.
Se je le felon, le cruel,   4144
qui ci nos vet contralïant,
pooie feire humelïant
tant que voz filz vos randist quites,
et les hontes qu'il vos a dites   4148
vos venist ceanz amander,
puis vos voldroie comander
a Deu, s'iroie a mon afeire. »

Lors li vont son cheval fors treire   4152
et totes ses armes li baillent ;
de lui bien servir se travaillent
et bien et tost l'ont atorné ;
a lui armer n'ont sejorné   4156
s'a tot le moins non que il porent.
Quant bien et bel atorné l'orent,
si n'i ot que del avaler
le pont, et del lessier aler ;   4160
en li avale, et il s'an ist,
mes aprés lui ne remassist
li lÿons an nule meniere.
Et cil qui sont remés arriere   4164
le comandent au Salveor,
car de lui ont molt grant peor
que li maufez, li anemis,
qui avoit maint prodome ocis   4168
veant lor ialz, en mi la place,
autretel de lui ne reface.
Si prïent Deu qu'il le desfande   [95 c]
de mort, et vif et sain lor rande,   4172
et le jaiant li doint ocirre.
Si come chascuns le desirre
an prie Deu molt dolcemant ;
Et cil par son fier hardemant   4176
vint vers lui, si le menaça,
et dit : « Cil qui t'anvea ça
ne t'amoit mie, par mes ialz !
Certes, il ne se poïst mialz   4180
de toi vangier, en nule guise ;
molt a bien sa vengence prise
de quan que tu li as forfet.
— De neant es antrez an plet,   4184

fet cil, qui nel dote de rien ;
or fai ton mialz et je le mien
que parole oiseuse me lasse. »
Tantost mes sire Yvains li passe,　　　　4188
cui tarde qu'il s'an soit partiz ;
ferir le va en mi le piz
qu'il ot armé d'une pel d'ors ;
et li jaianz li vint le cors　　　　4192
de l'autre part a tot son pel.
En mi le piz li dona tel
mes sire Yvains, que la piax fausse :
el sanc del cors, an leu de sausse,　　　　4196
le fer de la lance li moille ;
et li jaianz del pel le roille
si fort, que tot ploier le fet.
Mes sire Yvains l'espee tret　　　　4200
dom il savoit ferir granz cos.
Le jaiant a trové desclos,
qui an sa force se fioit,
tant que armer ne se voloit ;　　　　4204
et cil qui tint l'espee treite
li a une anvaïe feite ;
del tranchant, non mie del plat,
le fiert si que il li abat　　　　4208
de la joe une charbonee,
et il l'en ra une donee
tel que tot le fet anbrunchier
jusque sor le col del destrier.　　　　4212

　A ce cop, li lÿons se creste,
de son seignor eidier s'apreste,
et saut par ire, et par grant force　　　　[95 a]
s'aert, et fant con une escorce,　　　　4216
sor le jaiant, la pel velue,

si que desoz li a tolue
une grant piece de la hanche ;
les ners et les braons li tranche,   4220
et li jaianz li est estors,
si bret et crie come tors,
que molt l'a li lÿons grevé ;
le pel a a deus mains levé   4224
et cuide ferir, mes il faut,
car li lÿons en travers saut,
si pert son cop et chiet en vain
par delez mon seignor Yvain   4228
que l'un ne l'autre n'adesa.
Et mes sire Yvains antesa
si a deus cos entrelardez.

Einz que cil se fust regardez   4232
li ot, au tranchant de s'espee,
l'espaule del bu dessevree ;
a l'autre cop, soz la memele,
li bota tote l'alemele   4236
de s'espee par mi le foie ;
li jaianz chiet, la morz l'asproie,
et, se uns granz chasnes cheïst,
ne cuit que graindre esfrois feïst   4240
que li jaianz fist au cheoir.
Ce cop vuelent molt tuit veoir
cil qui estoient as creniax.

Lors i parut li plus isniax   4244
que tuit corent a la cuiriee,
si con li chiens qui a chaciee
la beste, tant que il l'a prise ;
ensi coroient sanz feintise   4248
tuit et totes par enhatine
la ou cil gist gole sovine.

Li sires meïsmes i cort
et tote la gent de sa cort ;   4252
cort i la fille, cort la mere ;
or ont joie li quatre frere
qui molt avoient mal sofert ;
de mon seignor Yvain sont cert   4256
qu'il nel porroient retenir
por rien qui poïst avenir,
si li prïent de retorner   [95 *b*]
por deduire et por sejorner   4260
tot maintenant que fet avra
son afeire la ou il va.
Et il respont qu'il ne les ose
asseürer de ceste chose ;   4264
il ne set mie deviner
s'il porra bien ou mal finer ;
mes au seignor itant dist il
que il vialt que si quatre fil   4268
et sa fille praignent le nain,
s'aillent a mon seignor Gauvain,
quant il savront qu'il iert venuz,
et comant il s'ert contenuz   4272
vialt que il soit dit et conté,
que por neant prant sa bonté
qui vialt qu'ele ne soit seüe.
Et cil dïent : « Ja n'iert teüe   4276
ceste bontez, qu'il n'est pas droiz.
Bien ferons ce que vos voldroiz
mes tant demander vos volons,
sire, quant devant lui serons   4280
de cui nos porrons nos loer
se nos ne vos savons nomer. »
Et il respont : « Tant li porroiz

dire, quant devant lui vanroiz,   4284
que li Chevaliers au lÿon
vos dis que je avoie non ;
et avoec ce prier vos doi
que vos li dites de par moi   4288
qu'il me conuist bien et je lui ;
et si ne set qui je me sui ;
de rien nule plus ne vos pri ;
c'or m'an estuet aler de ci,   4292
et c'est la riens qui plus m'esmaie
que je ci trop demoré n'aie ;
car einz que midis soit passez
avrai aillors a feire assez   4296
se je i puis venir a ore. »
Lors s'en part que plus n'i demore,
mes einçois molt prié li ot
li sires, plus bel que il pot,   4300
qu'il ses quatre filz an menast :
n'i ot nul qui ne se penast
de lui servir, se il volsist ;   [95 c]
mes ne li plot ne ne li sist   4304
que nus li feïst conpaignie ;
seus lor a la place guerpie.
Et maintenant que il s'an muet,
tant con chevax porter le puet,   4308
s'an retorne vers la chapele,
que molt estoit et droite et bele
la voie, et bien la sot tenir ;
mes ainz que il poïst venir   4312
a la chapele, en fu fors treite
la dameisele, et la rez feite,
ou ele devoit estre mise
trestote nue en sa chemise.   4316

Au feu liee la tenoient
cil qui a tort li ametoient
ce qu'ele onques pansé n'avoit ;
et mes sire Yvains s'an venoit   4320
au feu ou an la vialt ruer,
tot ce li dut formant grever ;
cortois ne sages ne seroit
qui de rien nule an doteroit.   4324
Voirs est que molt li enuia,
mes boene fïance an lui a
que Dex et droiz il aideroit
qui en sa partie seroit :   4328
en ses aïdes molt se fie
et ses lïons nel rehet mie.
Vers la presse toz eslessiez
s'an vet criant : « Lessiez, lessiez   4332
la dameisele, gent malveise !
N'est droiz qu'an rez ne an forneise
soit mise, que forfet ne l'a. »
Et cil tantost que ça que la   4336
se departent, si li font voie,
et lui est molt tart que il voie
des ialz celi que ses cuers voit
en quelque leu qu'ele onques soit ;   4340
as ialz la quiert tant qu'il la trueve,
et met son cuer an tel esprueve
qu'il le retient, et si l'afreinne
si com an retient a grant painne   4344
au fort frain son cheval tirant.
Et ne por quant an sopirant
la regarde môlt volantiers,   [96 a]
mes ne fet mie si antiers   4348
ses sopirs que l'an les conuisse,

einz les retranche a grant angoisse.
Et de ce granz pitiez li prant
qu'il ot et voit et si antant   4352
les povres dames qui feisoient
estrange duel et si disoient :
« Ha ! Dex, con nos as obliees,
con remenrons or esgarees   4356
qui perdromes si boene amie,
et tel consoil, et tele aïe,
qui a la cort por nos estoit !
Par son consoil nos revestoit   4360
ma dame de ses robes veires ;
molt nos changera li afeires
qu'il n'est mes qui por nos parost.
Mal ait de Deu qui la nos tost,   4364
mal ait par cui nos la perdrons
que trop grant domage i avrons ;
n'iert mes qui die ne qui l'ot :
« Et cest mantel et cest sorcot   4368
« et ceste cote, chiere dame,
« donez a ceste franche fame,
« que voir, se vos li envoiez,
« molt i sera bien anploiez ;   4372
« et ele en a molt grant sofreite. »
Ja de ce n'iert parole feite
que nus n'est mes frans ne cortois,
einz demande chascuns einçois   4376
por lui, que por autrui ne fait
sanz ce que nul mestier en ait. »
    Ensi se demantoient celes ;
et mes sire Yvains ert antr'eles,   4380
s'ot bien oïes lor conplaintes
qui n'estoient fauses ne faintes,

et vit Lunete agenoilliee
en sa chemise despoilliee, 4384
et sa confesse avoit ja prise,
a Deu de ses pcchiez requise
merci, et sa corpe clamee ;
et cil qui molt l'avoit amee 4388
vient vers li, si l'en lieve a mont
et dit : « Ma demeisele, ou sont
cil qui vos blasment et ancusent ? [96 b]
Tot maintenant, s'il nel refusent, 4392
lor iert la bataille arramie. »
Et cele qui ne l'avoit mie
encor veü ne regardé
li dit : « Sire, de la part Dé, 4396
vaigniez vos a mon grant besoing !
Cil qui portent le faus tesmoing
vers moi sont ci tuit apresté
s'un po eüssiez plus esté 4400
par tans fusse charbons et cendre.
Venuz estes por moi desfandre,
et Dex le pooir vos an doint,
ensi con je de tort n'ai point 4404
del blasme don je sui retee. »
Ceste parole ot escoutee
li seneschax, il et ses frere :
« Ha ! dist il, fame, chose avere 4408
de voir dire, et de mantir large !
Molt est po sages qui encharge,
por ta parole, si grant fes ;
molt est li chevaliers malvés 4412
qui venuz est morir por toi,
qu'il est seus et nos somes troi ;
mes je li lo qu'il s'an retort

einçois que a noauz li tort. »   4416
Et cil respont, cui molt enuie :
« Qui peor avra, si s'an fuie !
Ne criem pas tant voz trois escuz
que sanz cop m'en aille veincuz.   4420
Molt feroie ore qu'afeitiez,
se je toz sains et toz heitiez
la place et le chanp vos lessoie !
Ja tant come vis et sains soie   4424
ne m'an fuirai por tel menaces.
Mes je te consoil que tu faces
la dameisele clamer quite
que tu as a grant tort sordite,   4428
qu'ele le dit, et je l'en croi,
si m'an a plevie sa foi
et dit, sor le peril de s'ame,
c'onques traïson vers sa dame   4432
ne fist, ne dist, ne ne pansa.
Bien croi quan qu'ele dit m'en a ;
si la desfandrai, se je puis,   [96 c]
que son droit en m'aïe truis.   4436
Et qui le voir dire an voldroit
Dex se retint de vers le droit,
et Dex et droiz a un s'an tienent ;
et quant il de vers moi s'an vienent   4440
dons ai ge meillor conpaingnie
que tu n'as, et meillor aïe. »
Et cil respont molt folemant
que il met an son nuisemant   4444
trestot quan que lui plest et siet,
mes que li lÿons ne lor griet.
Et cil dit c'onques son lÿon
n'i amena por chanpïon   4448

n'autrui que lui metre n'i quiert ;
mes se ses lÿons les requiert,
si se desfandent vers lui bien,
qu'il nes en afïe de rien.   4452
Cil responent : « Que que tu dïes,
se tu ton lÿon ne chastïes
et se nel fez an pes ester,
donc n'as tu ci que demorer ;   4456
mes reva t'an, si feras san
que par tot cest païs set an
comant ele traï sa dame ;
s'est droiz que an feu et en flame   4460
l'en soit randue la merite.
— Ne place le Saint Esperite,
fet cil qui bien an set le voir,
ja Dex ne m'an doint removoir   4464
tant que je delivree l'aie. »
Lors dit au lÿon qu'il se traie
arrieres, et toz coiz se gise ;
et cil le fet a sa devise.   4468

Li lÿons s'est arrieres trez.
Tantost la parole et li plez
remest d'aus deus, si s'antr'esloingnent,
li troi ansanble vers lui poingnent,   4472
et il vint encontre aus le pas,
que desreer ne se vost pas
as premiers cos, ne angoissier.
Lor lances lor lesse froissier   4476
et il retient la soe sainne ;
de son escu lor fet quintainne,
si a chascuns sa lance freite.   [96 a]
Et il a une pointe feite   4480
tant que d'ax un arpant s'esloingne ;

mes tost revint a la besoingne
qu'il n'a cure de lonc sejor.
Le seneschal an son retor   4484
devant ses deus freres ataint :
sa lence sor le cors li fraint ;
un cop li a doné si buen
quel porte a terre, mau gré suen ;   4488
une grant piece estanduz jut
c'onques nule riens ne li nut.
Et li autre dui sus li vienent :
as espees que nues tienent   4492
li donent granz cos anbedui,
mes plus granz reçoivent de lui,
que de ses cos valt li uns seus
des lor toz a mesure deus.   4496
Si se desfant vers ax si bien
que de son droit n'en portent rien,
tant que li seneschax relieve
qui de tot son pooir li grieve ;   4500
et li autre avoec lui s'an painnent
tant qu'il le grievent et sormainnent.
Et li lÿons qui ce esgarde
de lui aidier plus ne se tarde,   4504
que mestiers li est, ce li sanble ;
et totes les dames ansanble
qui la dameisele molt ainment
Damedeu molt sovant reclainment   4508
et si li prïent de boen cuer
que sofrir ne vuelle a nul fuer
que cil i soit morz ne conquis
qui por li s'est an painne mis.   4512
De priere aïde li font
les dames, qu'autres bastons n'ont.

Et li lÿons li fet aïe
tel qu'a la premiere envaïe　　　　　　　4516
a de si grant aïr feru
le seneschal, qui a pié fu ;
ausi con se ce fussent pailles
fet del hauberc voler les mailles,　　　　4520
et contre val si fort le sache
que de l'espaule li arache
le tanrun a tot le costé.　　　　　　　[96 *b*]
Quan qu'il ateint l'en a osté　　　　　　4524
si que les antrailles li perent.
Ce cop li autre dui conperent.

　　Or sont el chanp tot per a per ;
de la mort ne puet eschaper　　　　　　4528
li seneschax qui se tooille
et devulte an l'onde vermoille
del sanc, qui de son cors li saut.
Li lÿons les autres asaut　　　　　　　4532
qu'arrieres ne l'en puet chacier,
por ferir ne por menacier,
mes sire Yvains en nule guise ;
s'i a il molt grant poinne mise ;　　　　4536
mes li lÿons sanz dote set
que ses sires mie ne het
s'aïe, einçois l'en ainme plus ;
si lor passe fieremant sus　　　　　　　4540
tant que cil de ses cos se plaignent
et lui reblescent et mahaignent.

　　Quant mes sire Yvains voit blecié
son lÿon, molt a correcié　　　　　　　4544
le cuer del vantre, et n'a pas tort ;
mes del vangier se poinne fort ;
si lor vet si estoutemant

que il les mainne si vilmant   4548
que vers lui point ne se desfandent
et que a sa merci se randent
por l'aïde que li a feite
li lïons, qui molt se desheite,   4552
que bien devoit estre esmaiez,
car an deus leus estoit plaiez.
Et d'autre part mes sire Yvains
ne restoit mie trestoz sains,   4556
einz avoit el cors mainte plaie ;
mes de ce pas tant ne s'esmaie
con de son lÿon qui se dialt.
Or a tot ensi com il vialt   4560
sa dameisele delivree,
et s'iror li a pardonee
la dame trestot de son gré.
Et cil furent ars an la ré   [96 c]
qui por li ardoir fu esprise ;
que ce est reisons de justise
que cil qui autrui juge a tort
doit de celui meïsmes mort   4568
morir que il li a jugiee.
Or est Lunete baude et liee
qant a sa dame est acordee,
si ont tel joie demenee   4572
qu'ainz nule gent si grant ne firent
et tuit a lor seignor ofrirent
lor servise, si con il durent,
sanz ce que il ne le conurent ;   4576
neïs la dame qui avoit
son cuer, et si ne le savoit,
li pria molt qu'il li pleüst
a sejorner tant qu'il eüst   4580

respassé, son lÿon et lui.
Et il dit : « Dame, ce n'iert hui
que je me remaingne an cest point
tant que ma dame me pardoint   4584
son mautalant et son corroz.
Lors finera mes travauz toz.
— Certes, fet ele, ce me poise,
ne tieng mie por tres cortoise   4588
la dame qui mal cuer vos porte.
Ne deüst pas veher sa porte
a chevalier de vostre pris
se trop n'eüst vers li mespris.   4592
— Dame, fet il, que qu'il me griet
trestot me plest ce que li siet,
mes ne m'an metez pas an plet,
que l'acoison et le forfet   4596
ne diroie por nule rien
se cez non qui le sevent bien.
— Set le donc nus, se vos dui non ?
— Oïl, voir, dame. — Et vostre non,   4600
se vos plest, biax sire, nos dites,
puis si vos en iroiz toz quites.
— Toz quites, dame ? Nel feroie ;
plus doi que randre ne porroie ;   4604
ne por quant ne vos doi celer
comant je me faz apeler :
ja del Chevalier au lÿon
n'orroiz parler se de moi non :   [97 a]
par cest non vuel que l'en m'apiaut.
— Por Deu, biax sire, ce qu'espiaut
que onques mes ne vos veïsmes
ne vostre non nomer n'oïsmes ?   4612
— Dame, par ce savoir poez

que ne sui gueres renomez. »
Lors dit la dame de rechief :
« Encor, s'il ne vos estoit grief,   4616
de remenoir vos prïeroie.
— Certes, dame, je nel feroie
tant que certenemant seüsse
que le boen cuer ma dame eüsse.   4620
  — Or alez donc a Deu, biaus sire,
qui vostre pesance et vostre ire,
se lui plest, vos atort a joie !
— Dame, fet il, Dex vos en oie ! »   4624
Puis dist antre ses danz soef :
« Dame, vos en portez la clef,
et la serre et l'escrin avez
ou ma joie est, si nel savez. »   4628
A tant s'an part a grant angoisse,
se n'i a nul qui le conoisse
fors que Lunete seulemant
qui le convea longuement.   4632
Lunete seule le convoie
et il li prie tote voie
que ja pår li ne soit seü
quel chanpïon ele ot eü.   4636
« Sire, fet ele, non iert il. »
Aprés ce li reprïa cil
que de lui li resovenist
et vers sa dame li tenist   4640
boen leu, s'ele venoit en eise.
Et cele dit que il s'an teise
qu'ele n'en iert ja oblïeuse
ne recreanz ne pereceuse ;   4644
et cil l'en mercie .c. foiz.
Si s'an vet pansis et destroiz

por son lÿon qu'il li estuet
porter que siudre ne le puet.   4648
En son escu li fet litiere
de la mosse et de la fouchiere ;
quant il li ot feite sa couche
au plus soef qu'il puet le couche,   [97 b]
si l'en porte tot estandu
dedanz l'envers de son escu.
Ensi an son escu l'enporte
tant que il vint devant la porte   4656
d'une meison molt fort et bele ;
ferme la trueve, si apele,
et li portiers overte l'a
si tost c'onques n'i apela   4660
un mot aprés le premerain.
A la resne li tant la main,
si li dit : « Biax sire, an presant
l'ostel mon seignor vos presant,   4664
se il vos i plest a descendre.
— Ce presanť, fet il, vuel je prendre
que je en ai molt grant mestier
et si est tans de herbergier. »   4668
A tant a la porte passee
et voit la mesniee amassee
qui tuit a l'encontre li vont ;
salüé, et descendu l'ont,   4672
li un metent sor un perron
son escu a tot le lÿon
et li autre ont son cheval pris,
si l'ont en une estable mis ;   4676
li escuier, si con il doivent,
ses armes pranent et reçoivent.
Quant li sires la novele ot

tot maintenant que il le sot   4680
vient an la cort, si le salüe,
et la dame est aprés venue
et si fil et ses filles totes ;
d'autres genz i ot molt granz rotes,   4684
si le herbergent a grant joie ;
mis l'ont en une chanbre coie
por ce que malade le truevent
et de ce molt bien se repruevent   4688
que son lÿon avoec lui metent ;
et de lui garir s'antremetent
deus puceles qui molt savoient
de mecines, et si estoient   4692
filles au seignor de leanz.
Jorz i sejorna ne sai quanz
tant que il et ses lÿons furent
gari, et que raler s'an durent.   [97 c]
Mes dedanz ce fu avenu
que a la mort ot plet tenu
li sires de la Noire Espine ;
si prist a lui tel anhatine   4700
la morz, que morir le covint.
Aprés sa mort ensi avint
de deus filles que il avoit
que l'ainz nee dist qu'ele avroit   4704
trestote la terre a delivre
toz les jorz qu'ele avroit a vivre,
que ja sa suer n'i partiroit.
Et l'autre dist que ele iroit   4708
a la cort le roi Artus, querre
aïde a desresnier sa terre.
Et quant l'autre vit que sa suer
ne li sofferroit a nul fuer   4712

tote la terre sanz tançon
s'an fu en molt grant cusançon
et dist que, se ele pooit,
einçois de li a cort vanroit.   4716

    Tantost s'aparoille et atorne
ne demore ne ne sejorne,
einz erra tant qu'a la cort vint ;
et l'autre aprés sa voie tint   4720
et quan qu'ele pot se hasta,
mes sa voie et ses pas gasta
que la premiere avoit ja fet
a mon seignor Gauvain son plet   4724
et il li avoit otroié
quan qu'ele li avoit proié.
Mes tel covant entr'ax avoit
que se nus par li le savoit,   4728
ja puis ne s'armeroit por li ;
et ele l'otroia ensi.
A tant vint l'autre suer a cort,
afublee d'un mantel cort   4732
d'escarlate forré d'ermine :
s'avoit tierz jor que la reïne
ert de la prison revenue
ou Meleaganz l'a tenue   4736
et trestuit li autre prison,
et Lanceloz par traïson
estoit remés dedanz la tor.   [97 a]
Et an celui meïsmes jor   4740
que a la cort vint la pucele
i fu venue la novele
del jaiant cruel et felon
que li chevaliers au lÿon   4744
avoit an bataille tüé.

De par lui orent salüé
mon seignor Gauvain si neveu.
Le grant servise et le grant preu   4748
que il lor avoit por lui fet
li a tot sa niece retret
et dist que bien le conuissoit,
ne ne savoit qui il estoit.   4752
  Ceste parole ot entandue
cele qui molt ert esperdue
et trespansee et esbahie,
qui nul consoil ne nule aïe   4756
a la cort trover ne cuidoit,
puis que li miaudres li failloit,
qu'ele avoit en mainte meniere,
et par amor, et par proiere,   4760
essaié mon seignor Gauvain
et il li dist : « Amie, an vain
me priez que je nel puis feire
que j'ai anpris une autre afeire   4764
que je ne lesseroie pas. »
Et la pucele en es le pas
s'an part et vient devant le roi.
« Rois, fet ele, je ving a toi   4768
et a ta cort querre consoil
ne n'i truis point, si m'an mervoil
quant je consoil n'i puis avoir
mes ne feroie pas savoir   4772
se je sanz congié m'an aloie.
Et sache ma suer tote voie
qu'avoir porroit ele del mien
par amors, s'ele voloit bien,   4776
mes ja par force que je puisse,
por qu'aïe ne consoil truisse,

ne li leirai mon heritage.
— Vos dites, fet li rois, que sage   4780
et demantres que ele est ci
je li consoil et lo et pri
qu'ele vos lest vostre droiture. »   [97 *b*]
Et cele qui estoit seüre   4784
del meillor chevalier del monde
respont : « Sire, Dex me confonde
se ja de ma terre li part
chastel, ne vile, ne essart,   4788
ne bois, ne plain, ne autre chose.
Mes se uns chevaliers s'en ose
por li armer, qui que il soit
qui voelle desresnier son droit,   4792
si veingne trestot maintenant.
— Ne li ofrez mie avenant,
fet li rois, que plus i estuet ;
s'ele plus porchacier se puet   4796
au moins jusqu'a quatorze jorz
au jugemant de totes corz ».
Et cele dit : « Biax sire rois,
vos poez establir voz lois   4800
tex con vos plest et boen vos iert,
n'a moi n'ateint, n'a moi n'afiert
que je desdire vos an doive ;
si me covient que je reçoive   4804
le respit, s'ele le requiert. »
Et cele dit qu'el le requiert
et si le desirre et demande.
Tantost le roi a Deu comande ;   4808
ne finera par tote terre
del Chevalier au lyon querre
qui met sa poinne a conseillier

celes qui d'aïe ont mestier.   4812
   Ensi est an la queste antree
et trespasse mainte contree
c'onques noveles n'en aprist,
don tel duel ot que max l'en prist.   4816
Mes de ce molt bien li avint
que chiés un suen acointe vint
dom ele estoit acointe mout :
s'aparçut l'en bien a son vout   4820
que ele n'estoit mie sainne.
A li retenir mistrent painne
tant que son afeire lor dist ;
et une autre pucele anprist   4824
la voie qu'ele avoit anprise :
por li s'est an la queste mise.
Ensi remest cele a sejor.   [97 c]
Et l'autre erra au lonc del jor,   4828
tote seule grant aleüre
tant que vint a la nuit oscure.
Si li enuia molt la nuiz,
et de ce dobla li enuiz   4832
qu'il plovoit a si grant desroi,
con Damedex avoit de coi,
et fu el bois molt au parfont.
Et la nuiz, et li bois li font   4836
grant enui, et plus li enuie
que la nuiz, ne li bois, la pluie.
Et li chemins estoit si max
que sovant estoit ses chevax   4840
jusque pres des cengles en tai ;
si pooit estre an grant esmai
pucele au bois, et sanz conduit,
par mal tans, et par noire nuit,   4844

si noire qu'ele ne veoit
le cheval sor qu'ele seoit.
Et por ce reclamoit adés
Deü avant, et sa mere aprés,   4848
et puis toz sainz et totes saintes ;
et dist la nuit orisons maintes
que Dex a ostel la menast
et fors de ce bois la gitast.   4852
Si crïa tant que ele oï
un cor don molt se resjoï
qu'ele cuide que ele truisse
ostel, mes que venir i puisse ;   4856
si s'est vers la voiz adreciee
tant qu'ele antre en une chauciee,
et la chauciee droit l'en mainne
vers le cor dom ele ot l'alainne,   4860
que par trois foiz, molt longuemant,
sona li corz et hautemant ;
et ele erra droit a la voiz,
tant qu'ele vint a une croiz   4864
qui sor la chauciee ert a destre ;
iluec pansoit que poïst estre
li corz et cil qui l'a soné ;
cele part a esperoné   4868
tant qu'ele aprocha vers un pont,
et vit d'un chastelet reont
les murs blans et la barbaquane.   [98 a]
Einsi par aventure asane   4872
au chastel, ensi adreça,
par la voiz qui l'i amena.
La voiz del cor l'i a atrete
que soné avoit une guete   4876
qui sor les murs montee estoit ;

tantost con la guete la voit
si la salüe et puis descent,
et la clef de la porte prent,   4880
si li oevre et dit : « Bien veigniez,
pucele, qui que vos soiez.
Anquenuit avroiz boen ostel.
— Je ne demant enuit mes el »,   4884
fet la pucele ; et il l'en mainne.
Aprés le travail et la painne
que ele avoit le jor eüe,
si est a l'ostel bien venue   4888
que molt i est bien aeisiee.
Aprés soper l'a aresniee
ses ostes, et si li anquiert
ou ele va et qu'ele quiert.   4892
Et cele li respont adonques :
« Je quier ce que je ne vi onques,
mien esciant, ne ne quenui,
mes un lÿon a avoec lui   4896
et an me dit, se je le truis,
que an lui molt fier me puis.
— Gié, fet cil, l'en report tesmoing
que a un mien molt grant besoing   4900
le m'amena Dex avant ier.
Beneoit soient li santier
par ou il vint a mon ostel,
car d'un mien anemi mortel   4904
me vencha, don si lié me fist
que tot veant mes ialz l'ocist
a cele porte la defors.
Demain porroiz veoir le cors   4908
d'un grant jaiant que il tüa
si tost que gueres n'i süa.

— Por Deu, sire, dit la pucele,
car me dites voire novele   4912
se vos savez ou il torna
et s'il en nul leu sejorna.
— Je non, fet il, se Dex me voie !   [98 b]
Mes bien vos metrai an la voie   4916
demain, par ou il s'en ala.
— Et Dex, fet ele, me maint la
ou je voire novele en oie,
car se jel truis, molt avrai joie. »   4920
Ensi molt longuemant parlerent
tant qu'an la fin couchier alerent.
Quant vint que l'aube fu crevee,
la dameisele fu levee   4924
qui an molt grant espans estoit
de trover ce qu'ele queroit.
Et li sires de la meison
se lieve, et tuit si conpaignon ;   4928
si la metent el droit chemin
vers la fontainne soz le pin ;
et ele de l'errer esploite
vers le chastel la voie droite,   4932
tant qu'ele vint et demanda
as premerains qu'ele trova
s'il li savoient anseignier
le lÿon et le chevalier   4936
qui entr'aconpaingnié s'estoient.
Et cil dïent qu'il lor avoient
veüz trois chevaliers conquerre
droit an cele piece de terre.   4940
Et cele dit en es le pas :
« Por Deu, ne me celez vos pas,
des que vos tant dit m'an avez,

se vos plus dire m'an savez.   4944
— Nenil, font il, nos n'en savons
fors tant con dit vos en avons ;
ne nos ne savons qu'il devint.
Se cele por cui il ça vint   4948
noveles ne vos an enseigne
n'iert nus qui les vos an apreigne,
et, se a li volez parler,
ne vos covient aillors aler   4952
qu'ele est alee an ce mostier
por messe oïr et Deu proier,
et si i a tant demoré
qu'asez i puet avoir oré. »   4956
Que qu'il l'aparloient ensi
Lunete del mostier issi ;
si li dïent : « Veez la la. »   [98 c]
Et cele ancontre li ala.   4960
Si se sont antresalüees ;
tantost a cele demandees
les noveles qu'ele queroit ;
et cele dit qu'ele feroit   4964
un suen palefroi anseler,
car avoec li voldroit aler,
si l'an manroit vers un plessié
ou ele l'avoit convoié.   4968
Et cele de cuer l'en mercie.
Li palefroiz ne tarda mie,
en li amainne et ele monte ;
Lunete an chevalchant li conte   4972
comant ele fu ancusee
et de traïson apelee
et comant la rez fu esprise
ou ele devoit estre mise,   4976

et comant cil li vint eidier
quant ele en ot plus grant mestier.
Ensi parlant la convea
tant qu'au droit chemin l'avea   4980
ou mes sire Yvains l'ot lessiee.
Quant jusque la l'ot convoiee
si li dist : « Cest chemin tanroiz
tant que en aucun leu vanroiz   4984
ou novele vos en iert dite,
se Deu plest et Saint Esperite,
plus voire que je ne l'en sai ;
bien m'an sovient que jel lessai   4988
bien pres de ci, ou ci meïsmes ;
ne puis ne nos antreveïsmes,
ne je ne sai qu'il a puis fet,
que grant mestier eüst d'antret   4992
qant il se departi de moi.
Par ci aprés lui vos envoi
et Dex le vos doint trover sain,
s'il li plest, ainz hui que demain.   4996
Or alez, a Deu vos comant,
que je ne vos os siudre avant
que ma dame a moi ne s'iresse. »
Maintenant l'une l'autre lesse :   5000
l'une retorne et l'autre en va
et vet tant que ele trova
la meison ou mes sire Yvains   [98 a]
ot esté tant que toz fu sains.   5004
Et vit devant la porte genz :
dames, chevaliers, et sergenz,
et le seignor de la meison ;
sel salüe, et met a reison   5008
s'il sevent que il lui apreingnent

noveles, et qu'il li anseingnent
un chevalier que ele quiert :
« De tel meniere est que ja n'iert   5012
sanz un lyeon, c'ei oï dire.
— Par foi, pucele, fet li sire, .
il parti or en droit de nos
encor ancui l'ateindroiz vos   5016
se ses escloz savez garder,
mes gardez vos de trop tarder. »
— Sire, fet ele, Dex m'an gart
mes or me dites de quel part   5020
je le siue. » Et cil le li dïent :
« Par ci, tot droit », et si li prïent
qu'ele, de par ax, le salut ;
mes ce gueres ne lor valut,   5024
qu'ele onques ne s'an entremist.
Mes lors es grّanz galoz se mist
que l'anbleüre li sanbloit
estre petite, et si anbloit   5028
ses palefroiz de grant eslais.
Ausi galope par le tais
con par la voie igal et plainne
tant qu'ele voit celui qui mainne   5032
le lyeon an sa conpaingnie.
Lors fet joie et dit : « Dex aïe !
Or voi ce que tant ai chacié ;
molt l'ai bien seü et tracié.   5036
Mes se jel chaz et jel ataing,
que me valdra, se je nel praing ?
Par ci s'an vet, voire par foi ;
s'il ne s'an vient ansanble o moi,   5040
donc ai ge ma poinne gastee. »
Ensi parlant s'est tant hastee,

trestoz ses palefroiz tressüe ;
si s'areste, et si le salüe,   5044
et cil li respondi molt tost :
« Dex vos saut, bele, et si vos ost
de cusançon et de pesance !   [98 *b*]
— Et vos, sire, ou j'ai esperance   5048
que bien m'an porrïez oster ! »
Lors se va lez lui acoster
et dit : « Sire, je vos ai quis.
Li granz renons de vostre pris   5052
m'a molt fet aprés vos lasser
et mainte contree passer.
Tant vos ai quis, la Deu merci,
qu'asanblee sui a vos ci,   5056
et se ge nul mal i ai tret
de rien nule ne m'an deshet,
ne ne m'an pleing, ne ne m'an menbre ;
tuit me sont alegié li manbre   5060
que la dolors m'an fu anblee,
tantost qu'a. vos fui asanblee.
Si n'est pas la besoingne moie ;
miaudre de moi a vos m'anvoie,   5064
plus gentix fame et plus vaillanz,
mes se ele est a vos faillanz
donc l'a vostre renons traïe,
qu'ele n'atant secors n'aïe,   5068
fors que de vos, la dameisele
de bien desresnier sa querele,
c'une soe suer desherete,
ne quiert qu'autres s'an entremete ;   5072
n'an ne li puet feire cuidier
que autres l'an poïst eidier ;
et sachiez bien trestot de voir

se le pris an poez avoir,   5076
s'avroiz conquise et rachetee
l'enor a la desheritee
et creü vostre vaselage.
Por desresnier son heritage   5080
ele meïsmes vos queroit
por le bien qu'ele i esperoit,
ne ja autre n'i fust venue ;
mes uns forz max l'a detenue   5084
tex que par force au lit la trest.
Or m'an responez, s'il vos plest,
se vos venir i oseroiz
ou se vos vos reposeroiz.   5088
— N'ai soing, fet il, de reposer ;
ne s'en puet nus hom aloser,
ne je ne reposerai mie,   [98 c]
einz vos siudrai, ma dolce amie,   5092
volantiers, la ou vos pleira ;
et se de moi grant afeire a
cele por cui vos me querez,
ja ne vos an desesperez   5096
que je tot mon pooir n'en face ;
or me doint Dex et cuer et grace
que je, par sa boene aventure,
puisse desresnier sa droiture. »   5100
     Ensi entr'aus deus chevalchierent
parlant, tant que il aprochierent
le chastel de Pesme-Aventure.
De passer oltre n'orent cure   5104
que li jorz aloit declinant.
Ce chastel vienent aprismant,
et les genz qui venir les voient
trestuit au chevalier disoient :   5108

« Mal veigniez, sire, mal veigniez !
Cist ostex vos fu anseigniez
por mal et por honte andurer,
ce porroit uns abes jurer.   5112
— Ha ! fet il, gent fole et vilainne,
gent de tote malvestié plainne
qui a toz biens avez failli,
por coi m'avez si asailli ?   5116
— Por coi ? Vos le savroiz assez
s'ancore un po avant passez !
Mes nule rien ja n'en savroiz
jusque tant que esté avroiz   5120
an cele haute forteresce. »
Tantost mes sire Yvains s'adresce
vers la tor ; et les genz s'escrïent :
trestuit a haute voiz li dïent :   5124
« Hu ! Hu ! Maleüreus, ou vas ?
S'onques en ta vie trovas
qui te feïst honte ne let,
la ou tu vas t'an iert tant fet   5128
que ja par toi n'iert reconté.
— Gent sanz enor, et sanz bonté,
fet mes sire Yvains qui escote,
gent enuieuse, gent estoute,   5132
por coi m'asauz ? Por coi m'aquiaus ?
Que me demandes ? Que me viaus,
qui si aprés moi te degroces ?   [99 a]
— Amis, de neant te corroces,   5136
fist une dame auques d'aage
qui molt estoit cortoise et sage,
que certes por mal ne te dïent
nule chose, einçois te chastïent,   5140
se tu le savoies entendre.

que lessus n'ailles ostel prendre ;
ne le porcoi dire ne t'osent,
mes il te chastoient et chosent   5144
por ce que esmaier t'en vuelent ;
et par costume feire suelent
autel a toz les sorvenanz,
por ce que il n'aillent leanz.   5148
Et la costume est ça fors tex
que nos n'osons a noz ostex
herbergier, por rien qui aveigne,
nul preudome qui de fors veigne.   5152
Or est sor toi del soreplus :
la voie ne te desfant nus,
se tu viax, leissus monteras ;
mes, par mon los, retorneras.   5156
— Dame, fet il, se je creoie
vostre consoil, je cuideroie
que g'i eüsse enor et preu ;
mes je ne savroie an quel leu   5160
je retrovasse ostel hui mes.
— Par foi, fet cele, et je m'an tes,
qu'a moi rien nule n'en afiert.
Alez quel part que boen vos iert.   5164
Et ne por quant, grant joie avroie
se je de leanz vos veoie
sanz trop grant honte revenir ;
mes ce ne porroit avenir.   5168
— Dame, fet il, Dex le vos mire !
Mes mes fins cuers leanz me tire :
si ferai ce que mes cuers vialt. »
Tantost, vers la porte s'aquialt,   5172
et ses lyeons et la pucele ;
et li portiers a soi l'apele,

si li dit : « Venez tost, venez
qu'an tel leu estes arivez   5176
ou vos seroiz bien retenuz,
et mal i soiez vos venuz. »

Ensi li portiers le semont   [99 b]
et haste de venir a mont,   5180
mes molt li fist leide semonse.
Et mes sire Yvains, sanz response,
par devant lui s'an passe, et trueve
une grant sale haute et nueve ;   5184
s'avoit devant un prael clos
de pex aguz reonz et gros ;
et par entre les pex leanz
vit puceles jusqu'a trois cenz   5188
qui diverses oevres feisoient :
de fil d'or et de soie ovroient
chascune au mialz qu'ele savoit ;
mes tel povreté i avoit   5192
que deslïees et desceintes
en i ot de povreté meintes ;
et as memeles et as cotes
estoient lor cotes derotes,   5196
et les chemises as dos sales ;
les cos gresles et les vis pales
de fain et de meseise avoient.
Il les voit, et eles le voient,   5200
si s'anbrunchent totes et plorent ;
et une grant piece demorent
qu'eles n'antendent a rien feire,
ne lor ialz n'en pueent retreire   5204
de terre, tant sont acorees.
Qant un po les ot regardees
mes sire Yvains, si se trestorne,

droit vers la porte s'an retorne ;   5208
et li portiers contre lui saut,
se li escrie : « Ne vos vaut
que vos n'en iroiz or, biax mestre ;
vos voldriez or la fors estre,   5212
mes, par mon chief, ne vos i monte,
einz avroiz eü tant de honte
que plus n'en porrïez avoir ;
si n'avez mie fet savoir   5216
quant vos estes venuz ceanz
que del rissir est il neanz.
— Ne je ne quier, fet il, biax frere,
mes di moi, par l'ame ton pere,   5220
dameiseles que j'ai veües
an cest chastel, don sont venues,
qui dras de soie et orfrois tissent,   [99 c]
et oevres font qui m'abelissent ?   5224
Mes ce me desabelist mout
qu'eles sont de cors et de vout
meigres, et pales, et dolantes ;
si m'est vis que beles et gentes   5228
fussent molt, se eles eüssent
itex choses qui lor pleüssent.
— Je, fet il, nel vos dirai mie,
querez autrui qui le vos die.   5232
— Si ferai ge, quant mialz ne puis. »
Lors quiert tant que il trueve l'uis
del prael ou les dameiseles
ovroient ; et vint devant eles,   5236
si les salüe ansanble totes ;
et si lor voit cheoir les gotes
des lermes qui lor decoroient
des ialz, si con eles ploroient.   5240

Et il lor dit : « Dex, s'il li plest,
cest duel que ne sai don vos nest,
vos ost del cuer et tort a joie. »
L'une respont : « Dex vos en oie,　　　5244
que vos en avez apelé !
Ne vos sera mie celé
qui nos somes et de quel terre,
espoir ce volez vos anquerre.　　　5248
— Por el, fet il, ne ving je ça.
— Sire, il avint molt grant pieça
que li rois de l'Isle as puceles
aloit por apanre noveles　　　5252
par les corz et par les païs.
S'ala tant come fos naïs
qu'il s'anbati an cest peril.
A mal eür i venist il,　　　5256
que nos cheitives, qui ci somes,
la honte, et le mal, en avomes,
qui onques ne le desservimes.
Et bien sachiez que vos meïsmes　　　5260
i poez molt grant honte atendre,
se reançon n'en vialt an prendre.
Mes tote voie ensi avint
que mes sire an cest chastel vint　　　5264
ou il a deus filz de deable,
ne nel tenez vos mie a fable,
que de fame et de netun furent.　　　[99 a]
Et cil dui conbatre se durent　　　5268
au roi, don dolors fu trop granz,
qu'il n'avoit pas dis et huit anz ;
si le poïssent tot porfandre
ausi com un aignelet tandre ;　　　5272
et li rois qui grant peor ot

s'an delivra si com il pot :
si jura qu'il anvoieroit
chascun an, tant con vis seroit,   5276
ceanz, de ses puceles, trante ;
si fust quites par ceste rante ;
et devisié fu a jurer
et cist treüz devoit durer   5280
tant con li dui maufé durroient ;
et a ce jor que il seroient
conquis et vaincu an bataille
quites seroit de ceste taille   5284
et nos seriens delivrees,
qui a honte somes livrees,
et a dolor, et a meseise ;
ja mes n'avrons rien qui nos pleise.   5288
Mes molt di ore grant enfance
qui paroil de la delivrance
que ja mes de ceanz n'istrons ;
toz jorz dras de soie tistrons,   5292
ne ja n'en serons mialz vestues ;
toz jorz serons povres et nues,
et toz jorz fain et soif avrons ;
ja tant chevir ne nos savrons   5296
que mialz en aiens a mangier.
Del pain avons a grant dongier
au main petit, et au soir mains,
que ja de l'uevre de noz mains   5300
n'avra chascune por son vivre
que quatre deniers de la livre ;
et de ce ne poons nos pas
assez avoir viande et dras   5304
car qui gaaigne la semainne
vint solz n'est mie fors de painne.

Mes bien sachiez vos a estros
que il n'i a celi de nos   5308
qui ne gaaint cinc solz ou plus.
De ce seroit riches uns dus !
Et nos somes ci an poverte,   [99 *b*]
s'est riches de nostre desserte   5312
cil por cui nos nos traveillons.
Des nuiz grant partie veillons
et toz les jorz por gaaignier,
qu'il nos menace a mahaignier   5316
des manbres, quant nos reposons ;
et por ce reposer n'osons.
Mes que vos iroie contant ?
De honte et de mal avons tant   5320
que le quint ne vos an sai dire.
Et ce nos fet anragier d'ire
que maintes foiz morir veomes
chevaliers juenes et prodomes   5324
qui as deus maufez se conbatent ;
l'ostel molt chieremant achatent,
ausi con vos feroiz demain
que trestot seul, de vostre main,   5328
vos covandra, voilliez ou non,
conbatre, et perdre vostre non
encontre les deus vis deables.
— Dex, li voirs rois esperitables,   5332
fet mes sire Yvains, m'an desfande,
et vos enor et joie rande,
se il a volenté li vient !
Des or mes aler m'an covient   5336
et veoir genz qui leanz sont,
savoir quel chiere il me feront.
— Or alez, sire, cil vos gart

qui toz les biens done a sa part ! »   5340
  Lors vet tant qu'il vint en la sale ;
n'i trueve gent boene ne male
qui de rien les mete a reison.
Tant trespassent de la meison   5344
que il vindrent en un vergier ;
einz de lor chevax herbergier
ne tindrent plet ne n'an parlerent.
Cui chaut ! Que bien les establerent   5348
cil qui l'un an cuident avoir,
ne sai s'il cuiderent savoir
qu'ancore a il cheval tot sain ;
li cheval ont avoinne et fain   5352
et la litiere enjusqu'au vantre.
Et mes sire Yvains lors s'en antre
el vergier, aprés li sa rote ;   [99 c]
voit apoié desor son cote   5356
un riche home qui se gisoit
sor un drap de soie ; et lisoit
une pucele devant lui
en un romans, ne sai de cui ;   5360
et por le romans escoter
s'i estoit venue acoter
une dame ; et s'estoit sa mere,
et li sires estoit ses pere ;   5364
si se porent molt esjoïr
de li bien veoir et oïr,
car il n'avoient plus d'enfanz ;
ne n'ot mie plus de seize anz,   5368
et s'estoit molt bele et molt gente,
qu'an li servir meïst s'antente
li deus d'Amors, s'il la veïst,
ne ja amer ne la feïst   5372

autrui se lui meïsmes non.
Por li servir devenist hon,
s'issist de sa deité fors
et ferist lui meïsme el cors   5376
del dart don la plaie ne sainne
se desleax mires n'i painne.
N'est droiz que nus pener i puisse
jusque deslëauté i truisse,   5380
et qui an garist autremant
il n'ainme mie lëaumant ;
de ces plaies molt vos deïsse
tant qu'a une fin an venisse   5384
se l'estoire bien vos pleüst ;
mes tost deïst, tel i eüst,
que je vos parlasse de songe,
que la genz n'est mes amoronge   5388
ne n'ainment mes, si con il suelent,
que nes oïr parler n'an vuelent.
Mes or oez an quel meniere,
a quel sanblant, et a quel chiere,   5392
mes sire Yvains est herbergiez.
Contre lui saillirent an piez
tuit cil qui el vergier estoient,
et maintenant que il le voient   5396
si li dïent : « Or ça, biax sire,
de quan que Dex puet feire et dire
soiez vos beneoiz clamez,   [100 a]
et vos et quan que vos avez ! »   5400
Se ne sai ge s'il le deçoivent,
mes a grant joie le reçoivent
et font sanblant que molt lor pleise
qu'il soit herbergiez a grant eise.   5404
Meïsmes la fille au seignor

le sert et porte grant enor
com an doit feire a son boen oste :
trestotes ses armes li oste   5408
et ce ne fu mie del mains
qu'ele li leve de ses mains
le col, et le vis, et la face ;
tote enor vialt que l'en li face   5412
li peres, si con ele fet ;
chemise risdee li tret
fors de son cofre, et braies blanches ;
et fil et aguille a ses manches   5416
si li vest, et ses braz li cost.
Or doint Dex que trop ne li cost
ceste losenge et cist servise !
A vestir desor sa chemise   5420
li a baillié un nuef sorcot
et un mantel sanz harigot,
veir d'escarlate, au col li met ;
de lui servir tant s'antremet   5424
qu'il en a honte, et si l'an poise,
mes la pucele est tant cortoise,
et si franche, et si deboneire,
qu'ancor n'an cuide ele preu feire.   5428
Et bien set qu'a sa mere plest
que rien a feire ne li lest
dont ele le cuit losangier.
La nuit fu serviz au mangier   5432
de tanz mes que trop en i ot ;
li aporters enuier pot
as sergenz qui des mes servirent ;
la nuit totes enors li firent   5436
et molt a eise le colchierent ;
n'onques puis vers lui n'aprochierent

que il fu an son lit colchiez.
Et li lyeons jut a ses piez,   5440
si com il ot acostumé.
Au main, quant Dex rot alumé,
par le monde, son luminaire,   [100 b]
si matin com il le pot faire   5444
qui tot fet par comandemant,
se leva molt isnelemant
mes sire Yvains et sa pucele ;
s'oïrent a une chapele   5448
messe qui molt tost lor fu dite
en l'enor del Saint Esperite.

    Mes sire Yvains aprés la messe
oï novele felenesse   5452
quant il cuida qu'il s'an deüst
aler, que rien ne li neüst ;
mes ne pot mie estre a son chois.
Qant il dit : « Sire, je m'an vois,   5456
s'il vos plest, a vostre congié.
— Amis, ancor nel vos doing gié,
fet li sires de la meison.
Je nel puis feire par reison :   5460
en cest chastel a establie
une molt fiere deablie
qu'il me covient a maintenir.
Je vos ferai ja ci venir   5464
deus miens sergenz molt granz et forz ;
encontre aus deus, soit droiz ou torz,
vos convenra voz armes prendre.
S'ancontre aus vos poez desfandre   5468
et aus endeus vaincre et ocirre,
ma fille a seinors vos desirre,
et de cest chastel vos atant

l'enors, et quan qu'il i apant.   5472
— Sire, fet il, je n'en quier point.
Ja Dex ensi part ne m'i doint,
et vostre fille vos remaingne,
ou l'empereres d'Alemaingne   5476
seroit bien saus, s'il l'avoit prise,
que molt est bele et bien aprise.
— Teisiez, biax ostes, dit li sire,
de neant vos oi escondire,   5480
que vos n'an poez eschaper.
Mon chastel et ma fille a per
doit avoir, et tote ma terre,
cil qui porra en champ conquerre   5484
çaus qui vos vanront asaillir.
La bataille ne puet faillir
ne remenoir en nule guise.   [100 c]
Mes je sai bien que coardise   5488
vos fet ma fille refuser :
par ce vos cuidiez eschaper
oltreemant de la bataille ;
mes ce sachiez vos bien, sanz faille,   5492
que conbatre vos i estuet.
Por rien eschaper ne s'an puet
nus chevaliers qui ceanz gise ;
ce est costume et rante asise   5496
qui trop avra longue duree,
que ma fille n'iert mariee
tant que morz ou conquis les voie.
— Donc, m'i covient il tote voie   5500
conbatre, maleoit gré mien ;
mes je m'an sofrisse molt bien
et volantiers, ce vos otroi ;
la bataille, ce poise moi,   5504

ferai, que ne puet remenoir. »
A tant vienent, hideus et noir
amedui li fil dou netun.
N'i a nul d'aus deus qui n'ait un   5508
baston cornu de cornelier,
qu'il orent fez aparellier
de cuivre, et puis lïer d'archal.
Des les espaules contre val   5512
turent armé jusqu'aus genolz,
mes les chiés orent et les volz
desarmez, et les james nües,
qui n'estoient mie menues.   5516
Et ensi armé com il vindrent,
escuz reonz sor lor chiés tindrent,
forz et legiers por escremir.
Li lyeons comance a fremir   5520
tot maintenant que il les voit,
qu'il set molt bien et aparçoit
que a ces armes que il tienent
conbatre a son seignor se vienent ;   5524
si se herice et creste ansanble,
de hardemant et d'ire tranble
et bat la terre de sa coe,
que talant a que il rescoe   5528
son seignor, einz que il l'ocïent.
Et quant cil le voient, si dïent :
« Vasax, ostez de ceste place   [100 a].
vostre lyeon qui nos menace,   5532
ou vos vos randez recreanz ;
q'autremant, ce vos acreanz,
le vos covient an tel leu metre
que il ne se puisse antremetre   5536
de vos eidier et de nos nuire ;

seul vos covient o nos deduire,
que li lyeons vos eideroit
molt volentiers, se il pooit.   5540
— Vos meïsmes, qui le dotez,
fet mes sire Yvains, l'en ostez,
que molt me plest et molt me siet
s'il onques puet, que il vos griet,   5544
et molt m'est bel se il m'aïe.
— Par foi, font il, ce n'i est mie
que ja aïde n'i avroiz.
Feites del mialz que vos porroiz   5548
toz seus sanz aïde d'autrui.
Vos devez seus estre et nos dui ;
se li lÿons ert avoec vos,
por ce qu'il se merlast a nos,   5552
donc ne serïez vos pas seus,
dui serïez contre nos deus.
Se vos covient, ce vos afi,
vostre lyeon oster de ci,   5556
mes que bien vos poist or an droit.
— Ou volez vos, fet il, qu'il soit ?
Ou vos plest il que je le mete ? »
Lors li mostrent une chanbrete,   5560
si dïent : « Leanz l'encloez.
— Fet iert, des que vos le volez. »
    Lors l'i moinne et si li anserre.
Et an li vet maintenant querre   5564
ses armes por armer son cors ;
et son cheval li ont tret fors,
se li baillent, et il i monte.
Por lui leidir et feire honte   5568
li passent li dui chanpïon,
qu'aseüré sont del lÿon

qui est dedanz la chanbre anclos.
Des maces li donent tex cos   5572
que petit d'aïde li fait
escuz ne hiaumes que il ait,
car quant an son hiaume l'ateignent   [100 *b*]
tot li anbarrent et anfreignent,   5576
et li escuz peçoie et font
come glace ; tex tros i font,
que son poing i puet an boter.
Molt font lor cop a redoter.   5580
Et il, que fet des deus maufez ?
De honte et de crieme eschaufez,
se desfant de tote sa force ;
molt s'esvertue et molt s'efforce   5584
de doner granz cos et pesanz.
N'ont pas failli a ses presanz
qu'il lor rant la bonté a doble.
Or a son cuer dolant et troble   5588
li lyeons qui est an la chanbre,
que de la grant bonté li manbre
que cil li fist par sa franchise,
qui ja avroit de son servise   5592
et de s'aïde grant mestier ;
ja li randroit au grant setier
et au grant mui ceste bonté ;
ja n'i avroit rien mesconté   5596
s'il pooit issir de leanz.
Molt vet reverchant de toz sanz
ne ne voit par ou il s'an aille.
Bien ot les cos de la bataille,   5600
qui perilleuse est et vilainne,
et por ce si grant duel demainne
qu'il anrage vis et forsene.

Tant vet cerchant que il asene   5604
au suil, qui porrisoit pres terre,
et tant qu'il l'arache et s'i serre
et fiche jusque pres des rains.
Et ja estoit mes sire Yvains   5608
molt traveilliez et molt süanz,
et molt trovoit les deus jaianz
forz et felons et adurez.
Molt i avoit cos andurez   5612
et randuz, tant com il plus pot,
ne de rien bleciez ne les ot
que trop savoient d'escremie ;
et lor escu n'estoient mie   5616
tel que rien en ostast espee,
tant fust tranchanz ne aceree.
Por ce si se pooit molt fort   [100 c]
mes sire Yvains doter de mort ;   5620
mes adés tant se contretint
que li lÿons oltre s'an vint,
tant ot desoz le suel graté.
S'or ne sont li gloton maté   5624
donc ne le seront il ja mes ;
car au lyeon ne panront pes
ne n'avront, tant con vis les sache.
L'un en aert et si le sache   5628
par terre, ausi com un moston.
Or sont esfreé li gloton,
n'il n'a home an tote la place
qui an son cuer joie n'en face ;   5632
et cil ne relevera ja
que li lyeons aterré a,
se li autres ne le secort ;
por lui eidier, cele part cort   5636

et por lui meïsmes secorre
qu'a lui ne lest li lyeons corre
quant il avra celui ocis
que il avoit par terre mis.   5640
Et si avoit graignor peor
del lyeon que de son seignor.
Des or est mes sire Yvains fos,
des qu'il li a torné le dos   5644
et voit le col nu et delivre,
se longuemant le leisse vivre,
que molt l'an est bien avenu.
La teste nue et le col nu   5648
li a li gloz abandoné,
et il li a tel cop doné
que la teste del bu li ret,
si soavet que mot n'an set.   5652
Et maintenant a terre vient
por l'autre que li lyeons tient,
que rescorre et tolir li vialt.
Mes por neant que tant se dialt   5656
ja mes mire a tans n'i avra,
qu'an son venir si le navra
li lyeons, qui molt vint iriez,
que leidemant fu anpiriez.   5660
Et tote voie arriers le bote,
si voit que il li avoit tote
l'espaule fors de son leu trete.
Por lui de rien ne se deshete,   [101 a]
que ses bastons li est cheüz.
Et cil gist pres come feüz,
qu'il ne se crosle ne ne muet;
mes tant i a que parler puet   5668
et dist, si com il li pot dire :

« Ostez vostre lyeon, biax sire,
se vos plest, que plus ne m'adoist,
que des or mes faire vos loist   5672
de moi tot ce que boen vos iert.
Et qui merci prie et requiert,
n'i doit faillir cil qui la rueve,
se home sanz pitié ne trueve.   5676
Et je ne me desfandrai plus,
ne ja ne releverai sus
de ci, por force que je aie,
si me met an vostre menaie.   5680
— Di donc, fet cil, se tu otroies
que vaincuz et recreanz soies.
— Sire, fet il, il i pert bien ;
veincuz sui, maleoit gré mien,   5684
et recreanz, ce vos otroi.
— Donc n'as tu mes garde de moi
et mes lyeons te raseüre. »
Tantost vienent grant aleüre   5688
totes les genz anviron lui ;
et li sire et la dame andui
li font grant joie, et si l'acolent,
et de lor fille li parolent,   5692
si li dïent : « Or seroiz nos
dameisiax, et sires de nos,
et nostre fille iert vostre dame
car nos la vos donrons a fame.   5696
— Et je, fet il, la vos redoing.
Qui vialt, si l'ait ! Je n'en ai soing ;
si n'en di ge rien por desdeing :
ne vos poist, se je ne la preing,   5700
que je ne puis, ne je ne doi.
Mes, s'il vos plest, delivrez moi

les cheitives que vos avez ;
li termes est, bien le savez,   5704
qu'eles s'an doivent aler quites.
— Voirs est, fet il, ce que vos dites,
et je les vos rant et aquit ;
qu'il n'i a mes nul contredit ;   [101 b]
mes prenez, si feroiz savoir,
ma fille, a trestot mon avoir,
qui est molt bele, et riche, et sage ;
ja mes si riche mariage   5712
n'avroiz, se vos cestui n'avez.
— Sire, fet il, vos ne savez
mon essoine ne mon afeire,
ne je ne le vos os retreire.   5716
Mes je sai bien que je refus
ce que ne refuseroit nus
qui deüst son cuer, et s'antente,
metre an pucele bele et gente,   5720
se je poïsse ne deüsse,
que volantiers la receüsse.
Je ne puis, ce sachiez de voir,
cesti ne autre recevoir.   5724
Si m'an lessiez an pes a tant
que la dameisele m'atant,
qui avoec moi est ça venue ;
conpaignie m'i a tenue,   5728
et je la revoel li tenir
que que il m'an doie avenir.
— Volez, biax sire ? Et vos comant !
Ja mes, se je ne le comant   5732
et mes consauz ne le m'aporte,
ne vos iert overte ma porte ;
einz remanroiz en ma prison ;

orguel feites et mesprison   5736
qant je vos pri que vos praigniez
ma fille, et vos la desdaigniez.
— Desdaing, sire ; nel faz, par m'ame,
mes je ne puis esposer fame   5740
ne remenoir por nule painne.
La dameisele qui m'an maine
siudrai, qu'autremant ne puet estre.
Mes, s'il vos plest, de ma main destre   5744
vos plevirai, si m'an creez,
q'ainsi con vos or me veez
revanrai ça, se j'onques puis,
et panrai vostre fille puis.   5748
— Dahait, fet il, qui el vos quiert,
ne qui foi ne ploige an requiert !
Se ma fille vos atalante,
recevez la por bele et gente,   [101 c]
vos revanroiz hastivemant ;
ja por foi ne por seiremant,
ce cuit, ne revanroiz plus tost.
Or alez, que je vos en ost   5756
trestoz ploiges et toz creanz.
Se vos retaingne pluie et vanz
ou fins neanz, ne me chaut il !
Ja ma fille n'avrai si vil   5760
que je par force la vos doingne.
Or alez an vostre besoingne,
que tot autant, se vos venez,
m'an est, con se vos remenez. »   5764
    Tantost mes sire Yvains s'an torne
qui el chastel plus ne sejorne,
et s'en a avoec soi menees
les cheitives desprisonees ;   5768

et li sires li a bailliees
povres, et mal apareilliees,
mes or sont riches, ce lor sanble :
fors del chastel totes ensanble,   3772
devant lui, deus et deus s'an issent ;
ne ne cuit pas qu'eles feïssent
tel joie com eles li font
a celui qui fist tot le mont,   3776
s'il fust venuz de ciel an terre.
Merci et pes li vindrent querre
totes les genz qui dit li orent
tant de honte com il plus porent :   3780
si le vont einsi convoiant,
mes il dit qu'il n'an set neant :
« Je ne sai, fet il, que vos dites,
et si vos an claim je toz quites,   3784
c'onques choses que j'en mal teingne
ne deïstes, don moi soveingne. »
Cil sont molt lié de ce qu'il oent,
et sa corteisie molt loent.   3788
Or le comandent a Deu tuit,
que grant piece l'orent conduit ;
et les dameiseles li ront
congié demandé, si s'an vont ;   3792
au partir totes li anclinent,
et si li orent et destinent
que Dex li doint joie et santé   [101 a]
et venir a sa volanté   3796
en quelque leu qu'il onques aut.
Et cil respont que Dex les saut,
cui la demore molt énuie :
« Alez, fet il, Dex vos conduie   3800
en voz païs sainnes et liees. »

Maintenant se sont avoiees ;
si s'an vont grant joie menant.
Et mes sire Yvains maintenant   5804
de l'autre part se rachemine.
D'errer a grant esploit ne fine
trestoz les jorz de la semainne,
si con la pucele l'en mainne   5808
qui la voie molt bien savoit,
et le recet ou ele avoit
lessiee la desheritee,
desheitiee, et desconfortee.   5812
Mes quant ele oï la novele
de la venue a la pucele
et del Chevalier au lyeon ;
ne fu joie se céle non   5816
que ele en ot dedanz son cuer ;
car or cuide ele que sa suer
de son heritage li lest
une partie, se li plest.   5820
Malade ot geü longuemant
la pucele, et novelemant
estoit de son mal relevee,
qui duremant l'avoit grevee,   5824
si que bien paroit a sa chiere.
A l'encontre, tote premiere,
li est alee sanz demore ;
si le salüe, et si l'enore   5828
de quan qu'ele onques set ne puet.
De la joie parler n'estuet
qui la nuit fu a l'ostel feite :
ja parole n'en iert retreite   5832
que trop i avroit a conter ;
tot vos trespas jusqu'au monter

l'andemain, que il s'an partirent.
Puis errerent tant que il virent   5836
un chastel ou li rois Artus
ot demoré quinzainne ou plus.
Et la dameisele i estoit   [101 *b*]
qui sa seror desheritoit,   5840
qu'ele avoit pres la cort tenue,
puis si atendoit la venue
sa seror, qui vient et aproche.
Mes molt petit au cuer li toche   5844
qu'ele cuide que l'en ne truisse
nul chevalier qui sofrir puisse
mon seignor Gauvain an estor.
N'il n'i avoit que un seul jor   5848
de la quinzainne a parvenir ;
la querele tot sanz mantir
eüst desresnié quitemant
par reison et par jugemant   5852
se cil seus jorz fust trespassez.
Mes plus i a afeire assez
qu'ele ne cuide ne ne croit.
En un ostel bas et estroit   5856
fors del chastel cele nuit jurent,
ou nules genz ne les conurent ;
car se il el chastel geüssent
totes les genz les coneüssent,   5860
et de ce n'avoient il soing.
Fors de l'ostel, a grant besoing,
a l'aube aparissant s'an issent ;
si se reponent et tapissent   5864
tant que li jorz fu biax et granz.
Jorz avoit passez ne sai quanz
que mes sire Gauvains s'estoit

hèrbergiez, si qu'an ne savoit   5868
de lui a cort nule novele,
fors que seulemant la pucele
por cui il se voloit conbatre.
Pres a trois liues ou a quatre   5872
s'estoit de la cort trestornez ;
et vint a cort si atornez
que reconuistre ne le porent
cil qui toz jorz coneü l'orent   5876
as armes que il aporta.
La dameisele qui tort a,
vers sa seror, trop desapert,
veant toz, l'a a cort offert   5880
que par lui desresnier voldroit
la querele ou ele n'a droit ;
et dit au roi : « Sire, ore passe,   [101 c]
jusqu'a po sera none basse,   5884
et li derriens jorz iert hui.
Or voit an bien comant je sui,
or me covient droit maintenir ;
se ma suer deüst revenir   5888
n'i eüst mes que demorer.
Deu an puisse je aorer,
quant el ne vient ne ne repeire.
Bien i pert que mialz ne puet feire,   5892
si sui por neant traveilliee ;
et j'ai esté apareilliee
toz les jorz jusqu'au desrïen
a desresnier ce qui est mien.   5896
Tot ai desresnié sanz bataille,
s'est or bien droiz que je m'en aille
tenir mon heritage an pes ;
que je n'an respondroie mes   5900

a ma seror tant con je vive :
si vivra dolante et cheitive. »
Et li rois qui molt bien savoit
que la pucele tort avoit   5904
vers sa seror, trop desleal,
li dit : « Amie, a cort real
doit en atendre, par ma foi,
tant con la justise le roi   5908
siet et atant por droiturier.
N'i a rien del corjon ploier,
qu'ancor vendra trestot a tans
vostre suer ci, si con je pans. »   5912
Einz que li rois eüst ce dit,
le Chevalier au lyeon vit
et la pucele delez lui ;
seul a seul venoient andui,   5916
que del lyeon anblé se furent :
si fu remés la ou il jurent.
    Li rois la pucele a veüe,
si ne l'a pas mesconeüe,   5920
et molt li plot et abeli
quant il la vit, que devers li
de la querele se pandoit,
por ce que au droit entandoit.   5924
De la joie que il en ot
li dist, au plus tost que il pot :
« Or, avant, bele, Dex vos saut. »   [102 a]
Quant cele l'ot, tote an tressaut,   5928
et si se torne, si la voit
et le chevalier qu'ele avoit
amené a son droit conquerre ;
si devint plus noire que terre.   5932
Molt fu bien de toz apelee

la pucele ; et ele est alee
devant le roi, la ou le vit ;
quant fu devant lui, si li dit :   5936
« Dex salt le roi et sa mesniee !
Rois, s'or puet estre desresniee
ma droiture ne ma querele
par un chevalier, donc l'iert ele   5940
par cestui qui, soe merci,
m'en a seüe anjusque ci,
s'eüst il molt aillors a feire
li frans chevaliers deboneire ;   5944
mes de moi li prist tex pitiez
qu'il a arrieres dos gitiez
toz ses afeires por le mien.
Or feroit corteisie et bien   5948
ma dame, ma tres chiere suer,
que j'aim autant come mon cuer,
se ele mon droit me lessoit ;
molt feroit bien, s'el le feisoit,   5952
que je ne demant rien del suen.
— Ne je, voir, fet ele, del tuen :
tu n'i as rien, ne ja n'avras ;
ja tant preeschier ne savras   5956
que rien en aies por preschier ;
tote an porras de duel sechier. »
Et l'autre respont maintenant,
qui savoit assez d'avenant   5960
et molt estoit sage et cortoise :
« Certes, fet ele, ce me poise
que por nos deus se conbatront
dui si preudome con cist sont ;   5964
s'est la querele molt petite,
mes je ne la puis clamer quite,

que molt grant mestier en avroie.
Por ce meillor gré vos savroie   5968
se vos me lessïez mon droit.
— Certes, qui or te respondroit,
fet l'autre, molt seroit musarde.
Max fex et male flame m'aïde   [102 b]
se je t'an doing don tu mialz vives !
Einçois asanbleront les rives
de la Dunoe et de Seone,
se la bataille nel te done.   5976
— Dex et li droiz que je i ai,
en cui je m'an fi, et fïai,
en soit en aïde celui,
e se lou deffende d'enui,   5980
qui par amors et par frainchise
se poroffri de mon servise,
si ne set il qui ge me sui,
n'il ne me conoist, ne ge lui ! »   5984
     Tant ont parlé qu'a tant remainnent
les paroles, et si amainnent
les chevaliers en mi la cort ;
et toz li pueples i acort,   5988
si con a tel afeire suelent
corre les genz, qui veoir vuelent
cos de bataille, et escremie.
Mes ne s'antreconurent mie   5992
cil qui conbatre se voloient,
qui molt entr'amer se soloient.
Et or donc ne s'antr'ainment il ?
Oïl, vos respong, et nenil ;   5996
et l'un et l'autre proverai
si que reison i troverai.
Por voir, mes sire Gauvains ainme

Yvain, et conpaingnon le clainme ;   6000
et Yvains lui, ou que il soit ;
neïs ci, s'il le conuissoit,
feroit il ja de lui grant feste ;
et si metroit por lui sa teste   6004
et cil la soe ausi por lui,
einz qu'an li feïst grant enui.
N'est ce Amors antiere et fine ?
Oïl, certes ; et la Haïne   6008
don ne rest ele tote aperte ?
Oïl, que ce est chose certe
que li uns a l'autre sanz dote
voldroit avoir la teste rote,   6012
ou tant de honte li voldroit
avoir feite que pis valdroit.
Par foi, c'est mervoille provee
que l'en a ensanble trovee   [102 c]
Amor et Haïne mortel.
Dex ! meïsmes en un ostel
comant puet estre li repaires
a choses qui tant sont contraires ?   6020
En un ostel, si con moi sanble,
ne pueent eles estre ansanble,
que ne porroit pas remenoir
l'une avoeques l'autre un seul soir   6024
que noise et tançon n'i eüst,
puis que l'une l'autre i seüst.
Mes en un chas a plusors manbres,
que l'en i fet loges et chanbres ;   6028
Ensi puet bien estre la chose :
espoir qu'Amors s'estoit anclose
en aucune chanbre celee ;
et Haïne s'an ert alee   6032

as loges par devers la voie
por ce qu'el vialt que l'en la voie.
Or est Haïne molt an coche,
qu'ele esperone, et point, et broche   6036
sor Amors quan que ele puet,
et Amors onques ne se muet.
Ha! Amors, ou es tu reposte?
Car t'an is, si verras quel oste   6040
sont sor toi amené et mis;
li anemi a ce l'a mis;
li anemi sont cil meïsme
qui s'antr'ement d'amor saintime;   6044
qu'amors qui n'est fause ne fainte
est precieuse chose, et sainte.
Si est Amors asez trop glote,
et Haïne n'i revoit gote;   6048
qu'Amors deffandre lor deüst,
se ele les reconeüst,
que li uns l'autre n'adesast
ne feïst rien qui li grevast.   6052
Por ce est Amors avuglee
et desconfite et desjuglee
que cez qui tuit sont suen par droit
ne reconuist, et si les voit.   6056
Et Haïne dire ne set
por coi li uns d'ax l'autre het,
ses vialt feire mesler a tort,   [102 *a*]
si het li uns l'autre de mort.   6060
N'ainme pas, ce poez savoir,
l'ome qui le voldroit avoir
honi, et qui sa mort desirre.
Comant? Vialt donc Yvains ocirre   6064
mon seignor Gauvain son ami?

Oïl, et il lui autresi.
Si voldroit mes sire Gauvains
Yvain ocirre de ses mains   6068
ou feire pis que je ne di ?
Nenil, ce vos jur et afi.
Li uns ne voldroit avoir fet
a l'autre ne honte ne let,   6072
por quan que Dex a fet por home
ne por tot l'empire de Rome.
Or ai manti molt leidemant,
que l'en voit bien apertemant   6076
que li uns vialt envaïr l'autre,
lance levee sor le fautre ;
et li uns l'autre vialt blecier
et feire honte, et correcier,   6080
que ja de rien ne s'an feindra.
Or dites de cui se plaindra
cil qui des cos avra le pis
quant li uns l'autre avra conquis. 6084
Car s'il font tant qu'il s'antrevaignent
grant peor ai qu'il ne maintaignent
tant la bataille et la meslee
qu'il soit de l'une part oltree.   6088
Porra Yvains par reison dire,
se la soe partie est pire,
que cil li ait fet let ne honté
qui antre ses amis le conte,   6092
n'ainz ne l'apela par son non,
se ami et conpaignon non.
Ou s'il avient par aventure
qu'il li ait fet nule leidure,   6096
ou de que que soit le sormaint,
avra il droit, se il se plaint ?

Nenil, qu'il ne savra de cui.
Antr'esloignié se sont andui　　6100
por ce qu'il ne s'antreconoissent.
A l'asanbler lor lances froissent,
qui grosses erent et de fresne.　　[102 *b*]
Li uns l'autre de rien n'aresne,　　6104
car s'il entr'areisnié se fussent
autre asanblee feite eüssent.
Ja n'eüssent a l'asanblee
feru de lance ne d'espee :　　6108
entrebeisier et acoler
s'alassent einz que afoler,
qu'il s'antr'afolent et mehaingnent ;
les espees rien n'i gaaingnent　　6112
ne li hiaume, ne li escu
qui anbarré sont et fandu ;
et des espees li tranchant
esgrunent et vont rebouchant,　　6116
car il se donent si granz flaz
des tranchanz, non mie des plaz,
et des pons redonent tex cos
sor les nasex et sor les dos,　　6120
et sor les fronz et sor les joes
que totes sont perses et bloes
la ou li sans quace desoz ;
et les haubers ont si deroz　　6124
et les escuz si depeciez,
n'i a celui ne soit bleciez ;
et tant se painnent et travaillent,
a po qu'alainnes ne lor faillent ;　　6128
si se conbatent une chaude
que jagonce ne esmeraude
n'ot sor lor hiaumes atachiee

ne soit molue et arachiee ;   6132
car des pons si granz cos se donent
sor les hiaumes que tuit s'estonent
et par po qu'il ne s'escervelent.
Li oel des chiés lor estancelent   6136
qu'il ont les poinz quarrez et gros,
et forz les ners, et durs les os,
si se donent males groigniees
a ce qu'il tienent anpoigniees   6140
les espees qui grant aïe
lor font quant il fierent a hie.

Quant grant piece se sont lassé
tant que li hiaume sont quassé   6144
et li escu fandu et fret,
un po se sont arrieres tret
si lessent reposer lor vainnes   [102 c]
et si repranent lor alainnes.   6148
Mes n'i font mie grant demore
einz cort li uns a l'autre sore.
plus fieremant qu'ainz mes ne firent
et tuit dïent que mes ne virent   6152
deus chevaliers plus corageus :
« Ne se conbatent mie a geus,
einz le font asez trop a certes.
Les merites, et les desertes,   6156
ne lor an seront ja rendues. »
Ces paroles ont entandues
li dui ami qui s'antr'afolent,
et s'antendent que il parolent   6160
des deus serors antr'acorder,
mes la pes n'i pueent trover
devers l'ainz nee an nule guise.
Et la mains nee s'estoit mise   6164

sor ce que li rois an diroit
que ja rien n'en contrediroit.
Mes l'ainz nee estoit si anrievre
que nes la reïne Ganievre   6168
et cil qui savoient lor lois
et li chevalier et li rois
devers la mains nee se tienent;
et tuit le roi proier an vienent   6172
que maugré l'ainz nee seror
doint de la terre a la menor
la tierce partie ou la quarte,
et les deus chevaliers departe,   6176
que molt sont de grant vaselage
et trop i avroit grant domage
se li uns d'ax l'autre afoloit
ne point de s'enor li toloit.   6180
Et li rois dit que de la pes
ne s'antremetra il ja mes,
que l'ainz nee suer n'en a cure
tant par est male criature.   6184
Totes ces paroles oïrent
li dui, qui des cors s'antr'anpirent
si qu'a toz vient a grant mervoille;
et la bataille est si paroille   6188
que l'en ne set par nul avis
qui'n a le mialz ne qui le pis.
Mes li dui qui si se conbatent   [103 a]
que par martire enor achatent,   6192
se mervoillent et esbaïssent
que si par igal s'anvaïssent,
qu'a grant mervoille a chascun vient,
qui cil est qui se contretient   6196
ancontre lui si fieremant.

Tant se conbatent longuemant
que li jorz vers la nuit se tret ;
ne il n'i a celui qui n'et   6200
le braz las et le cors doillant.
Et li sanc tuit chaut et boillant
par mainz leus fors des cors lor bolent,
qui par desoz les haubers colent ;   6204
n'il n'est mervoille s'il se vuelent
reposer, car formant se duelent.
    Lors se reposent anbedui,
et puis panse chascuns por lui   6208
c'or a il son paroil trové
comant qu'il li ait demoré.
Longuemant andui se reposent,
que rasanbler as armes n'osent ;   6212
n'ont plus de la bataille cure,
que por la nuit qui vient oscure
que por ce que molt s'antredotent.
Ces deus choses andeus les botent,   6216
et semonent qu'an pes s'estoisent ;
mes einçois que del chanp s'an voisent,
se seront bien antr'acointié,
s'avra entr'ax joie et pitié.   6220
Mes sire Yvains parla einçois,
qui molt estoit preuz et cortois ;
mes au parler nel reconut
ses boens amis, et ce li nut   6224
qu'il avoit la parole basse
et la voiz roe, et foible, et quasse,
que toz li sans li fu meüz
des cos qu'il avoit receüz.   6228
« Sire, fet il, la nuiz aproche ;
ja, ce cuit, blasme ne reproche

n'en avroiz, se l'en nos depart.
Mes tant di de la moie part   6232
que molt vos dot et molt vos pris,
n'onques en ma vie n'enpris
bataille don tant me dousisse   [103 b]
ne chevalier que je vousisse   6236
tant veoir ne tant acointier.
A mervoilles vos puis prisier
que vaincuz me cuidai veoir.
Bien savez vos cos aseoir   6240
et bien les savez anploier.
Einz tant ne sot de cos paier
chevaliers que je coneüsse ;
ja, mon vuel, tant n'an receüsse   6244
con vos m'an avez hui presté.
Tot m'ont vostre cop antesté.
— Par foi, fet mes sire Gauvains,
n'iestes si estonez ne vains   6248
que je autant ou plus ne soie,
et se je vos reconoissoie,
espoir ne me greveroit rien ;
se je vos ai presté del mien,   6252
bien m'en avez randu le conte,
et del chetel et de la monte,
que larges estīez del rendre
plus que je n'estoie del prendre.   6256
Mes comant que la chose praingne
quant vos plest que je vos apraingne
par quel non je sui apelez,
ja mes nons ne vos iert celez :   6260
Gauvains ai non, filz au roi Lot. »
Quant Yvains ceste novele ot,
si s'esbaïst, et espert toz,

par mautalant et par corroz :   6264
flati a la terre s'espee
qui tote estoit ansanglantee
et son escu tot depecié,
si descent del cheval a pié   6268
et di : « Ha ! las ! Quel mescheance !
Par trop leidè mesconoissance
ceste bataille feite avomes
qu'antreconeü ne nos somes ;   6272
que ja, se je vos coneüsse,
a vos conbatuz ne me fusse,
einz me clamasse a recreant
devant le cop, ce vos creant.   6276
— Comant, fet mes sire Gauvains,
qui estes vos ? — Je sui Yvains,
que plus vos aim c' ome del monde   [103 c]
tant com il dure a le reonde ;   6280
que vos m'avez amé toz jorz
et enoré an totes corz.
Mes je vos voel, de cest afeire,
tel amande et tel enor feire   6284
c'outreemant vaincuz m'otroi.
— Ice ferïez vos por moi,
fet mes sire Gauvains li douz.
Certes, molt seroie or estouz   6288
se ge ceste amande an prenoie.
Ja ceste enors ne sera moie,
einz iert vostre, je la vos les.
— Ha ! biax sire, nel dites mes,   6292
que ce ne porroit avenir ;
je ne me puis mes sostenir,
si sui atainz et sormenez.
— Certes, de neant vos penez,   6296

fet ses amis et ses conpainz.
Mes je sui vaincuz et atainz,
ne je n'en di rien por losange,
qu'il n'a el monde si estrange   6300
que je autretant n'an deïsse,
einçois que plus des cos sofrisse. »
    Einsi parlant sont descendu ;
s'a li uns a l'autre tandu   6304
les braz au col, si s'antrebeisent,
ne por ce mie ne se teisent,
que chascuns oltrez ne se claint.
La tançons onques ne remaint   6308
tant que li rois et li barons
vienent corrant tot an viron,
ses voient antreconjoïr,
et molt desirrent a oïr   6312
que ce puet estre, et qui cil sont
qui si grant joie s'antrefont.
« Seignor, fet li rois, dites nos
qui a si tost mis antre vos   6316
ceste amistié et ceste acorde,
que tel haïne et tel descorde
i ai hui tote jor veüe ?
— Sire, ja ne vos iert teüe,   6320
fet mes sire Gauvains, ses niés,
la mescheance et li meschiés
don ceste bataille a esté.   [103 a]
Des que or estes aresté   6324
por l'oïr et por le savoir,
bien iert qui vos an dira voir.
Je, qui Gauvains vostre niés sui,
mon conpaignon ne reconui,   6328
mon seignor Yvain qui est ci,

tant que il, la soe merci,
si con Deu plot, mon non enquist.
Li uns son non a l'autre dist ;   6332
lors si nos antreconeümes
quant bien antrebatu nos fumes.
Bien nos somes antrebatu,
et se nos fussiens conbatu   6336
encore un po plus longuemant,
il m'en alast trop malemant
que, par mon chief, il m'eüst mort
par sa proesce, et par le tort   6340
celi qui m'avoit el chanp mis.
Mes mialz voel je que mes amis
m'ait oltré d'armes que tüé. »
Lors a trestot le san müé   6344
mes sire Yvains, et si li dit :
« Biax sire chiers, se Dex m'aït
trop avez grant tort de ce dire ;
mes bien sache li rois mes sire   6348
que je sui de ceste bataille
oltrez et recreanz sanz faille.
— Mes ge. — Mes ge, fet cil et cil ».
Tant sont andui franc et gentil   6352
que la victoire et la querone
li uns a l'autre otroie et done ;
ne cist ne cil ne la vialt prendre,
einz fet chascuns par force entendre   6356
au roi, et a totes ses genz,
qu'il est oltrez et recreanz.
Mes li rois la tançon depiece,
quant oïz les ot une piece ;   6360
et li oïrs molt li pleisoit
et ce avoec que il veoit

qu'il s'estoient entr'acolé.
S'avoit li uns l'autre afolé   6364
molt leidemant an plusors leus.
« Seignor, fet il, antre vos deus
a grant amor, bien le mostrez   [103 *b*]
quant chascuns dit qu'il est oltrez ;   6368
mes or vos an metez sor moi
et jes acorderai, ce croi,
si bien qu'a voz enors sera
et toz siegles m'an loera. »   6372
Lors ont andui acreanté
qu'il an feront sa volanté
tot ensi com il le dira.
Et li rois dit qu'il partira   6376
a bien et a foi la querele.
« Ou est, fet il, la dameisele
qui sa seror a fors botée
de sa terre, et deseritée   6380
par force et par male merci ?
— Sire, fet ele, je sui ci.
— La estes vos ? Venez donc ça.
Je le savoie bien pieça   6384
que vos la deseriteiez.
Ses droiz ne sera plus noiez
que coneü m'avez le voir.
La soe part par estovoir   6388
vos covient tote clamer quite.
— Ha ! sire rois, se je ai dite
une response nice et fole,
volez m'an vos metre a parole.   6392
Por Deu, sire, ne me grevez !
Vos estes rois, si me devez
de tort garder et de mesprendre.

— Por ce, fet li rois, voel je rendre   6396
a vostre seror sa droiture
c'onques de tort feire n'oi cure.
Et vos avez bien antendu
qu'an ma merci se sont randu   6400
vostres chevaliers et li suens ;
ne dirai mie toz voz buens,
que vostre torz est bien seüz.
Chascuns dit qu'il est chanpcheüz   6404
tant vialt li uns l'autre enorer.
A ce n'ai ge que demorer
des que la chose est sor moi mise :
ou vos feroiz a ma devise   6408
tot quan que ge deviserai
sanz feire tort, ou ge dirai
que mes niés est d'armes conquis.   [103 c]
Lors si vaudra a vostre oés pis ;   6412
mes jel di or contre mon cuer. »
Il ne le deïst a nul fuer,
mes il le dit por essaier
s'il la porroit tant esmaier   6416
qu'ele randist a sa seror
son heritage, par peor,
qu'il s'est aparceüz molt bien
que ele ne l'en randist rien   6420
por quan que dire li seüst
se force ou crieme n'i eüst.
Por ce que ele dote et crient,
li dit : « Biax sire, or me covient   6424
que je face vostre talant,
mes molt en ai le cuer dolant,
que jel ferai que qu'il me griet ;
s'avra ma suer ce que li siet   6428

de la part de mon heritage ;
votre cors li doing en ostage
por ce que plus seüre an soit.
— Revestez l'an tot or en droit,   6432
fet li rois, et ele deveingne
vostre fame, et de vos la teingne ;
si l'amez come vostre fame,
et ele vos come sa dame   6436
et come sa seror germainne. »
Li rois einsi la chose mainne
tant que de sa terre est seisie
la pucele, qui l'en mercie.   6440
Et li rois dit a son neveu,
au chevalier vaillant et preu,
que les armes oster se lest,
et mes sire Yvains, se lui plest,   6444
se relest les soes tolir,
car bien s'an pueent mes sofrir.
Lors sont desarmé li vasal ;
si s'antrebeisent par igal.   6448
Et que que il s'antrebeisoient,
le lÿon corrant venir voient
qui son seignor querant aloit.
Tot maintenant que il le voit,   6452
si comance grant joie a feire ;
lors veïssiez genz arriers treire ;
trestoz li plus hardiz s'an fuit.   [104 a]
« Estez, fet mes sire Yvains, tuit.   6456
Por coi fuiez ? Nus ne vos chace ;
ne doutez ja que mal vos face
li lyeons que venir veez ;
de ce, s'il vos plest, me creez,   6460
qu'il est a moi, et je a lui ;

si somes conpaignon andui. »
Lors sorent trestuit cil de voir,
qui orent oï mantevoir   6464
les aventures au lyeon,
de lui et de son conpaignon,
c'onques ne fu autres que cist
qui le felon jaiant ocist.   6468
Et mes sire Gauvains li dist :
« Sire conpainz, se Dex m'aïst,
molt m'avez bien avileni :
malveisemant vos ai meri   6472
le servise que me feïstes,
del jaiant que vos oceïstes
por mes neveuz et por ma niece.
Molt ai pansé a vos grant piece,   6476
mes apanser ne me savoie,
n'onques oï parler n'avoie
de chevalier que je seüsse
an terre ou je esté eüsse   6480
qui li Chevaliers au lyeon
fust apelez an sorenon. »
    Desarmé sont ensi parlant,
et li lyeons ne vint pas lant   6484
vers son seignor la ou il sist.
Quant devant lui vint, si li fist
grant joie, come beste mue.
En anfermerie ou an mue   6488
les an covient andeus mener,
car a lor plaies resener
ont mestier de mire et d'antret.
Devant lui mener les an fet   6492
li rois, qui molt chiers les avoit.
Un fisicïen qui savoit

de mirgie plus que nus hom
fist mander rois Artus adom.   6496
Et cil del garir se pena
tant que lor plaies lor sena
au mialz et au plus tost qu'il pot.   [104 b]
Quant anbedeus gariz les ot,   6500
mes sire Yvains qui, sanz retor,
avoit son cuer mis en Amor,
vit bien que durer n'i porroit
et par Amor an fin morroit,   6504
se sa dame n'avoit merci
de lui, qui se moroit ensi ;
et panse qu'il se partiroit
toz seus de cort, et si iroit   6508
a sa fontainne guerroier ;
et s'i feroit tant foudroier,
et tant vanter, et tant plovoir,
que par force et par estovoir   6512
li covanroit feire a lui pes,
ou il ne fineroit ja mes
de la fontainne tormanter,
et de plovoir, et de vanter.   6516
   Maintenant que mes sire Yvains
santi qu'il fu gariz et sains,
si s'an parti, que nus nel sot ;
mes son lyeon avoec lui ot   6520
qui onques en tote sa vie
ne volt lessier sa conpaignie.
Puis errerent tant que il virent
la fontainne ; et plovoir i firent.   6524
Ne cuidiez pas que je vos mante
que si fu fiere la tormante
que nus n'an conteroit le disme,

qu'il sanbloit que jusqu'an abisme   6528
deüst fondre la forez tote !
La dame de son chastel dote
que il ne fonde toz ansanble ;
li mur croslent, et la torz tranble,   6532
si que par po qu'ele ne verse.
Mialz volsist estre pris an Perse
li plus hardiz antre les Turs,
que leanz estre antre les murs.   6536
Tel peor ont que il maudient
lor ancessors, et trestuit dïent :
« Maleoiz soit li premiers hom
qui fist an cest païs meison,   6540
et cil qui cest chastel fonderent !
Qu'an tot le monde ne troverent
leu que l'an doie tant haïr   [104 c]
c'uns seus hom le puet envaïr,   6544
et tormanter, et traveillier. »
« — De ceste chose conseillier
vos covient, dame, fet Lunete ;
ne troveroiz qui s'antremete   6548
de vos eidier a cest besoing
se l'en nel va querre molt loing.
Ja mes voir ne reposerons
an cest chastel, ne n'oserons   6552
les murs ne la porte passer.
Qui avroit toz fez amasser
voz chevaliers por cest afeire,
ne s'an oseroit avant treire   6556
toz li miaudres, bien le savez.
S'est or ensi que vos n'avez
qui desfande vostre fontainne,
si sanbleroiz fole et vilainne ;   6560

molt bele enor i avroiz ja
quant sanz bataille s'an ira
cil qui si vos a asaillie.
Certes, vos estes mal baillie   6564
s'autremant de vos ne pansé.
— Tu, fet la dame, qui tant sez,
me di comant j'en panserai,
et ge a ton los le ferai.   6568
— Dame, certes, se je savoie
volantiers vos conseilleroie ;
mes vos avriez grant mestier
de plus resnable conseillier.   6572
Por ce, si ne m'an os mesler,
et le plovoir et le vanter
avoec les autres sofferré
tant, se Deu plest, que je verré   6576
en vostre cort aucun preudome
qui prendra le fes et la some
de ceste bataille sor lui.
Mes je ne cuit que ce soit hui,   6580
si vandra pis a oés vostre oés. »
Et la dame li respont lués :
« Dameisele, car parlez d'el.
Car il n'a gent an mon ostel   6584
an cui ge aie nule atandue
que ja par aus soit desfandue
la fontainne ne li perrons.   [104 a]
Mes, se Deu plest, or i verrons   6588
vostre consoil et vostre san,
qu'au besoing, toz jorz le dit an,
doit an son ami esprover.
— Dame, qui cuideroit trover   6592
celui qui le jaiant ocist,

et les trois chevaliers conquist,
il le feroit boen aler querre ;
mes tant com il avra la guerre   6596
et l'ire et le mal vers sa dame,
n'a en cest mont home ne fame
cui il suiest, mien escïant,
tant que il li jurt et fiant   6600
qu'il fera tote sa puissance
de racorder la mescheance
que sa dame a si grant a lui
qu'il an muert de duel et d'enui. »   6604
Et la dame dit : « Je sui preste,
einz que vos entroiz an la queste,
que je vos plevisse ma foi
et jurerai, s'il vient a moi,   6608
que je, sanz guile et sanz feintise,
li ferai tot a sa devise
sa pes, se je feire la puis. »
Et Lunete li redit puis :   6612
« Dame, de ce ne dot ge rien
que vos ne li puissiez molt bien
sa pes feire, se il vos siet ;
mes del seiremant ne vos griet   6616
que je le panrai tote voie
einz que je me mete a la voie.
— Ce, fet la dame, ne me poise. »
Lunete qui molt fu cortoise   6620
li fist isnelemant fors traire
un molt precïeus saintuaire ;
et la dame a genolz s'est mise.
Au geu de la verté l'a prise   6624
Lunete, molt cortoisemant.
A l'eschevir del seiremant,

rien de son preu n'i oblia
cele qui eschevi li a. 6628
  « Dame, fet ele, hauciez la main !
Je ne voel pas qu'aprés demain
m'an metoiz sus ne ce ne quoi [104 *b*]
que vos n'an feites rien por moi. 6632
Por vos meïsmes le feroiz !
Se il vos plest, si jureroiz
por le Chevalier au lyeon
que vos, en boene antencïon, 6636
vos peneroiz tant qu'il savra
que le boen cuer sa dame avra
tot autresi com il ot onques. »
La main destre leva adonques 6640
la dame, et dit trestot einsi :
« Con tu l'as dit, et je le di
que, si m'aïst Dex et li sainz,
que ja mes cuers ne sera fainz 6644
que je tot mon pooir n'en face.
L'amor li randrai et la grace
que il sialt a sa dame avoir,
puis que j'en ai force et pooir. » 6648
  Or a bien Lunete esploité ;
de rien n'avoit tel covoitié
come de ce qu'ele avoit fet.
Et l'en li avoit ja fors tret 6652
un palefroi soëf anblant.
A bele chiere, a lié sanblant,
monte Lunete ; si s'an va,
tant que delez le pin trova 6656
celui qu'ele ne cuidoit pas
trover a si petit de pas,
einz cuidoit qu'il li covenist

molt querre, einçois qu'a lui venist.   6660
Par le lyeon l'a coneü
tantost com ele l'a veü ;
si vint vers lui grant aleüre
et descent a la terre dure.   6664
Et mes sire Yvains la conut
de si loing com il l'aparçut ;
si la salüe, et ele lui,
et dit : « Sire, molt liee sui   6668
quant je vos ai trové si pres. »
Et mes sire Yvains dit aprés :
« Comant, querïez me vos donques ?
— Oïl, voir, et si ne fui onques   6672
si liee, des que je fui nee,
que j'ai ma dame a ce menee
que tot ausi com ele siaut,   [104 c]
s'ele parjurer ne se viaut,   6676
iert vostre dame et vos ses sire ;
por verité le vos puis dire. »
Mes sire Yvains formant s'esjot
de la mervoille que il ot   6680
ce qu'il ja ne cuidoit oïr.
Ne puet pas asez conjoïr.
Les ialz beisa et puis le vis
celi que ce li a porquis   6684
et dit : « Certes, ma dolce amie,
ce ne vos porroie je mie
guerredoner, en nule guise ;
a vos feire enor et servise   6688
criem que pooirs ou tans me faille.
— Sire, fet ele, or ne vos chaille ;
ne ja n'en soiez an espans,
qu'assez avroiz pooir et tans   6692

a feire bien moi et autrui,
Se je ai fet ce que je dui,
si m'an doit an tel gré savoir
con celi qui autrui avoir   6690
anprunte, et puis si le repaie.
N'encor ne cuit que je vos aie
randu ce que ja vos devoie.
— Si avez fet, se Dex me voie,   6700
a plus de .v^e. mile droiz.
Or en irons tost qu'il est droiz.
— Et avez li vos dit de moi
qui je sui ? — Naie, par ma foi,   6704
ne ne set comant avez non,
se Chevaliers au lyeon non. »
    Ensi s'an vont parlant adés,
et li lyeons toz jorz aprés,   6708
tant qu'au chastel vindrent tuit troi.
Einz ne distrent ne ce ne quoi
es rues, n'a home n'a fame,
tant qu'il vindrent .devant la dame.   6712
Et la dame molt s'esjoï
tantost con la novele oï
de sa pucele qui venoit,
et de ce que ele amenoit   6716
le lyeon et le chevalier
qu'ele voloit molt acointier   [105 a]
et molt conoistre et molt veoir.
A ses piez s'est lessiez cheoir   6720
mes sire Yvains, trestoz armez ;
et Lunete qui fu delez
li dit : « Dame, relevez l'an,
et metez force et poinne et san   6724
a la pes querre et au pardon,

que nus ne li puet, se vos non,
en tot le monde porchacier. »
Lors l'a fet la dame drecier   6728
et dit : « Mes pooirs est toz suens,
sa volenté feire et ses buens
voldroie molt que je poïsse.
— Certes, dame, ja nel deïsse,   6732
fet Lunete, s'il ne fust voirs.
Toz an est vostres li pooirs
assez plus que dit ne vos ai ;
mes des or mes, le vos dirai   6736
la verité, si la savroiz :
einz n'eüstes ne ja n'avroiz
si boen ami come cestui.
Dex, qui vialt qu'antre vos et lui   6740
ait boene pes et boene amor
tel que ja ne faille a nul jor,
le m'a hui fet si pres trover.
Ja a la verité prover   6744
n'i covient autre rescondire ;
dame, pardonez li vostre ire,
que il n'a dame autre que vos :
c'est mes sire Yvains, vostre espos. »   6748
    A cest mot la dame tressaut
et dit : « Se Damedex me saut,
bien m'as or au hoquerel prise !
Celui qui ne m'ainme ne prise   6752
me feras amer mau gré mien.
Or as tu esploitié molt bien !
Or m'as tu molt an gré servie !
Mialz volsisse tote ma vie   6756
vanz et orages endurer,
et s'il ne fust de parjurer

trop leide chose et trop vilainne,
ja mes a moi, por nule painne,   6760
pes ne acorde ne trovast.
Toz jorz mes el cors me covast,
si con li feus cove an la cendre,   [105 b]
ce don ge ne voel ore aprendre   6764
ne ne me chaut del recorder
des qu'a lui m'estuet acorder. »
    Mes sire Yvains ot et antant
que ses afeires si bien prant   6768
qu'il avra sa pes et s'acorde,
et dit : « Dame, misericorde
doit an de pecheor avoir.
Conparé ai mon nonsavoir,   6772
et je le voel bien conparer.
Folie me fist demorer,
si m'an rant corpable et forfet,
et molt grant hardemant ai fet   6776
qant devant vos osai venir ;
mes s'or me volez retenir,
ja mes ne vos forferai rien.
— Certes, fet ele, je voel bien,   6780
por ce que parjure seroie
se tot mon pooir n'en feisoie,
la pes feire antre vos et moï ;
s'il vos plest, je la vos otroi.   6784
— Dame, fet il, .vᶜ. merciz
et, si m'aïst Sainz Esperiz,
que Dex an cest siegle mortel
ne me feïst pas si lié d'el ».   6788
    Or a mes sire Yvains sa pes ;
et poez croire c'onques mes
ne fu de nule rien si liez,

comant qu'il ait esté iriez.   6792
Molt an est a boen chief venuz
qu'il est amez et chier tenuz
de sa dame, et ele de lui.
Ne li sovient or de nelui   6796
que par la joie l'antroblie
que il a de sa dolce amie.
Et Lunete rest molt a eise ;
ne li faut chose que li pleise,   6800
des qu'ele a fet la pes sanz fin
de mon seignor Yvain le fin
et de s'amie chiere et fine.
Del *Chevalier au lyeon* fine   6804
Crestïens son romans ensi ;
n'onques plus conter n'en oï
ne ja plus n'en orroiz conter   [105 c]
s'an n'i vialt mançonge ajoster   6808

Explycit li *Chevaliers au Lyeon.*

Cil qui l'escrist Guioz a non ;
devant Nostre Dame del Val
est ses ostex tot a estal.

Nota. — Une inadvertance de la dactylographie qui a fâcheuse-
ment échappé à toutes les revisions a troublé le numérotage de 4 en
4 vers, à partir du vers 352 qui est en réalité 350 jusqu'au vers final
qui devrait être numéroté 6806 et non 6808. Cela n'altère au resté ni
l'ordre ni le nombre réel des vers, et les références indiquées dans
l'introduction, les notes et les index n'en sont pas moins utilisables
telles quelles, car elles correspondent exactement aux numéros de vers
inscrits dans les marges de notre texte.

NOTES

I

Initiales ornées et lettres montantes du ms. *A*

Yvain débute dans le manuscrit A par une grande initiale ornée (A) dont le corps porte sur huit lignes, et dont le jambage de gauche descend dans la marge sur dix autres lignes. D'autres initiales ornées se trouvent aux vers 2331 (E : bienvenue au roi Artur au château de Laudine et d'Yvain) et 4543 (Q : épisode décisif du combat d'Yvain contre les trois accusateurs de Lunete) : leurs corps portent sur six lignes. Au vers 6143, la place d'une initiale ornée (Q : première pause dans le combat d'Yvain contre Gauvain) a été réservée sur quatre lignes. De plus le texte est divisé par 68 capitales montantes qui s'étendent sur deux vers ou davantage (jusqu'à 4 pour le L ou le P). L'initiale ornée du début a seule été marquée dans notre édition par une lettre d'une grandeur particulière. Nos alinéas indiquent exactement la place des autres initiales ornées et des capitales montantes, sauf au v. 173 où nous avons introduit un alinéa sans qu'il y ait à cette place une lettre montante dans le manuscrit de Guiot.

II

Ponctuation du ms. *A*

Un point interrogatif ou exclamatif (!) se rencontre après ha 1206, 1226, 1670, 3063, 3591, 4355, 4408, 5113, 6039,

6269, 6292, 6390, ahi 1626, 2265 ; — *après* boen 1209, *après* moi 2026. *Nous avons remplacé ces points par des* ! *ou des* ? *que nous avons aussi employés, conformément au sens probable, dans beaucoup d'autres cas où le ms.* 794 *n'avait pas de ponctuation ou n'avait que des points simples. Un point exclamatif se rencontre également après* sui 5983 ; *nous l'avons remplacé par une virgule et rejeté le point d'exclamation après* 5984.

Des points intérieurs se rencontrent dans les cas suivants : enui. 182 — voie. 183 — ci. 331 — gardes. 333 — ies. 357 — cers. 399 — plovoir. toner. 403 — vin. 593 — aporte. 759 — dorez. 965 — cors. 974.

veigne. 1063 — liz. 1145 — foiee. 1153 — mars. 1279 — desroie. 1323 — congié. 1532 — ele. 1606 — coi. 1608 — teis. 1616 — tot. 1641 — certes. 1719 — bien. 1765 — non. 1817 — jor. 1823 — panre. 1859 — voz. 1930 — merci. 1978 — sire. 1981.

oel. 2021 — amer. et cui. vos. 2025 — voir. 2026 — amander. 2100 — proiee. 2117 — enor. 2118 — corteisie. 2127 — l'andemain. 2154 — merci. 2211 — ahi. 2265 — sain. 2350 — niés. 2383 — anpanre. 2507 — biens. ma joie. 2553 — roi. 2562 — vos. 2567 — seürs. 2568 — mantez. 2571 — porte. 2609 — retorne. 2640. — garde. 2737 — cuer. 2746 — bois. 2856 — colchier. 2870 — peins. et l'eve. 2872 — orge. 2880 — seigne. 2909 — une. 2957 — boiste. 2961 — dameisele. 2962 — porter. 2971 — noires. 2976.

boiste. 3104 — a seul. 3106 — trois. 3163 — tost. 3166 — sus. 3173 — ganchist. 3215 — fame. 3314 — fleir. 3423 — joie. 3570 — fille. 3865.

part. 4077 — retient. 4078 — coe. 4098 *(ponctuation non conservée comme étant peu intelligible)* — mort. 4172 — fille. 4253 — doteroit. 4324 — dire. 4409 — dame. 4600 — salué. 4672 — gari. 4696 — Artus. 4709. — amor. 4760 — ateint. 4802 — nuiz. 4836 — nuiz. ne li bois. 4838 — tans. 4844 — pansoit .4866 *(ponctuation non conservée)* — ci. 4889.

salüe. 5008 — siue. 5021 — droit. 5022 — petite. 5028
— sire. 5048 — coi. 5117 — hu. hu. 5125 — enor. 5130
— meigres. 5227 — ovroient. 5236 — honte. 5258 — petit.
5299 — nue. 5648 — cuer. 5719 — povres. 5770 — deïstes.
5786 — salue. 5828 — vit. 5922 — pucele. 5934 — dame. 5949
— fi. 5978 — paroles. 5986 — genz. 5990 — bataille. 5991
— respong. 5996 — Yvain. 6000.

certes. 6008 — esperone. 6036 — chose. 6046 — honi. 6063
— oïl. 6066 — merites. 6156 — amis. 6224 — s'esbaïst. 6263
— vos. 6278 — ge. mes ge. 6351 — roi. 6357 — amor. 6367
— vos. 6383 — cuer. 6413.

*Dans tous ces cas, nous avons maintenu une ponctuation
(virgule, point et virgule ou autre signe) à la place indiquée
par le manuscrit; nous avons gardé les points d'encadrement
des chiffres romains conservés pour certains nombres, mais
nous n'avons pas reproduit les points d'abréviation, d'encadre-
ment d'initiales ou de fin de pages (au vers 3976 nous n'avons
pas reproduit le point d'encadrement d'initiale qui précède
le nom de Gauvain, puisque ce mot a été finalement écrit en
toutes lettres).*

*Outre les points de fin de page au dernier vers de la troisième
colonne (ces points manquent après 3027 et 6586), il y a dans
le manuscrit un point destiné à marquer la fin de certains
vers, soit qu'ils fussent écrits sur deux lignes pour laisser la
place des initiales ornées (1, 2, 3, 4, 2331, 4543, 4544, 4545 ;
ces points manquent après 2332 et 2333) ou pour renvoyer au
haut de la colonne suivante une lettre montante (482), soit
qu'ils fussent suivis sur la même ligne d'un vers omis puis
rajouté (3617 et 5632), soit enfin parce que la dernière lettre
du vers touche presque l'initiale de la colonne voisine et que
Guiot a jugé utile de l'en séparer (72, 3618, 5922, 5971, 5985,
6355, 6356). De ces divers points nous n'avons pas tenu compte.*

*D'autres points, à la fin des vers 4121, 4496 et 5984 marquent
une coupe logique, comme les points qui terminent le roman
(6808) ou la mention du copiste.*

III

LEÇONS ET PARTICULARITÉS DU MS. *A* NON CONSERVÉES.

La désignation mss *placée entre parenthèses indique que la correction apportée au texte est fondée sur l'accord éventuel d'autres manuscrits contre la copie de Guiot. Les crochets carrés* [ ] *encadrent les lettres ou mots rayés, grattés ou exponctués par le scribe.*

72 vos *répété* — 165 voiz (*mss* voie) — 358 s. fet il u. *(voir mss)* — 409 q. li ot — 423 *vers omis (voir mss)* — 482 *sur deux lignes en fin de colonne, le vers* 483, *qui a pour initiale une lettre montante, étant ainsi rejeté au haut de la colonne suivante* — 630 ses paroles (*mss* ses ranposnes) — 643 se revanche — 683 sav[r]oit — 701 bande (*mss* lande) — 708 la tor (*mss* les tors) — 717 fera[i] — 796 plus *mq. (voir mss)* — 900 *répété* — 921 e. desus la *(voir mss)*.

1053 *répété* — 1059 bieres (*mss* biere) — 1063 m. qui veigne *(voir mss)* — 1124 lui [ne] ne — 1225 moi *mq. (voir mss)* — 1275 en la meison (*mss* antancion) — 1311 c. dist s. *(voir mss)* — 1360 cuer... lermes (*mss* çucre... bresches) — 1407 /1408 cue/ alue (*mss* ceu/aleu) — 1507 nus d'aus (*mss* nes Deus) — 1530 ele — 1535/1536 retient/vient (*mss* retiennent/ viennent) — 1590 ce qu'ele v. *(voir mss)* — 1653 beneor (*mss* an beneür) — 1671 qui si *(voir mss)* — 1673 lessesiez viax (*mss* laissiez seviaus) — 1888 que ele (*mss* qu'ele ne).

2012 contenir (*mss* consentir) — 2019 cors (*mss* cuers) — 2074 t. [s'alerent] la — 2114 contreïst (*mss* contredeïst) — 2159/60 dameisele ot (*mss* dame i ot) — 2173 durererent (*mss* durerent) — 2220 sa nuie (*mss* la pluie) — 2346 la joie qu'il (*mss* le roi que il) — 2369 *répété* — 2397 acontance — 2600 desfant (*mss* atant) — 2662 traïte *(voir mss)* — 2705 hont (*mss* honte) — 2714 [jus] se (*mss* si) — 2767 dit (*ms* di)

— 2768 q. tresposa *(voir mss)* — 2910 ne *suscrit dans l'interligne* ; b. [et] n'e. — *après* 2968, 2967 *répété.*

3015 et totz son s. *(voir mss)* — 3084 a iropont *(Vatican 1725* desor un pont) — 3116 mq., *laissé en blanc (voir mss)* — 3117 sot b. *(mss* son) — 3145 aceignent *(mss* ateignent) — 3159 *répété* — 3179 la tor *(mss* l'estor) — 3250 la [dame] terre — 3336 plust — 3374 jusqu'anz enz terre — 3435 uns brachez *(voir mss)* —→ 3508 quil *(voir mss)* — 3544 volt [boter] m'espee (m'espee *dans l'interligne)* — 3595 dira *(mss* dirai) — 3606 e. cil *(mss* e. oïl) — 3618 *ajouté dans l'interligne* — 3641 o. et et anclose an r. *(voir mss)* — 3674 effree — 3687 *répété* — 3773 e. remese *(mss* e. si rese) — 3808 jusqu'au greignor *(mss* menor) — 3819 que parole en *(mss* q. talant n'en).

4066 qu'ele pl. *(mss.* que il pl.) — 4192 li mut le — 4234 dessevre *(mss* dessevree) — 4283 Et il li r. *(mss* il r.) — 4458 paist *(mss* païs) — 4545 tor *(mss* tort) — 4563 dame [isele] *(trestot dans l'interligne)* — 4739 *répété* — 4768 vi[e]ng — 4772 feroi *avec* e *final suscrit dans l'interligne* — 4862 corz *répété* — 4873 ensi asena *(mss* adreça).

5029 eslais *qui est dans tous les mss est partiellement masqué par une tache dans le ms. de Guiot* — 5195 codes *(mss* cotes, *cf.* 5362) — 5197 as cos pales *(mss* au dos sales) — 5362 acoder *(mss* acoter) — 5375 se issist — 5379 droiz *mq. (voir mss)* — 5425 que l'en la bote *(mss* qu'il en a honte) — 5466 droiz *mq. (voir mss)* — 5470 fille et s'enors(*mss* f. a seinor) — 5482 fille avrez *(mss* f. a per) — 5483 et ma fille et *(mss* doit avoir et) — 5484 se cez poez en *(mss* cil qui porra en) — 5485 que ja vos *(mss* çaus qui vos) — 5507 fil d'un (B. n. *fr.* 12560 f. dou) — 5606 et desserre *(mss* s'i anserre) — 5633 *ajouté en marge après* 5632 — 5472 qui molt m'ainme *(mss* qui m'anmaine) — 5795 *répété* — 5880 cor *(mss* cort) — 5923 se pandoit *(mss* se tenoit) — 5937 *ajouté dans l'interligne* — 5978 et ferai *(mss* fiai).

6034 *répété en partie* — 6044 s'antremet *(mss* s'antraimment) — 6070 et *mq. (voir mss)* — 6328 merevoilles

(*mss* mervoilles) — 6266 ansanglante (*mss* ansanglantee) —
6423 force (*mss* por ce) — 6557 bien *répété* — 6568 ge an
toz leus (*mss* je a ton los) — 6586 qui ja (*mss* que ja).

IV

NOTES CRITIQUES ET VARIANTES.

278. *La réunion des ours et des léopards avec les taureaux,
même sauvages, serait de toute façon très singulière et
il est difficile de ne pas adopter avec Foerster la leçon
du Vatican qui ne présente pas* ors *et écrit* espaarz,
avec le sens, peut-être, de « *errant* ». *La leçon fournie
par Guiot, qui n'est pas sans analogie dans d'autres mss
et que nous avons gardée pour cette raison, comporte
certainement des erreurs que nous ne savons comment
corriger.*

921. *Cf., au v.* 925, sor ces engins.

1360. *Le passage a gêné les divers copistes, sans doute à
cause de l'opposition apparente mais inintelligible de*
ranpone *et de* sucre, *mais surtout parce que l'un de ces
mots s'appliquait à Keu et l'autre à Yvain, mal distingués
ici l'un de l'autre.*

1407-08. *La rime inhabituelle* ceu : aleu *a gêné et trompé
les copistes.*

4088. *Godefroy a enregistré d'après notre ms. un verbe*
« bouser, *piquer d'un aiguillon ou de tout autre instrument
pointu* », *dont nous n'avons pas d'autre exemple. Un
rapport avec* bouzon, « *javelot* », *n'est pas impossible.
Foerster a gardé la leçon de son ms. qui présente la forme*
boter.

4192. *Foerster a lu* mut, *lecture toujours possible pour un
mot écrit* uint, *mais il avait* vient *dans son ms. de base,
ce qui justifie notre leçon.*

INDEX DES NOMS PROPRES
ET DES PERSONNAGES ANONYMES

———

ostes 4891, preudome 4108, preudon 4119, seignor 3827, 4267, (del chastel) 4028, sires 3959, 4049, 4251, 4300, (de la meison) 4927, vavasor 4042, *le beau-frère de Gauvain, hôte d'Yvain, puis de la cadette de Noire-Epine.*

beste 3371, *v.* lion.

Bretaingne 1, 2331, 2548, *Bretagne.*

Bretons 37, *Bretons.*

Broceliande 187, 697, *forêt bretonne.*

C

Calogrenant 658, Calogrenanz 67, 784, Qualogrenant 71, 131, Qualogrenanz 57, 106, chevaliers 358, cosin 749, 897, 2184, cosins germains 582, *Calogrenant, chevalier de la Table ronde, cousin d'Yvain.*

Carduel 7, *château en Galles.*

Carse (reaume de) 4071, *peut-être Tarse.*

chanpion 5569, *v.* maufé.

chapelain 2152, *un chapelain de Laudine.*

cheitive 3558, 3567, *v.* Lunete.

cheitives 5257, 5703, 5768, dameiseles 5221, 5235, 5791, puceles 5188, 5251, 5277, *les trois cents ouvrières captives.*

chevalier 9, 2305, *chevaliers d'Artur* ; chevalier 1057, 1634, *chevaliers d'Esclados le Roüx* ; chevaliers (les trois) 6594, homes (trois) 3610, *les chevaliers de la fontaine* ; chevalier(s) 479, 482, 520, 538, 550, 813, 863, 865, 933, 958, *v.* Esclados le Ros ; chevalier(s) 1794,

1802, 1857, 2050, 2116, 4936, 5011, 5108, 5930, 5944, 6717, *v.* Yvain ; chevaliers 3701, 3705, 3913, *v.* Meleaganz ; chevaliers 4085, *v.* neveuz [*de Gauvain*] ; chevalier(s) 6401, 6442, *v.* Gauvain ; chevalier au lyon, *v.* Yvain.

cil cui la forteresce estoit 196, oste 265, 272, 555, 562, prodome 705, vavasor 209, 780, vavasors 217, 246, 255, *le premier hôte de Calogrenant, puis d'Yvain, avant la tempête.*

clerc (li) 1170, *le clergé.*

conpaignon 2176, *compagnons d'Artur* ; conpaignon 2424, 3501, 6466, *v.* Yvain.

conpainz 6297, *v.* Gauvain.

conte 3291, *v.* Aliers.

cosin 749, 897, 2184, cosins germains 582, *v.* Calogrenant.

Crestiiens 6805, *Chrétien de Troyes.*

criature 4136, *v.* niece [*de Gauvain*].

cruel 4144, *v.* Harpins de la Montaingne.

cuens 3267, 3274, 3301, *v.* Aliers.

D

dame 4682, *la maîtresse de maison de la famille qui soigne Yvain.*

dame (d'aage), *la femme des environs du château de Pesme-Aventure qui avertit Yvain de ce qui l'y attend.*

dame 5363, 5690, mere 5429, *la dame du château de Pesme-Aventure.*

dames (d'un covant) 1168, nonains 1254, *religieuses.*

Dex, v. Damedeu.

Didonez 54 (Odinauls *Palatinus*, Dydoines *Fr.* 12603, Dodinez *Foerster*), *chevalier de la Table ronde* ; Dodins li sauvages *dans Erec.*

dolante 3558, *v.* Lunete.

Dunoe 5975, *Danube.*

Durandart 3231, *épée de Roland.*

E

empererriz (de Rome) 2066.

ermite, *v.* hermite.

Esclados le Ros 1972, chevalier 550, 863, chevalier 479, 482, 520, 538, 813, 865, 933, 958, seignor 1058, 1162, 1208, 1228, 1233, 1241, 1367, 1434, 1605, 1679, 1710, 2000, sire (mes, ses, vostres) 982, 1119, 1236, 1663, 1685, 1763, 1973, 2002, 2093, *Esclados le Roux, premier mari de Laudine et chevalier de la Fontaine blessé à mort par Yvain.*

escuier 728, 750, 2317, *écuyers d'Yvain.*

Espaigne 3233, *Espagne.*

Esperit (saint) 273, Esperite (saint) 4462, 4986, 5450, Esperiz (sainz) 6786, *le Saint-Esprit.*

F

fame 2169, 2544, *v.* Laudine ; fame 3911, *v.* suer germainne [*de Gauvain*] ; fame 3912, *v.* Ganievre.

felon 4144, *v.* Harpins de la Montaingne.

fil 4683, *les fils dans la famille qui soigne Yvain* ; fil 3857, 3863, 3940, 4109, 4123, 4147, 4268, 4301, *v.* neveuz [*de Gauvain*] ; fil 5507, filz 5265, *v.* maufé ; fil de roi 2050, fil au roi Urïen, *v.* Yvain.

fille au seignor 5405, fille 5470, 5475, 5482, 5489, 5498, 5692, 5695, 5710, 5738, 5748, 5751, 5760, pucele 5359, 5426, 5720, *la jeune fille du château de Pesme-Aventure.*

filles 4683, 4693, puceles 4691, *les jeunes filles de la famille qui soigne Yvain.*

fille 4703 : a) ainznee 4704, 6163, 6167, ainznee seror 6173, ainznce suer 6183, dameisele 5839, 5878, 6378, premiere 4723, pucele 5870, 5904, suer 4774, 5071, 5818, 5949 ; — b) menor 6174, dameisele 5069, deseritee (la) 5811, pucele 4741, 4766, 5822, 5915, 5919, 5934, 6440, seror 5840, 5843, 5879, 5901, 5905, 6379, 6397, 6417, suer 4707, 4711, 4731, 5888, 5912, 6428, *les deux filles du seigneur de Noire-Epine, l'aînée usurpatrice et la cadette lésée, qui se disputent l'héritage de leur père.*

fille 272, 566, 705, *v.* dameisele [*hôtesse de Calogrenant*] ; fille 2154, *v.* Laudine ; fille 3848, 3865, 4110, 4121, 4133, 4253, 4269, *v.* niece [*de Gauvain*].

fisicïen 6494, *un médecin.*

Forré 597, *roi païen.*

forsené 2985, *v.* Yvain.

frere 4407, 4485, li autre dui 4491, 4526; li autre 4501, *les frères du sénéchal, accusateurs avec lui de Lunete.*

frere 4254, *v.* neveuz [*de Gauvain*]

G

Gales 7, *le pays de Galles.*

GANIEVRE (reïne) 6168 ; reïne 50, 62, 87, 131, 613, 656, 657, 3700, 3919, 3933, 4734 ; fame le roi 3912 ; dame 77, 85, 120 ; *la reine Guenièvre, femme d'Artur.*

garçon (un mien) 1829, *messager imaginaire de Lunete.*

garçon 2818, 2821, *le jeune homme à l'arc trouvé par Yvain à sa fuite dans la forêt.*

garçonaille, v. garçons.

garçons 3866, 4114, 4138, garçonaille 4110, *les ribauds auxquels Harpin veut livrer la jeune nièce de Gauvain.*

GAUVAIN (mon seignor) 2719, 3909, 3976, 4270, 4724, 4761 ; GAUVAINS (mes sire) 55, 687, 2210, 2288, 2487, 2671, 2676, 3619, 6067, 6247, 6277 ; G. (mes sire) 2433, 5867, 6287 (li douz), 6469 ; G. (mon seignor) 4079 ; 5847, 6065 ; G. filz au roi LOT 6261 ; GAU. 6327, GAU. (mes sire) 2383, 2541, 3692, 3707, 3925, 5999, 6321, GAU. (mon seignor) 2405, 2420, 4039, 4747, amis 6224, 6297, chevalier 6401, 6442, conpainz 6297, neveu 4747, 6442, niés 6321, 6327, 6411, ome 4066, oncle 4062, *Gauvain, chevalier de la Table ronde, neveu du roi Artur.*

gloton 5624, 5630, *v.* maufé.

H

HAÏNE 6017, 6032, 6035, 6048, 6057, *la haine personnifiée.*

HARPINS DE LA MONTAINGNE 3851, jaiant 3969, 4105, 4173, 4202, 4217, 4743, 4909, 6468, 6474, 6593, jaianz 3846, 3850, 3859, 3883, 3940, 3987, 3995, 4084, 4107, 4131, 4192, 4198, 4221, 4238, 4241, anemi 4167, 4904, cruel (le) 4144, felon (le) 4144, maufez (li) 4167, *Harpin de la Montagne, le géant malfaisant.*

hermite 2831, 2833, ermite 2852, boens hoem 2857, 2878, b. hom 2841, 2869, *l'ermite charitable qui donne quelque aliment à Yvain après sa fuite dans la forêt.*

hoem (boens) v. hermite.

hom 328, v. vilain ; hoem, hom (boens) 2841, 2857, 2869, 2878, v. hermite ; hom (riches) 3907, v. baron [*le beau-frère de Gauvain*].

home (un riche) 5357, peres 5413, seignor 5405, sire 5364, 5690, 5769, sires de la meison 5459, *le seigneur du château de Pesme-Aventure.*

home 2921, 3966, *v.* YVAIN ; homes (trois) 3610, *v.* chevaliers (les trois).

HONTE 1535, *la honte personnifiée.*

I

Isle as puceles (l') 5251.

J

jaiant, jaianz, *v.* HARPINS DE LA MONTAINGNE ; jaianz (les deus) 5610, *v.* maufé.

JEHAN BAPTISTE (mon seignor saint) 669, *S. Jean Baptiste ; v,* Saint-Jehan (feste).

K

KEU, v. KEX.

KEX 55, 69, 86, 93, 125, 591, 3704, KEX (mes sire) 113, K. (mes sire) 613, 633, 684, 895, 2209, 2211, 2230, K. 1352, 2238, 2241, 2247, 2258, 2282, 3917, K. (mon seignor) le seneschal 133, QUES (mes sire) 2180, *Kex, le sénéchal d'Artur.*

L

LANCELOZ 4738, *Lancelot du Lac.*

Landuc 2153, *terre de Laudine.*

LAUDINE, *non nommée par Guiot, mais figure dans Foerster au v.* 2151 *(correspondant à notre v.* 2153)*;* fille au duc LAUDUDEZ 2154-55, dame 984, 1005, 1204, 1243, 1280, 1287, 1367, 1521, 1531, 1541, 1594, 1599, 1642, 1658, 1674, 1733, 1736, 1751, 1871, 1896, 1910, 1915, 1951, 1955, 1962, 1969, 2040, 2055, 2063, 2073, 2090, 2151, 2159, 2320, 2322, 2326, 2361, 2376, 2428, 2456, 2474, 2549, 2556, 2632, 2636, 2668, 2698, 2718, 2727, 2744, 2751, 2756, 2768, 2770, 3524, 3529, 3647, 3657, 3664, 3672, 4361, 4432, 4459, 4563, 4571, 4577, 4584, 4589, 4620, 4640, 4999, 6505, 6530, 6566, 6582, 6597, 6603, 6605, 6619, 6623, 6638, 6641, 6647, 6674, 6677, 6712, 6713, 6728, 6749, 6795, amie 2530, 2610, 2642, 6798, 6803, fame [*d'Esclados*] 2169, [*d'Yvain*] 2544, dame de Landuc 2153, *Laudine, épouse d'Esclados, puis d'Yvain,*

fille du duc Laududez ; v. Landuc, LAUDUDEZ.

LAUDUDEZ (duc) 2154-2155, *père de Laudine.*

lion 3379, lions 4330, 4552, lyeon 5013, 5033, 5532, 5556, 5626, 5642, 5670, 5815, 5914, 5917, 6465, 6481, 6520, 6635, 6661, 6706, 6717, 6804, *et explicit* lyeons 5173, 5440, 5520, 5539, 5589, 5634, 5638, 5654, 5659, 5687, 6459, 6484, 6708, lyon 3344, 3352, 3384, 3542, 3783, 3786, 4004, 4447, 4454, 4466, 4544, 4559, 4581, 4607, 4647, 4674, 4689, 4744, 4810, 4896, 4936, 5570, 6450, lyons 3365, 3388, 3399, 3408, 3436, 3466, 3471, 3475, 3500, 3516, 3765, 4018, 4163, 4213, 4223, 4226, 4446, 4450, 4469, 4503, 4515, 4532, 4537, 4695, 5551, 5622, beste gentil et franche 3371, *le lion sauvé par Yvain et devenu son compagnon.*

LORADIN 596, *le sultan Nour-Eddin.*

LUNETE 2416, 2417, 4383, 4570, 4631, 4633, 4958, 4972, 6547, 6612, 6620, 6625, 6649, 6655, 6722, 6733, 6799, dameisele 973, 1046, 1259, 1282, 1305, 1584, 1593, 1783, 1906, 1938, 1945, 2051, 2301, 2417, 2441, 4314, 4333, 4427, 4507, 4561, pucele 1960, 3997, 6715, cheitive (une) 3558, 3567, dolante (une) 3558, *Lunete, la fidèle et dévoué suivante de Laudine.*

lyeon, lyeons, lyon, lyons, *v.* lion.

M

MARIE (SAINTE) 2489, mere (Deu) 4848, reine glorieuse del ciel et

peres 5413, *v.* home (un riche)
[*de Pesme-Aventure*].

Perse 6534.

Pesme Aventure (chastel de) 5103,
le château de la Pire Aventure.

portiers 4659, *le portier de la
maison fermée* ; portiers 5174,
5179, 5209, *le portier du château
de Pesme-Aventure.*

premiere 4723, *v.* filles [*de Noire-
Epine*].

preudome 4108, preudon 4119,
v. baron [*le beau-frère de Gau-
vain*].

prisonier 3299, *v.* ALIERS.

prodome 705, *v.* cil cui la for-
teresce estoit.

provoire (li) 1254, *prêtres.*

pucele 4824, 4885, 4911, 5173,
5447, 5808, 5814 ; dameisele
4924, 5726, 5742, *la pucelle qui
représente la fille cadette de la
Noire-Epine à la recherche
d'Yvain.*

pucele 225, 253, 782, *v.* dameisele,
fille de l'hôte de Calogrenant ;
pucele 1960, 3997, 6715, *v.*
LUNETE ; pucele 3952, 4041,
4054, *v.* niece [*de Gauvain*] ;
pucele 5359, 5426, 5720, *v.* fille
au seignor [*de Pesme-Aventure*].

puceles 4741, 4766, 5822, 5870,
5904, 5915, 5919, 5934, 6440, *v.*
filles [*de Noire-Epine*] ; puceles
4691, *v.* filles [*de la famille qui
soigne Yvain*] ; puceles 5188,
5251, 5277, *v.* cheitives.

Q

QUALOGRENANT, *v.* CALOGRENANT.
QUES, *v.* KEX.

R

reïne 50, 62, 87, 131, 613, 656,
657, 3700, 3919, 4734, *v.* GA-
NIEVRE ; reine del ciel, 4058-59,
4067, *v.* MARIE (SAINTE).

roi(s), *v.* ARTUS ; rois de l'Isle as
puceles 5251, roi 5269, 5273,
sire 5264, *le maître et l'exploiteur
des 300 prisonnières.*

ROLANZ 3232, *Roland.*

Rome (empire de) 6074, Rome
(emperriz de) 2066.

Roncevax 3233, *Roncevaux.*

S

SAGREMORS 54, *chevalier de la
Table ronde* ; Sagremors le
desrecz *dans Erec.*

Saint Jehan (la feste) 2752, saint
Johan (la) 2576, *fête de la
Saint-Jean.*

sainz (toz) 2532, 4849, sainz (li)
6643, *les saints.*

saintes (totes) 4849, *les saintes.*

SALVEOR, *v.* DAMEDEU.

seignor de la maison 5007, seignor
4664, 4693, sire(s) 4679, 5014,
*le maître de maison de la famille
qui soigne Yvain.*

seignor 129, 2360, *v.* ARTUS ; sei-
gnor 754, 3421, 3447, 3501,
3508, 4214, 4574, 5524, 5529,
6451, 6485, *v.* YVAIN ; seignor
1058, 1162, 1208, 1228, 1233,
1241, 1367, 1434, 1605, 1679,
1710, 2000, *v.* ESCLADOS LE
Ros ; seignor 3827, 4028, 4267,
v. baron [*le beau-frère de Gau-
vain*] ; seignor 5405, *v.* home
(un riche) [*de Pesme-Aventure*].

1303, 1900, Y. 2697, 3628,
.Y. (mes sire) 2473, 2581, 2627,
2641, 2685, 2744, 2902, 3148,
3298, 3312, 3337, 3349, 3398,
3520, 3745, 3764, 3779, 3824,
3934, 3973, 4129, 4188, 4200,
4230, 4320, 4380, 4535, 4981,
5122, 5131, 5182, 5207, 5333,
5354, 5393, 5447, 5451, 5542,
5620, 5643, 5765, 5804, 6221,
6345, 6444, 6456, 6501, 6665,
6679, 6721, 6748, 6767, 6789,
.Y. (mon seignor) 2429, 2485,
3103, 3128, 6329, chevalier au
lyeon 5815, 5914, 6635, 6706,
6804, chevaliers au lyeons 6481,
chevalier(s) au lyon 4285,
4607, 4744, 4810, ami 2424,

amis 6342, chevalier(s) 1794,
1802, 1857, 2050, 2116, 4591,
4936, 5011, 5108, 5930, 5940,
5944, 6717, conpaignon 2424,
3501, 6328, 6466, fil(z) au roi
Urïen 2124, 3625, fil de roi
2050, forsené 2985, home (franc)
2921, 3966, ome forsené 2874,
ome nu 2888, oste 1907, 3818,
3958, 5407, seignor 754, 3421,
3447, 3501, 4214, 4574, 5524,
5529, 6451, 6485, seignor (boen)
3508, sire(s) 4538, 6677, vasal
3118, le mançongier, le guileor,
le desleal, le tricheor 2721-22,
*Yvain, chevalier de la Table
ronde, fils du roi Urien et second
époux de Laudine.*

GLOSSAIRE [1]

A

abelissent 5224, *plaisent.*

abessiee 20, *diminuée.*

aborré 598, *rembourré.*

acointance 2397, *réunion.*

acointe 4818, 4819, *ami.*

acoison 4596, *grief.*

acoisonee 1917, *querellée, disputée.*

acoré 1482, *navré*, acorees 5205, *épuisées, abattues.*

acoste 3510, *appuie.*

acoster (soi) 5050, *se mettre à côté de.*

acoter 5362, *acouder.*

adesa 4229, *atteignit* ; adesast 6051, *touchât* ; adoise 2464, *s'attache à* ; adoise 919, adoist 5671, *touche.*

aers 304, *collé à.*

afeire 5715, *besoins, nécessités* ;

afeires (toz ses) 5947, *tout ce qui le concerne.*

afeitiee 239, afeitiez 4421, *adroit. avisé.*

afolé 6364, *p.pa.* afost 3787, *subj. pr. de* afoler, *blesser.*

afreinne 4343, *tient au frein.*

alainne 4860, *son (du cor).*

alasche 3170, *abandonne.*

alemele 4236, *lame.*

aloser 5090, *tirer gloire* ; alosez 1857, *renommé.*

amenteü 39, *cité, rappelé.*

amerres 2725, *amoureux, amant.*

ametoient 4318, *impf.* 6, *imputaient* ; amist 3669, *pa.* 3 *accusa de* ametre.

amoronge 5388, *soucieuse d'amour (formation obsolète et peut-être plaisante).*

anbarré 6114 *p. pa.,* anbarrent 5576, *pr.* 6 *de* anbarrer, *enfoncer.*

---

1. On recherchera à em-, en-, les mots qu'on ne trouvera pas à am-, an-, et réciproquement.

Les abréviations placées après les numéros de vers doivent être entendues ainsi qu'il suit : adj. adjectif, adv. adverbe, cond. conditionnel, excl. exclamation, f. féminin, fut. futur, impér. impératif, impers. impersonnel, impf. imparfait, inf. infinitif, n. crit. note critique, p. personne, pa. ou pas. passé, pl. pluriel, p. pa. participe passé, p. pr. participe présent, pr. présent, prép. préposition, sb. substantif, subj. subjonctif, v. voir.

Les personnes du verbe sont numérotées de 1 à 6.

anbaussemé 2630, *embaumé.*

anbricona 3917, *trompa, mal conseilla.*

anbrunchier 4211, *baisser le nez*; anbrunchent (s') 5201, *baissent le visage.*

anbuingnent 842, *bossèlent.*

anemis 1220, *démons.*

anfantosmee 1221, *encorcelée.*

anfueent 1248, *enfouissent.*

angoissier (soi) 4475, *se mettre dans l'embarras.*

angroist 2784, *est pénible.*

anhatine 4700, *attaque.*

an preu 3163, *premièrement.*

anprise 4825, *commencée*; anprist 4824, *se mit en route.*

anrievre 6167, *obstinée.*

antasche 3169, *s'essaye.*

antesa 4230, *ajusta son coup.*

antesté 6246, *fatigué de la tête.*

antiers 662, 4348, *absolu, achevé.*

antret 4992, 6491, *onguent.*

apointe 3493, *pique.*

aquialt (s') 5172, *pr.* 3, *se dirige*; aquiaus 5133, *pr.* 2, *tu te prends*; *de* aqueudre.

aquit 5707, *libère.*

araumant 3165, *aussitôt, rapidement.*

arbaleste 914, *ressort du piège.*

archal 5511, *fil d'archal.*

arees 2809, *cultures.*

aresne 6104, *interpelle.*

armes 2245, *armure.*

arramie 4393, *engagée.*

artuel 2997, *orteil.*

asailli 5116, *p. pa.,* asauz 5133, *pr.* 2 *de* assalir, *attaquer.*

asproie 4238, *presse.*

ataïne 132, *attaque.*

atropelerent (s') 9, *se groupèrent.*

avere 4408, *avare.*

avileni 6471, *traité en vilain.*

aville 4134, *avilit.*

B

barbaquane 4871, *défense avancée (d'une fortification).*

basme 1403, *baume.*

baucent 2709, *à balzanes.*

bolent 6203, *pr.* 6, *bouillonnent.*

bousoit 4088, *poussait, piquait ?*

boz 425, *outre (percé ou creux comme une).*

boz 4097, *crapaud.*

braons 4220, *muscles.*

brete 1584, *maligne.*

bretesche 189, 193, *bretèche, fortification avancée.*

broche 6036, *pique.*

buire 2872, *cruche.*

C

cerceles 3191, *sarcelles.*

chaeles 3692, *certes !*

chaillot 3457, *caillou.*

chanpcheüz 6404, *vaincu en combat.*

charbonee 4209, *grillade.*

chas 6027, *corps de bâtiment.*

chaude (une) 6129, *une prise.*

cheitive 3558, 3567, *captive.*

chetel 6254, *capital.*

chosent 5144, *cherchent querelle.*

cielee 964, *ornée.*

cisemus 1115, *rat des champs.*

clef 919, *clé du mécanisme.*

clochoient 4094, *clochaient (en parlant de chevaux).*

coche (en) 6035, *prêt à l'action.*

çoche 290, *souche.*

colanz 3492, *glissante*; 3633, *à coulisse.*

conparé 6772, *payé*; conparer 772, 6773, *payer.*

conpas (droit) 929, *mesure exacte.*

conseillié 1896, *dit en secret.*

consirrer 3115, *ne pas se soucier.*

çopa 3093, *achoppa.*

corjon (ploier) 5910, *faire des manœuvres.*

cornelier 5509, *cornouiller.*

cors (venir le) 4192, *venir en courant.*

costoiant 4909, *p. pr.* costoie 4099, *pr.* 3 *de* costoier, *accompagner.*

covant 16, *ordre* ; 1168, *couvent.*

creante 3300, *volonté.*

crieme 5582, 6422, *crainte.*

cuiriee 4245, *curée.*

cusançon 1334, 1738, 4714, 5047, *suspicion, soupçon.*

cusançoneus 700, *désireux, inquiet.*

D

dahait 5749, *maudit soit.*

deablie 1202, 5462, *diablerie.*

decoste 3957, *à côté.*

deduire 3738, *se réjouir.*

definaille 2232, *résultat final.*

degroces 5135, *pr. 2, fâches, grognes.*

dehachiez 827, *mis en morceaux.*

delez 2452, *à côté de.*

delivre (a) 832, *librement, avec facilité.*

demantres 1903, *tandis que, cependant que.*

demince 3377, *décharne.*

deniers (quatre) de la livre 5302, *le tiers d'un sou, c'est-à-dire seulement le soixantième d'une livre.*

depandent 829, *pendent détachés.*

desabelist 5225, *déplaît.*

desapert 5879, *évident.*

deshcite (se) 3324, 4552, *se chagrine* ; deshcite 3812, deshet 5058, deshete 5664, *fâche, chagrine.*

desjuglé 1078, desjuglee 6054, *trompé(e).*

deslicent 821, *mettent en pièces.*

desprisonees 5768, *délivrées.*

desrcer (soi) 1323, 4474, *se déranger.*

desrenc (se) 1759, *discute, s'excuse* ; desresnié 5897, desresniee 5938 *p. pa.,* desrenier 4792, 5070, 5080, 5881, 5896, *inf., défendre.*

desroi 4833, *abondance.*

dessinent 1472, *déplaisent.*

destinent 5794, *présagent.*

devulte (se) 4530, *se retourne.*

diait (se) 4559, *a du mal, souffre.*

dongier (a grant) 5298, *avec grande difficulté.*

dousisse 6235, *subj. impf.* 1 *de* doloir, *avoir de la peine.*

droiturier 5909, *dire le droit.*

E

e non Deu 1813, *au nom de Dieu.*

einçois 43, *plus tôt, plus rapidement.*

enarmes 2246, *poignées de l'écu.*

enhatine 4249, *excitation.*

enjornee 4023, *début du jour.*

enpris 6234, *p. pa. de* emprendre, *entreprendre.*

entrelardez 4231, *mis dans la chair.*

entremist (s') 5025, *s'occupât.*

entrepRist 2302, *se trompa, s'embarrassa.*

esboelent 3263, *éventrent.*

escamonie 616, *scammonée, substance amère, amertume.*

escarlate, 231, 1886, 4733, 5423, *drap de soie.*

eschames 1145, *escabeaux.*

eschape 918, *se déclenche.*

eschevi 6628, *accompli, réalisé.*

eschevir (l') 6626, *l'accomplissement.*

escloz 5017, *traces, empreintes de pas.*

escorce 1028, 1037, 4216, *écorce.*

escremie 5615, 5991, *escrime.*

escremir 5519, *l'escrime.*

escrin 2960, 4627, *coffret.*

escrite 96, *inscrite.*

esfrois 4240, *fracas.*

esgrunent 6116, *se défont.*

eslais 5029, *allure* ; d'eslés *(lancer)* 905, *d'un élan.*

espans 4925, *souci.*

esparz 442, éclair.

espee 916, *pointe acérée.*

esperon 713, *étourneau.*

espert 6263, *pr.* 3 *de* esperir, *s'éveiller.*

espiaut (ce qu') 4610, *qu'est-ce qui explique ?*

espont (s') 105, *prend la parole, riposte.*

esposa (t') 2768, *pris pour femme.*

essart 277, 708, 793, 3344, 4788, *espace défriché.*

essartoit 2833, *défrichait.*

essille (s') 706, *s'efforce.*

essoine 2213, 2511, 2592, 2596, 2600, 5715, *m., difficulté.*

essomez 2282, *accablé.*

estanchent 3261, *s'épuisent.*

estoisent (s') 6217, *subj pr.* 6 *de* soi ester, *tenir.*

estolz 2082, 4130, estout 1638, *fou.*

estros (a) 5307, *complètement.*

F

faesons 3588, *sort, destinée.*

faut 4225, *manque son coup.*

felon (cop) 866, *mauvais coup.*

ferme 4658, *fermée.*

feüz 5666, *mort.*

fisicïen 6494, *médecin.*

flati 6265, *jeta.*

fleir 3423, *odeur.*

fondelmant 2223, *à verse.*

fondre 6529, 6531, *s'enfoncer.*

forferai rien 6779, *ferai aucun tort.*

forfet 915, *entreprise scélérate.*

forfet 6775, *adj., fautif.*

forsenez 3518, *furieux.*

foudroier 6510, *tomber la foudre.*

freteles 2355, *flûtes.*

froia 2998, froie 2996, froiees 599, froit 2964, *de* froier, *frotter, frictionner.*

G

gaaint 5309, *subj. pr.* 3 *de* gaaigner.

galesche 190, *galloise (lieue).*

garçonaille 4110, *valetaille.*

garlendesche 2364, *diadème.*

gaudine 3338, *forêt.*

gaut 3339, *bois.*

gengles 1128, *plaisanteries, farces.*

grant (an) 2110, 3222, *en grand désir.*

grausle 776, *pr.* 3, *grêle.*

gres 837, *pierre, rocher de grès.*

groignices 6139, *coups sur la face.*

guerredoner 6687, *récompenser.*

guete 4876, 4878, *guetteur.*

guiges 826, *bretelle de suspension de l'écu.*

guile 2724, 6609, *tromperie.*

guilee 2723, *trompée.*

guileor 2721, *trompeur.*

H

harigot 5422, *déchiqueture.*

harigotez 831, *déchiquetée.*

hie (a) 6142, *rudement.*

hoquerel 6751, *piège.*

honte (ma) covrir 527, *sauver mon amour-propre.*

I

iresse (s') 4999, *subj. pr.* 3, *se fâche, s'irrite.*

J

jaelise 4111, *prostitution.*
james 5515, *jambes.*

L

lardé 3456, 3460, 3368, *rôti.*
leidure 6096, *tort.*
lite 2740, *effort, activité.*
livreison 2881, *ration, part.*
loist 5672, *est possible, loisible.*
longe 3456, *flanc.*

M

mahaignent 4542, *font mal* ; mahaignier 5316, *blesser, faire mal* ; maheignierent 857, *blessèrent.*
maloz 117, *bourdon.*
mangonel 3771, *mangonnèau, machine pour lancer des projectiles lourds.*
mantevoir 6464, *rappeler.*
marcha 942, *frappa du pied.*
marier 1856, *prendre mari.*
masse (a) 2666, *ensemble.*
maufé 1131, 5281, maufez 4167, 5325, 5581, *démon.*
mechiez 295, *tombant én mèches.*
menaie 5680, *pouvoir.*
meri 6472, *récompensé.*
mestre (sa) 1597 ,*gouvernante.*

mimoire 3015, *mémoire, souvenir.*
mire 5169, *récompense, paye.*
mirgie 6495, *l'art médical.*
moiax 4068, *centre (jaune de l'œuf).*
monte (ne vos i) 5213, *cela ne vaut rien.*
monte 6254, *revenu.*
mortax 3662, *mortel (traître).*
mot n'an fet 5652, *il ne souffle mot.*
mue 6488, *cage.*
mui (au grant) 5595, à *grande mesure.*

N

netun 5267, 5507, *démon.*
noauz (a) 4416, *pire.*
nuisemant 4444, *préjudice.*
nuitantre 1581, *nuitamment.*

O

orguelle (s') 4131, *fait le fier.*

P

paroil 5290, *pr.* 1, parost 4363 *subj.* 3, *de parler.*
passe (lor) 3214, *les dépasse.*
peonace 231, *d'un bleu paon.*
perriere 3771, *machine pour lancer des pierres.*
perron 390, 396, 714, 775, 803, 1622, etc., perrons 424, *grande et grosse pierre pouvant servir de montoir.*
Pesme aventure 5103, *Pire Aventure.*
pleidoier 1761, 1785, *discuter, débattre.*
ploige(s) 5750, 5757, *garant.*

poeilleus 4116, *pouilleux.*
poist (bien l'en) 3335, *cela lui soit pénible.*
porfanduz 940, *coupé en deux.*
porrete 2840, *légume.*
pors 399, 3518, *sanglier.*
postel 216, *potelet.*
praelet 237, *prairie.*
preu (an) 3163, *v.* an preu.
puceles 5251, *jeunes filles.*
putage 4120, *prostitution.*

Q

quace 6123, *s'étend.*
quachez 1265, *cachettes.*
quamois 2251, *garniture de la lance assurant la prise.*
querone 6353, *couronne du vainqueur.*
qui'n 6190, *qui en.*
quintainne 4478, *mannequin pour l'escrime.*

R

randon (de) 880, en un randon 3948, *à la suite.*
ranpone 645 *pr.* 3, *parle mal de.*
ranpones 894, 1356, 1358, ranposnes 630, *mauvais propos.*
ranponeus 69, *malveillant.*
ranposnes 630, *v.* ranpones.
raseüre 5687, *pr.* 3, *donne de sa part la même sûreté.*
rebouchant (se vont) 6116, *perdent le fil.*
rechingne 648, *montre les dents.*
recontoient 12, reconter 33, *conter, rapporter.*
redois 4095, *blessé.*
reforsena 3486, *redevint fou.*
reguingne (se) 647, *grince des dents.*

repaires 6019, *abri, logement.*
repruevent (se) 4688, *font preuve de la même bonne volonté.*
rescoe 5528, *subj.* 3 *de* rescorre, *secourir.*
rescondire 6745, *nier.*
resnable 6572, *raisonnable.*
respassé 4581, *reposé* ; respassez 3014, *remis en état.*
ret 5651, *coupe au ras.*
retee 4405 *accusée.*
reverchant 1144, 1383, 5598, *retournant* ; reverchié 1187, reverchiez 1265, *retourné.*
rez 4334, 4975, *bûcher.*
roi 546, *chemin, direction à prendre.*
rost (an) 1048, 3459, *en rôti.*
rote 5355, *compagnie, compagnons.*
ruer 4321, *jeter.*
ruiste 3271, *rude.*

S

sagemant 933, *avec les précautions requises.*
saillent 2357, *sautent.*
sailleor 2357, *sauteurs.*
sauvage (dameisele) 1624, *de la forêt.*
sejorne 3136, *pr.* 3, sejornez 3149 *p. pa. de* sejorner, *reposer, mettre en bon état.*
serre 4627, *serrure.*
setiers 2849, 3004, *setier, mesure de grains* ; setier (au grant) 5594, *à grande mesure.*
siudre 550, 552, *suivre.*
sofreite 4373, *besoin.*
sormainnent 4502 *pr.* 6, sormaint 6097, *sbj. pr.* 3 *de* sormener, *malmener* ; sormoinne (se) 1323, *s'agite.*
sospeçon 108, *inquiétude, émoi.*
souduite 2727, *séduite.*

sovant et menu 4115, *à nombreuse reprise.*

sovine (gole) 4250, *la face en l'air.*

suiest 6599, *sbj. impf. 3 de sivre, poursuivre.*

suil 5605, *seuil.*

T

tabor 2355, *tambours.*

tai(s) 4841, 5030, *boue.*

taille 5284, *impôt, tribut.*

tanrun 4523, *muscle, tendon.*

tapissent (se) 5864, *se cachent.*

tire (a) 2371, *l'un après l'autre.*

tistrons 5292, *fut. 4 de tisser.*

toauz 1179, *groupe de gens* ; tooil 1189, *remue-ménage.*

tooille (se) 4529, *se débat.*

toons 117, *taon.*

torbeillons 2806, *vertige.*

torche pot 4117, *souillon de cuisine.*

torneboele 2258, *culbute.*

tost 4364, *pr. 3 de toldre, enlever.*

toz 6531, *d'une seule pièce.*

trabuchet 922, *supports instables.*

tracent 1267, *p. pr.,* tracié 5036, *p. pa. de tracier, suivre à la trace.*

tremüé 1187, *remué.*

tribolé 1249, *farfouillé, remué.*

tympre 2355, *timbales.*

U

une (l'en ra ... donée) 4210, *un coup.*

V

vant 3423, 3437, *fumet.*

vavasors 209, 217, 246, 255, 780, 4042, *vassal de condition inférieure.*

voir (par mi le) 527, 1707, *en toute vérité.*

volz 5514, vout 4820, 5226, *face, visage.*

INDEX DES MOTS RELATIFS
A LA CIVILISATION ET AUX MŒURS [1]

I. Vie Matérielle.

A. — *Alimentation.*

Aliments et boissons. — Avoinne 5352, bresches 1360, chapon 1048, çucre 1360, 1406, grape 1049, levain 2880, miel 1405, orge 2880, os 3471, pain 2840, 2845, 2849, 2852, 2879, 2882, 5298, pein 2872, 3463, p. aspre 2847, p. fort 2846, porrete, soigle 2880, veneison 2871, 2876, 2882, v. crue 2828, viande 5304 ; aigue 2877, eve 2854, 2872, vin 1049, 3463.

Compléments tirés du texte de Lancelot. — Pain d'orge dur 6617 ; eve troble 6617, moré, vin (fort) blanc 991.

Préparation des aliments, repas et service. — Boivre 1054-55, 2875, 3444, broche 3459, chacier (fains) 3200, charbonee, cuire 2871, 3460, cuiz 3461, engressier 3478, escorchier 3452, 3454, lardé, mangier (v.) 1054, 1055, 2827, 2855, 3453, 3465, 3468, 3471, (sb.) 2850, 3462, 5432, aporter a m. 1044, avoir a m. 2875, 5297, offrir a m. 1051, aprés m. 8, 254, 590, 595, 2183, mes 5433, 5435, mordre 2845, pasture

---

1. Ainsi que nous l'avons indiqué à la fin de notre édition de *Lancelot*, nous nous sommes décidés à ne pas joindre au *Chevalier de la Charrete* un *Index des mots de civilisation.* Le vocabulaire de *Lancelot* et celui d'*Yvain* étant assez voisins, nous nous contentons de donner ici un *Index des Mots* pour *Yvain* en y ajoutant les mots de même nature non attestés ou peu employés dans *Yvain*, mais qui se trouvent dans *Lancelot.* C'est le sens des additions que nous avons faites avec la mention *Compl. Lancelot.*

Naturellement les mots d'*Yvain* non accompagnés de références sont l'objet d'une explication dans le glossaire de ce texte et il en est de même pour les mots de *Lancelot.*

flamboianz (rubis) 427, jagonce 6130, pierre 103., 2604, pierres precieuses 1891, rubiz 426, 2365, yvoire 3016.

Complément Lancelot. — Argent doré 989, argenz 6994, escharboncles, estelé (d'or) 507, ivoire 1351, i. doré 1351, jame, or 1493, 1652, 7057, or (bande d') 5774, or fin 113, 1488, 6996, pailes, sardines.

COULEURS. — Colors 966 ; bis 3457, blanche 3498, 5415, greinne 2971, noir 713, 2709, 2976, 5932, peonace, rosse 303, rous 302, veir 2970, 4361, 5423, vermauz 427, 1180, vermoil 1190, 1886, 1950, 4530, vert 2522.

Complément Lancelot. — Blanc 518, 1197, 3613, 4742, blanche 997, 1146, 2908, 3022, 4575, fauve 2782, ferrant, jaune 506, sinople.

C. — *Habitation.*

AGGLOMÉRATIONS ET ASSEMBLÉES. — Bande 701, borc 3889, fole 1091, ost 1262, 1394, presse 1091, 1341, 2370, 4331, pueples 5988, rote 4684, toauz, vile 1280, 2689, 2691, 4788.

Compl. Lancelot. — Cité 6235.

TYPES ET CONDITIONS D'HABITATION. — Anclose 338, anserrer 5563, borde 3775, chastel 508, 877, 901, 2105, 2315, 2340, 2351, 2477, 2952, 3073, 3101, 3139, 3142, 3181, 3193, 3295, 3770, 3797, 3828, 3882, 4028, 4788, 4873, 4932, 5103, 5106, 5222, 5264, 5461, 5471, 5482, 5766, 5772, 5837, 5857, 5859, 6530, 6541, 6552, 6709, encloer 5561, estable 4676, establer 268, 5348, garder 1731, 1910, 3631, giste 670, herbergier 257, 259, 2306, 4668, 4685, 5151, 5346, soi h. 1393, 3451, 5868, herbergié 2308, herbergiez 5393, 5404, soi logier 1408, meison 220, 504, 571, 1713, 2321, 2831, 2842, 3308, 3775, 3828, 3867, 4657, 4927, 5003, 5007, 5344, 5459, 6540, m. fort 701, meisonete 2839, menoir 2638, mue, oste 6040 *et cf.* IV, *A*, RELATIONS, ostel 202, 261, 276, 561, 725, 792, 1384, 1389, 2339, 2813, 3044, 3081, 3759, 3761, 3790, 3810, 3949, 4664, 4851, 4856, 4883, 4888, 4903, 5110, 5150, 5161, 5326, 5831, 5856, 5862, 6018, 6021, 6584, ostelez 267, palés 906, paveillon 2690, 2710, 2716, 2805, recet 3273, 3767, 3779, 5810, repaires, a sejor (estre) 3079, sejorner 3805, 4260, sejornez 3149, tantes 2805.

Compl. Lancelot. — Antassez 6240, avenant (maison) 2036, buiron, clos a la reonde 969, destor 6494, herberjage 977, loges 5523, 5581, 5584, 5595, 5641, 5766, 5803, 5882, 5899, repeirier 5087, 6652, repostaille 6494, taverne 5538, trez 5523.

PARTIES DE L'HABITATION. — Chanbre 47, 53, 650, 1047, 1259, 1729, 1954, 1962, 2756, 3951, 4011, 4024, 4686, 5571, 5589, 6028, 6031, chanbrete 970, 1583, 5560, chas, cielee (sale) a clos dorez 964, cort 207, 209, 221, engles 1127, gres 837, loges 6028, 6033, meisieres pointes

965, parc 2817, plain 4106, plessié 2980, 4967, pont 195, 208, 878, 3091,
3781, 4140, 4160, 4869, porpris 340, porte 208, 732, 879, 900, 906-07,
912, 1089, 1094, 1118, 3786, 4106, 4590, 4656, 4669, 4880, 4907, 5005,
5172, 5208, 5734, 6553, p. colanz, posteïs 1611, quachez, rues 904, 1579,
2345, 2349, 6711, sale 963, 1067, 1133, 1178, 1591, 2043, 2056, 2072,
3631, 5184, 5341, tor 511, 3180, 4739, 5123, 6532.

Compl. Lancelot. — Degrez 68, 5903, 5906, 6451, entree 1087, 2316,
6138, enuble (sale), eschiele, espresse (tor) 6129, estable 6955-56, fon-
taine, forz (tor) 6129, issue 2327, lee (tor) 6129, 6446, place 3510, 3516,
pleniere (sale) 975, porte colant 2331, veissiax, vergier 4511, 4569,
4573.

ÉLÉMENTS ET MATÉRIAUX DE CONSTRUCTION. — Abcissier (ponz) 878,
clos de mur 3768-69, es 3887, esrese 3773, fenestre 1112, 1117, 1272,
1283, 1286, 1421, 1428, 1520, 2843, 2873, f. ferrees 1117, fust 514,
huis 971, 1096, 1112, *v.* uis, marbres 381, metre par terre 3309, mur 238,
511, 3258, 3561, 3769, 3888, 4871, 4877, 6532, 6536, 6553, paroiz 1134,
pavemant 2344, pertuis 1272, pex 5186-87, pierre 514, 3259, postel,
refeire nueves (meisons) 3308, suel 5623, suil, toit 2857, trabuchet,
uis 53, 975, 4021, 5234, *v.* huis.

Compl. Lancelot. — Ais 5939, barrer (les huis) 6133, barré (huis) 2356,
basse (posterne) 2357, b. (fenestre) 4647, bastir 1768, charpanter (pont)
3045, charpantiers 6113, cheoiz (murs) 6935, coverte de tiules (sale)
982, faute 6930 (*v.* pertuis), fer(s) 4585, 4600, 4602, 4608, 4630, 4636,
4639, 4710, 4715, 4728, ferree (fenestre) 4585, ferreüre, fers (*adj.*),
fonder (tor) 6130, fonduz (murs) 6934, fossé 2319, fraite, lates, leisarde
3122, maçons 6113, 6134, marbrine, merrien, overt (uis) 983, 1063,
4254, 5566, paroi 1175, pertuis 6559, 6610, 6930, pié (de pont) 3007,
piece del mur 4572, planche, pont torneïz 979, posterne, serrez (huis)
6364, tissuz (murs) 6328, tiules 982, tuiax, usez (murs) 6934, tranchanz
(fers) 4639.

TENTURES ET COUCHES. — Aparoil 2347, colchier 2870, 5437, colchiez
5439, cortines 2349, couche 4651, coute 1041, 1950, drap de soie 2342,
lit 1040, 1066, 1073, 1135, 1137, 1145, 5085, 5439, litiere 4649, 5353,
paremant 2343, tapiz 2344.

Compl. Lancelot. — Ancortinee, aspres (coutes) 1199, atorner *(lits)*
2981, chanve (drap de) 5532, chape 4545, couche 1199, 1201, 6661,
covertor(s) 507, 511, 518, 522, 1200, coverture 4544, delié (drap) 1197,
diaspres, drap 518, 523, 1196, 4700, 4740, 4748, 4753, 4769, 4772, 4777,
4793, 4820, 4824, 4832, 4872, 4925, 5532, esmïé, fuerre 1198, glui, gros
(drap) 5532, hauciez (lit) 504, lé (drap) 1197, nates 513, paille 513, samit
506, tanve 5531.

MEUBLES, USTENSILES, PRODUITS ET TRAVAUX MÉNAGERS. — Aguille
5416, alumer 2525, s'alumer 1779, arbaleste 914, ardanz (breise) 812,

ardoir 2522, 3346, atiser 1782, bacin 386, 395, 419, 438, 715, 804, 2221, banc 2072, bans 1073, 1135, baston 5509, 5665, boiste 2961, 2988, 3006, 3087, 3092, 3095, 3104, 3127, boz, breise 812, buire, busche 2522, 3458, cendre 1402, 4401, 6763, chaainne 387, chalor 2523, chandoiles 3243, charbons 4401, cierges 3243, clef 4626, 4880, cofre 5415, cordes 4092, corjon 5910, corgiees 4101, coutel 3464, eschames, escrin, esprendre (feu) 3458, feu 1780, 2194, 3141, 3356, 3457, 3460, 6763, fil 5416, flame 1781, 3347, 3362, fuerre 3406, fumer (feus) 1780, maloz, martel 215, nape 1050, 3464, neuz 4101, ole 3364, pailles 4519, pot 1050, 2854, serre, sesche (buche) 3458, soufler (flame) 1782, suie 1405, table 212, 215.

Compl. Lancelot. — Alumer (chandoiles) 2558, 2559, ardant 1017, 4563, chandeliers 988, chandoile(s) 987, 1016, 2558, 4562, corde 6614, dois, engin 6609, fust 3166, 5581, henap 989, lanpe 4563, lanterne 4563, perches 5113, pic quarré 6620, table 41, 2561, 4178, tablier, tapiz 6757, 6762, tortices (chandoiles), verge 349.

D. *Communications et transports.*

CHEMINS, VOYAGES, COURSES. — S'anbatre 932, asener 5604, soi avoier 5802, chauciee 4858, 4859, 4865, chemin 757, 4929, 4980, 4983, chemins 4839, cheminer 3337, cors 1362, desvoier 378, errer (*v.*) 5806, 5836, (*sb.*) 4931, escloz, esgarer 771, oirre 2480, pas 377, 3147, 3161, 3183, gaster ses p. 4722, au passer 3090, a pié 860, pont *v.* I, C, CONSTRUCTION, soi racheminer 5805, soi ravoier 3009, roi, santier 183, 375, 699, 768, 932, 4902, s. batuz 931, voie 183, 205, 376, 379, 409, 795, 2315, 3407, 3412, 3778, 4311, 4916, 4932, 5031, 5154, 5809, anprendre la v. 4824-25, feire v. 4337, gaster sa v. 4722, soi metre a la v. 3320, 6618, tenir v. 3100, 4720.

Compl. Lancelot. — Soi acheminer 2999, 5048, adresce 1501, avaler (pont) 979, avalé (estre) 6976, chemin (droit) 615, 1345, 3003, droiz ch. batuz 1379, tenir son ch. 2015, ch. ferré 603, cheminer 3003, estrece, grevainne (voie), nagier, oirre 3952, passage 655, 691, 750, 881, 978, 2161, 5098, *etc.*, a pié 317, 345, 2387, 2698, poindre 2220, 2681, pont *v.* CONSTRUCTION, port 1571, 1573, quarrefor 606, rue 335, 407, trespas, trespasser 3094, voie delivre 4612, droite v. 680, 685, v. plainne 1614, 2282, torner v. 6416.

MONTURES ET ATTELAGES ; ÉQUITATION ; VÉHICULES. — Afreinne, alant tost 2229, aler lant 2148, aleüre (grant) 935, anblant 3055, a. (soef) 6653, anbler 5028, anbleüre 5027, brocher 6036, a cheval 859, chevalchier 185, 4096, 4972, 5101, chevalchiee 2178, çoper, descendre 2261, 2378, 2379, 4665, 4672, 6303, 6664, d. del cheval a pié 6268, soi esforcier 2149, eslais, esleissiez 877, a esperon 900, esperoner 881, 2149, 4868, 6036, galoper 5030, galos 2227, 5026, toz les g. 754, monter (*v.*) 485, 2241, 2314, 3039, 3083, (*sb.*) 2625, pas (tot le) 733, remonter 2911,

Compl. Lancelot. — Abrivé, en anblee, anbler 1805, 2788, 5351, soi a. 5827, charreter, charretiers, charretons, destre (mener an) 256, es galos 2304, metre un cheval es g. 760, les grans g. 1544, 2786, tropiax (a grant), vuidier (seles) 5950, 7037 ; char 1470, 3065, charrete, corgiee, limons 346 ; nef 2630.

HARNACHEMENT ET PANSAGE. — Anfrenez 2622, anseler 4965, apareilliez 2622, arçon 937, cengles 4841, chevoistre 2502, clos 753, esperons 951, 1125, estrié 199, 2376, ferrer 736, fers 753. frain 2271, 2502, 4345, hernois 758, resne 4662, restraindre 484, sele 1122, 2257, metre s. 727.

Compl. Lancelot. — Anseler 243, 246, 1326, 3304, arçon 265, 1427, 3602, 4289, cengle 3599, 7035, conreer, coverz de fer 3539, estriviere 263, metre frains 243, hantier, lorain, oster les seles 2530, peitrax 3599, 5809, 7035, regnes 260, resne 805, 1568, 3600, sele 264, 1427, 1652, 1979, 2530, 2653, 4289, 5981, 3601, 7037, varengle.

CARACTÈRES, EMPLOI ET COMPORTEMENT DES CHEVAUX. — Baucent, destrier 4212, palefroi 733, 738, 2621, 2624, 2709, 2973, 3055, 3069, 3094, 4970, 5029, 5043, 6653, roncins 294, 4094.

Compl. Lancelot. — Braidis, corranz 5629, crenu (destrier), destrier 256, 282, 305, 2571, 2575, 3305, 5668, 5922, d. d'Espaigne 6777, irois 1662, isnel 7026, pomclez, regiber, roncin 2287, saillanz 5628, soëf portant 6391, tiranz.

MESSAGES. — Letres 1625, mander 2770, 2774, message 1005, 1897, m. (avoir) 1623, noveles 12, 2322, 2790.

Compl. Lancelot. — Entresaigne 5270, message 2253, 5638, 5895, 5905, messages *(messager)* 1520, 5225, 6108, novele vait 4157, n. vole et cort 4140-41, demander n. 5228, anquerir n. 5229, dire n. 4107, conter n. 355, savoir n. 4106, 6189-90.

II. INSTITUTIONS.

A. — *Droit.*

GÉNÉRALITÉS. — Acostumance 3577, costume 1850, 2104, 5146, 5149, 5496, droit 2007, 4327, 4436, 4438-39, 5466, 5951, 5969, 5977, 6386, 6701, avoir dr. 5882, dr. conquerre 5931, entendre au dr. 5924, estre droiz que 4460, 5898, dr. maintenir 5887, randre son dr. 373, droiture 4783, 5100, 5938, 6397, requerre dr. 495, droiturier, lois 4800, savoir les l. 6169, remaindre 2104, us 3577.

Compl. Lancelot. — Franchises, lois 4944, us 1239.

PERSONNES, FAMILLE. — Ainznee 4704, 6163, 6167, a. seror 6173, a. suer 6183, ancessors 6538, bacheler 676, cosin 749, 897, 2184, c. germains 582, dameisele 11, 703, 973, 1046, 1259, etc..., dameisiax 5694, enfanz 5367, estrange 644, 6300, estre 1795, filz 664, 1018, 1820, 2050, 2124, 3625, 3857, 3863, 3940, 4109, 4123, 4147, 4268, 4301, 4683, 5265, 5507, 6261, fille 272, 566, 705, 2154, 3848, 3865, 4110, 4133, 4253, 4269, 4683, 4693, 4703, 5405, 5470, 5475, 5482, 5489, 5498, 5692, 5695, 5710, 5738, 5748, 5751, 5760, frere 4254, 4407, 4485, gent 1804, hauz hom 2123, linage 1795, ling Abel 1816, mainsnee 6164, 6171, menor 6174, mere 664, 3957, 4012, 4253, 4848, 5363, 5429, nee (de haut parage) 4137, neveu(z) 3926, 4038, 4747, 6441, 6475, niece 3926, 3977, 4038, 4750, 6475, niés 2383, 6321, 6327, 6411, non 1795, 2416, 2417, oncle 4062, de haut parage 2125, 2448, 4137, part (de boene) 707, pere 663, 5364, 5413, pucele 11, 225, 253, 782, 1008, 1960, 2353, 2633, 3849, 3952, 3997, 4041, 4054, 4691, 4741, 4766, 4824, 4843, 4885, 4911, 5173, 5188, 5251, 5277, 5359, 5447, 5720, 5808, 5814, 5822, 5870, 5904, 5915, 5919, 5934, 6440, seror 5840, 5843, 5879, 5901, 5905, 6161, 6379, 6397, 6417, suer 3975, 4711, 4731, 4774, 5071, 5818, 5888, 5912, 5949, s. germainne 3911, 6437.

Compl. Lancelot. — Anfant 2085, espouse 6018, estrange 641, 1751, 2098, 2713, 3259, 3495, 3514, 3526, 3684, 3906, meschine 1304, meschins 5822, moiller 4387, natevité 6236, orine (pute) 35, parrastre 4035, privé 3495, sornon 4364, vaslet 2038, 2180, 2196, 2248, 2387, 2538.

MARIAGE. — Afier 2068, dame 2668, 5695, 6436, 6597, 6603, 6677, 6795, espos 6748, espouser 2070, 2157, esposer fame 5740, fame 2169, 2488, 2492, 2497, 2544, 3314, 3911, 3912, 5696, 6434, 6435, f. (panre a) 3314-15, mari 2045, m. (prandre a) 2428-29, mariage 2136, 5712, mariee 2067, 5498, mariez 2168, marier, soi m. 2090, 2490, noces 2157, 2172, noçoïer 3315, de nue main 2069, a per 5482, prendre dame 2063, 3249, pr. seignor 2103, seignor 1162, 1208, 1228, 1233, 1241, 1367, 1434, 1533, 1605, 1610, 1679, 1710, 1812, 1814, 2000, 2049, 2101, 2103, 3647, seinors 5470, sire 1236, 1663, 1685, 1763, 1973, 2002, 2093, 6677.

BIENS. — Avoir 3120, 4050, 5710, biens 2553, chetel 6254, choses 3529, deshereter 5071, 5840, deseriter 6380, 6385, deseritee 5078, 5811, garantir 1739, heritage 4779, 5080, 5819, 5899, 6418, 6429, mien 3852, 4775, suen 4048, vostre 2276.

B. — *Organisation.*

POLITIQUE ET FÉODALE. — Baillie 1229, baron 653, 676, 2041, 2150, 2798, 3767, 6309, chevalerie 2407, chevalier 9, 40, 58, 177, 358, 407, 479, 482, 520, 536, 538, 550, 813, 838, 863, 865, 933, 958, 1009, 1057, 1291, 1294, 1412, 1634, 1662, 1698, 1794, 1802, 1857, 1963, 2050, 2057, 2116, 2292, 2305, 2402, 2437, 2613, 2634, 2688, 2695, 2813, 2918, 3140, 3152, 3154, 3165, 3201, 3334, 3677, 3683, 3701, 3705, 3799, 3857, 3913,

DOMESTIQUE ET POPULAIRE. — Chanberiere 1632, garçon 1829, 2818, 2321, garçons 3866, 4114, 4138, garçonaille, gent 985, 1848, 1879, 2043, 2144, 2320, 2640, 2810, mesniee 726, 2177, 2887, 4670, 5937, mestre, païsanz 174, portiers 4659, 5174, 5179, 5209, ribaut 4117, rote 2317, 2336, 5355, torchepot, vaslet 3780.

Compl. Lancelot. — Ancele, comun des genz 4056, garnemant 5536, garz 5565, servir 41, 87, 90, 92, *etc.*, servise 101, vaslet 446, 998, 2652, 4960, 5241, 5248, 5860, 6766.

C. — *Mesures, Affaires.*

MESURE DU TEMPS. — An 173, 2091, 2106, 2575, 2674-75, 2679, 2747, 2751, 3523, 3656, 5270, 5276, 5368, l'andemain 793, 2154, 3821, 5835, anquenuit 610, 1840, 4883, aost 2681, avant ier 4901, demain 602, 1573, 1825, 1847, 2070, 3600, 3621, 3861, 3870, 3984, 3990, 4023, 4917, 4996, d. au soir 1832, 1836, enjornee, enuit 602, 1573, 1825, 4884, hore 3116, hui 2070, 4996, 5885, 6319, 6580, h. mes 2218, huitaves 2577, iver 385, jor 184, 1835, 1841, 2133, 2135, 2156, 2576-77, 2579, 2665, 2757, 2761, 2765, 2864, 3685, 4694, 4706, 4734, 4740, 4797, 4887, 5282, 5315, 5807, 5848, 5853, 5865-66, 5885, 5895, 6199, 6319, en un jor 1827, jusqu'a tierz j. 696, 1846, jusqu'a quint j. 1823, jornees 1839, main (au) 3479, 5299, 5442, matin 5444, par m. 1787, matinee 2408, midi 411, 3823, 3944, 3990, 4295, mois 2278, none basse 5884, nuit 211, 245, 267, 561, 569, 670, 777, 791, 1841, 2759, 3481, 3761, 4830, 4836, 4838, 4844, 4850, 5314, 5432, 5436, 5831, 5857, 6199, 6214, 6229, tote n. 1736, nuitantre, ore 247, 652, 2138, 4297, 5883, prime 4027, quinzaine 666, 2087, 3078, 3483, 5838, 5849, respit 2753, 4030, 4805, seison 2763, semainne 1621, 2469, 2481, 5305, 5807, de s. 1576, soir 269, 5299, tans 2757, 2763, t. (user le) 2468, estre t. et ore de 247, terme 1834, 2569, 2583, le t. puis que 256, trespasser le t. 2568-69, termine 2565, tierce 410, vespree 3482, voille 2173, 2683.

Compl. Lancelot. — Anel (feite), anjornee, anjorner (sb.) 2982, anserir (sb.) 5660, antretant 1673, anuitié (estre) 4541, aube (l') crieve 1281, chief de l'an 3882, 6208, 6280, decliner (jorz) 3004, enjorner 3499, esté 1491, 6862, foiee, hier 5834, *etc.*, iver 6862, jadis 6878, a lant 4282, lués 2543, 2882, 5332, 6333, mai 13, maintenant 1126, tot m. 1184, 5835, 5881, mie nuit 514, mois 3437, 6418, none 1836, 2257, 3006, n. basse 735, 2256, ouan 6005, 6052, pieç'à 2724, grant piece 1047, 6688, longue p. 870, prime 3536, 4775, 5338, a pr. 4724, ore de pr. 2199, pr. de jor 605, ainz que pr. sonast 3536, tans (gaster le) 3390, 3391, t. (perdre le) 3391, tantost 293, 360, 1004, 4002, quatre tanz 5632, del t. Abel 6990, des le t. Ysoré 1352, d' ui en un an 6163, 6198, vespres 2014, bas v. 398, 932, 5706, vespree 2506, 3006.

DIMENSIONS, QUANTITÉS. — Archiee 3439, arpant 4481, cart 1905, conpas ,espanz 296, liue 2476, 2954-55, 5872, l. galesche, livre 5302, mui, ole 3364, pas 2954, piez 320, setier, teste 522, toise 2094.

Compl. Lancelot. — Aune 505, 5684, auner 5571, 5682, 5683, (*v. Gloss.*), braciees, esmer 5610, lance 3025, lé 663, lez 470, de l. 6562, un millier 5988, mui (de sel) 1584, pié 662, 5970, poigniee 1356.

MONNAIES, AFFAIRES. — Achater 2879, 5326, anprunter autrui avoir 6696-97, asomer 2759, chevir 5296, conparer, conte (randre le) 6253, conter 2759, coster 1278, 5418, creance 1586, deniers, despans 1586, desserte 5312, gaaigner 5305, 5309, 5315, mars 1278-79, meri, mesconter 5596, mire, monte, partir 4707, povre 2908, 5294, 5770, povreté 5192, 5194, poverte 5311, prester 6252, preu (fere son) 2138, rante 5278, 5496, repaier 6697, riche 5310, 5312, 5711, 5771, sofreite, soldees 3330, solz 5309, some 2760, taille, treüz 5280, vaillant 3887, vandre 420, 2879.

Compl. Lancelot. — Angevin, deniers 2703, dete, deteur 6894, eschange 6222, gaainz 1685, gahaigner 1684, paie 6893, paiement (randre son) 6885, paier 6894, soi paier 6913, rabat 6222, richeces 5997, 6720.

D. — *Justice et police.*

PROCÉDURE, ENGAGEMENTS, ETC... — Acoison 4596, acoisoné, ame toient, ancuser 4391, ancusee 4973, anseignes 899, apeler 3598, 3640, aseoir (choses) 3310, a bien· et a foi 6377, chanpïon 4448, clainmer 3613, clamer quite 4427, 5966, 6389, clamor 2766, cort real 5906, creanz 5757, desdire 1764, 4803, desfandre 3599, 4402, 4435, desresnier 4710, 4792, 5070, 5080, 5100, 5851, 5881, 5896, 5897, 5938, droiturier, enchargier fes 4410-11, faus tesmoing 4398, foi 3302, 5750, 5754, plevir sa f. 4430, 6607, prandre la f. 3286, gage (baillier) 3684, garanz 500, 1349, haucier la main 6629, jugemant 4798, 5852, jugier 4569, juïse 3590, jurer 3304, 5112, 5275, 5279, 6608, 6634, justise 4566, 5908, lever la main destre 6640, noiez 6386, ostage (doner en) 6430, partie 4328, pleidoier 1761, 1785, plevir 3282, 5745, plet (droit de) 1757, ploige 3303-04, 5750, 5757, prover 5997, prueves 3307, querele 5070, 5850, 5882, 5923, 5939, 5965, partir la qu. 6376-77, quites (estre) de la promesse 896-97, 3736, randre le merite 4461, reançon 1333, reison 494, 5998, respit 3685, 3713, reter 4405, sairemant 662, 3302, 6616, 6626, seisir 6439, seüre 3303, tesmoing 1348-49, tort (garder de) 6395.

Compl. Lancelot. — Ancolper, anseignes 4757, 4774, aquiter un saire-mant 6039, chanp cheüz, desfanse (avoir) vers 874, desfans (estre an), droit 4794, a dr. 575, avoir dr. 3445, escondire 4859, festuz roz, jurer sor sainz 6083, j. tot de plain 4966, j. le cuer et le cors 6718-20, justisier 4307, pardonable 4395, pardoner 4207, parole (tenir) de 5371, plet (tenir)

4591, plez 4945, prover 4767, 4771, 4882, prové 4788-89, 4800, 4885, quauses, rejurer 4972, reter 2611, seürté 3255, tesmoing (porter) 6197, tesmoingner 4769.

FAUTES, DÉLITS ET CRIMES. — Anbler 2730, 2731, 2735-36, 2737, 2741, blasme 4405, boter fors de sa terre 6379-80, corpable 6775, covant (fauser de) 2662, c. mantir 2702, desleal 2722, enblce 1577, felenie 1450, forfere 4183, 6779, forfet 915, 3591, 4335, 4596, 6775, guile 2724, guileor 2721, guiler 2723, jaelise, larrecin 1577, larron 2732, 2738, 2739, lerres 2726, 2727, mançongier 2721, mesfere 1758, 1995, 1999, mesfete 1791, mesfez 2014, 3537, 3555, omecide 1207, parjure 6781, parjurer 6758, soi p. 6676, putage (metre a) 4120-21, sordire 4428, souduianz 2726, souduire 2727, tort 1210, 1215, 2003, 2014, 3537, 3621, 4404, 5466, 6340, 6403, avoir t. 5878, 5904, t. feire 6398, traïr 624, 2662, 2664, 2767, 3669, 4459, traïson 626, 1234, 1450, 1923, 3598, 3639, 3673, 4432, 4738, 4974, traïtor 1207, 2740, traïtre 3613, tr. mortax 3662, traïz 1958, 3026, trespassa, tricheor 2722.

Compl. Lancelot. — Delit 4970, esforcer *(femme)* 1153, 1309, faillir 4804, murtre 328, 4046, 4221, murtriers 417, volenté (faire sa) a force 1076-77.

PEINES, RÉPARATIONS, SUPPLICES, PRISON. — Amande 1998, amander 1994, 1996, anclose 3559, 3998, anprisonee 3587, ardoir 3600, 4565, ars 1277, 3713, 4072, 4564, chastïer 1672, cheitis 4126, cheitive 3558, 3567, 5257, 5703, 5768, delivrance 1525, 3720, 5290, delivree 3604, 4561, 5285, delivrer 1025, desprisonees, esprendre (rez) 4975, feu 4317, 4460, flame 4460, forneise 4334, garentir 3617, garde 1597, liee 4317, martire 3533, 3622, mort (avoir) 1348, mortel juïse 3590, mue 6488, ocirre 990, 994, 1098, 1108, 1200, 1208, 1233, 1348, 1557, pandre 990, 3600, pris 3291, prison 1543, 1924, 1929, 1937, 1941, 1942-44, 2593, 3284, 3597, 3640, 4735, 4737, 5735, male pr. 1134, tenir pr. 1514, 2606, gitier fors de pr. 1571, prisonier 3299, querre 1057, 1061, 1072, 1098, 1133, 1186, 1557, 1591, 2431, quites 5278, 5284, 5705, soi randre 3282, reclus 3641, ré 4564, rez 4314, 4334, 4975, retenuz 576, ruer au feu 4321, sauver 3617, tenuz 980, vangier 1058.

Compl. Lancelot. — Antrapez (estre) 6712, ars an feu d'espines 413, chastier 366, 1767, 1775, colpe (avoir) 4889, comparer son forfet, descheitivez, desserré 6337, escheitiver 5318, escorchiez 412, essil (tenir an) 6184, essilliez 6076, feu 413, garde (avoir en) 5428, giter fors 1902, large (estre au) 6631, mue 6630, noier 4149-50, noiez 413, panduz 412, pilori 322, 327, an prison (anserrez) 6363, pr. quite clamer 918, prison *(prisonnier)* 76, 910, 2053, 3580, 4109, 5319, 5349, 5770, 6870, pr. deslier 916-17, pr. randre quite 924, querre *(la reine)* 1055-56, 3207, 3344-45, *etc.*, queste, quitemant, reançon 4220, rescorre 2139, 3955, 5146, secorre 1972-73 *etc.*, secors 3583, seisir 1790, soi s. de 5085, trape (pris a la).

E. — *Religion.*

PERSONNES. — Abes 5112, abez 2160, boens hom 2841, 2857, 2869, 2878, chapelain 2152: clerc 1170, 1412, crestïene (*sb.*) 1148, dames d'un covant 1168, deciple 16, ermite 2852, esvesques 2160, hermite 2831, 2833, nonains 1254, pecheor 6771, preescheor 2537, provoire 1254.

Compl. Lancelot. — Convent, crestiens (boens) 3482, moinne(s) 1847, 1874, 1915, 1942, 1946, 1959.

ÉTABLISSEMENTS ET MATÉRIEL RELIGIEUX, SÉPULTURES. — Ancenssier 1169, anluminé (sautier) 1419, biere 1059, :163, 1179, chapele 393, 3489, 3559, 3998, 4309, 4313, 5448, cierge 1167, cors 1071, 1248, 1274, 1276, 1345, 4908, covant, croces 2158, croiz 1166, 4864, froc 847, enfoïr 1248, 1345, 1410, eve beneoite 1166, iglise 1256, metre an terre 1071, mitres 2158, mostier 628, 4953, 4958, prones 629, saintuaire 6622, sautier 1418, sepouture 1257, servïse 1255, texte 1169.

Compl. Lancelot. — Autel 4718, cemetire, chancel, cors saint, eglis[e] 1943, 1959, lame, reliques 4983, saint, tombes 1857, 1862, 1875, 1880, 1894, 1933, 1971.

OFFICES ET PRATIQUES. — Aorer 5890, comander a Deu 2780, 4808, 5789, confesse 4385, corpe (clamer sa) 4387, despansse 1171, destinent, messe 5451, oïr m. 4025, 4954, 5448-49, orer 4956, 5794, orisons 4850, piëté 4069, prier 4175, pr. Deu 2587, 2858, 4171, 4954, priere 4513, procession 1177, 1274, 1276, reclamer Deu 4508, 4847-48, requerre merci de ses pechiez 4386-87, saumes 1418, soi seigner 796, 2909.

Compl. Lancelot. — Soi agenoillier 4964, beneïr 2794, soi confesser 4182, complie 2014, colpe (batre sa) 4183, croisié, crois (feire) sor soi 343, geüner 3524, 4193, orisons 3579, tochier 1463, 3915.

FOI, CROYANCES, SUPERSTITIONS. — Anchanté 1130, anemis, anfantosmee, anges 4059, boene chose 327, ciel 4059, 4067, dameisele sauvage 1624, deables 5331, d. d'anfer 944, deable (filz de) 5265, deablie, deité 5375, deus d'Amors 5371, fantosme 1220, 1226, maufé, netun, Pantecoste 6, Paternostre (sainte) 3649, pechié 2920, 4387, reïne des ciax 4067, la reïne glorieuse del ciel et des anges 4058-59, saint Esperit(e) 273, 5450, la saint Johan 2576, feste saint Jehan 2752, sainz 1298, 4849, saintes 4849, siegle mortel 6787, voille saint Jehan Baptiste 668-69.

Compl. Lancelot. — Acenssion 30, anchanté 2334, anchantemant 2338, 2353, ange 6670, apostre (saint Pere l') 1764, creance 3084, 6747, Criator 5014, Celui qui tot le mont cria 6719, fee 2345, foi 3084, force 2337, Fortune 6438, 6468, 6478, mal 2812, maudite 2609, maudiz 6525, mervoille 1917, 1968, 6553, pardon (faire) a l'ame 4861, pechié 2613, 2812, 2915, 3444, 4185, 4221, roe de Fortune 6468, sarradine (gent) 2134, sarrazin 2135, siegle 4860, trosne, vertu *(de Dieu)* 2006.

III. Sciences, arts et techniques.

A. — *Connaissance de l'homme et de l'animal.*

Parties du corps. — Antrailles 4525, artuel ,barbe 303, 3133, boche 289, 301, 1964, 3356, braons, braz 1966, 2389, 6201, 6305, bu 4234, 5651, cervel 868-69, 2969, 3000, char 3024, chevols 295, 1158, chief 868, 1884, 2364, 2384, 2807, 3287, 3472, 3956, 5514, 5518, 6136, chiere 1908, 2366, 3393, 5392, 5825, coe 3346, 3379, 3381, 4098, 5527, col 309, 3288, 3495, 3497, 4086, 4212, 5198, 5411, 5423, 5645, 5648, 6305, cors 974, 1120, 1925, 2384, 2644, 2649, 2651, 2658, 2997, 2999, 3002, 3174, 3530, 3531, 3545, 3593, 3632, 3952, 5565, 6201, 6430, corz 345, coste 3455, costé 4523, costez 832, cote 5195, 5356, criature 4136, crope 540, cuer (le) del vantre 4545, cuir 3455, danz 144, 302, 3509, doi 1033, 2602, 2779, dos 3446, 5644, 5946, 6120, eschine 305, 3157, espaule 4234, 4522, 5512, 5663, face 1933, 3133, 3361, 3396, 5411, fiel 1406, flans 2387, foie 4237, front 2964, 2966, 2996, 6121, fr. pelé 295, genolz 1975, 5513, 6623, gole 1416, 3363, 4250, grenons tortiz 303, hanche 833, 4219, ialz 300, 442, 1035, 1372, 1471, 2021, 4339, 4341, 5204, 5240, 6683, *v.* oel, james, joe 3495, 4209, 6121, leingue 614, 615, 617, 620, 622, 789, lengue 1964, longe, main 291, 1159, 1301, 1304, 1490, 1846, 1975, 2069, 2152, 2272, 2431, 3278, 3298, 4093, 4224, 4662, 5300, 5328, 5410, 5744, 6068, manbre 5060, 5317, manton 304, memele 4235, 5195, nasex 6120, ners 4220, 6138, nes 300, 3437, oel 1106, 1475, 2021, 6136, oroille 150, 157, 165, 168, 170, 297, os 3471, 6138, patines 1417, pel 3498, 4191, 4217, piax 4195, pié 2236, 3971, 3975, 4045, 6268, piez 68, 312, 654, 1126, 2076, 2109, 3037, 3392, 4093, 5394, 5440, piz 304, 833, 1491, 3513, 3545, 4190, 4194, poing 197, 1031, 3095, 3133, 5579, poinz 346, 1417, 2255, 6137, rains 3347, 5607, sanc 844, 869, 1190, 2606, 3210, 3444, 3499, 4196, 4531, 6202, sans 1180, 6123, 6227, sorcix 299, talons 952, tanrun, temples 2964, 2966, 2996, 2999, teste 293, 2945, 2951, 3380, 5648, 5651, 6004, 6012, vainnes 6147, vantre 167, 3156, 4040, 4545, 5353, vis 299, 848, 974, 1478, 2900, 2901, 5198, 5411, 6683, volz 5514, vout 4820, 5226.

Compl. Lancelot. — Antraille 7076, bec 5791, char 1146, 1469, 3363, 7019, 7032, chevox 1354, 1393, 1458, 1477, 1479, 1486, 1493, 1499, 2926, color 1436, 3158, 5244, 5247, corz 1310, 5273, cuir 526, cuisse 806, 810, 1622, flans 517, 2695, gorge 2225, 4306, 4310, jointe, lez 1654, mame, nonbril 1082, once, talons 2323.

Fonctions et sensations du corps. — Alainnes 6148, aler en proie 3417, aparcevoir 3430, apeler 3046, 3062, breire 4222, chanter 465, 467, 468-69, soi crester 4213, 5525, cri 1173, 3340, 3341, crier 489, 985, 1152, 1165, 1195 2205, 2799, 3505, 3814, 4222, li cuers el vantre bolt

4040, decorir des ialz (lermes) 5239-40, destrece 889, doillant 6201, soi doloir 6206, dolor 871, dormir 48, 652, 2884, 2958, 2978, 3013, soi d. 2982, soi endormir 52, engoissier 3200, entandre 3430, escouter 3893, 3895, esgarder 226, esgart 3428, esvoiller 2910, fain 2850, 3200, 3416, 5199, 5295, 5352, fleir 3423, force 3045, 3150, fremir 5520, gesir (ensamble) 2169, soi hericier 647, 5525, lermes 1471, 1473, 2629, 2704, 3397, 3961, 5239, nature 3416, nes au vant (metre le) 3437, oïe 155, oïr 6185, ordure 3404, soi painner 6127, parcevoir 3428, parler (sb.) 2279, parole 157, 2195, 2777, 4411, 6158, la parole basse 6225, plorer 1424, 1476, 1629, 2581, 2617, 2636, 2913, 2916, 3815, 3817, 3832, 3873, 4055, 4127, 5201, 5240, poindre 117, porchacier vitaille 3418, rechingner, regarder 3424, 3467, soi reguingnier, reposer 5317, 5318, santir 871, 889, 3413, 3422, 3433, 3437, servise 472, soif 5295, songe 171, sopir 4070, 4349, sopirer 2581, 3935, 4127, 4346, süanz 5609, süer 4910, tranbler 5526, soi travailler 6127, tressüer 5043, vant 3423, 3437, venin 3404, veillier 3476, 5314, veoir 1201, 1562, vertu 3151, voiz 166, 168, la v. roe et foible et quasse 6226, voler 1827.

Compl. Lancelot. — Adeser a 1084, 1247, 3363, alainne 2732, a. reprandre 5009, antroïr 6543, apantoisant, aparole, aparler 597, beer 6445, chanter *(oiseaux)* 3054-55, criers (sb.) 2904, doloir 4895, duillant (cheval) 272, eschaufé, esforz 1983, esgarder 562, 1181, 1393, 4489, esgart (torner son) devers 1221-22, espandre les ialz 6838, esternuer 4577, esveillier 538, 4632, 4723, soi e. 769, 4623, forz 638, 1892, 1898, 3163, 5501, 5691, garder 1128, jeus 4674, livrei son (faire) de son cors, monte (d'aloe) 6324, nasquié 1979, né 1930, 2051, 2055, 2675, nu a nu 1084, 4228, oïr 82, 134, 3796 *etc...*, oroiller, parler 40, 3299, 3633, parlers (sb.) 1219, 1335, reprendre la parole 2967, abessier sa p. 2966, refuser sa p. 1334, en perdre la p. 4165, pas 1151, pooir 1794, 1914, remirer, renestre 3057, resvoillier 1283, roe (voix) 6467, songe 4837, sospiranz 206, süer 1206, süor 5118, tost, tramble 2722, traveillier 298, 2742, traveillié 4547, tressauter 767, tressüé, troblé (oel) 3470, tr. (cuer) 6618, veüe 2340, voler 4440, 5819, 6677.

Aspects du corps. — Aage (auques d') 5137, adroite 228, anflez 4097, avenanz 704, 2418, 3800, belc 2446, 4136, 5228, 5369, 5478, 5711, 5720, b. de vis 974, biauté 783, 1497, 1501, 2022-23, 3848, biax 3858, bloes 6122, boz 4097, brunete 2418, coloré (vis) 1481, contrefez 712, estanceler 6136, forz 5465, 5611, fres (vis) 1481, gaie 2367, gente de cors 974, 3952, gentes 5228, granz 5465, gresles 5198, haves 2578, hideus 287, 712, 5506, iriee (chiere) 2366, jaiant 3846, 3850, 3859, 3883, 3940, 3969, 3987, 3995, 4084, 4105, 4107, 4131, 4173, 4192, 4198, 4202, 4217, 4221, 4238, 4241, 4743, 4909, 5610, 6468, 6474, 6593, juenes 5324, legier 2357, leide 288, leiz 287, 711, meigres 4095, 5227, mossues (oroilles) 297, nain(s) 4097, 4105, 4269, noir 5506, nu 2834, 2888, 2908, 3019, 3024, 4116, 5294, orz 3867, pales 5198, 5227, perses 6122, poeilleus, rïant 2367, taillé (vis bien) 1480, torte et boçue (eschine) 305, velue (pel) 4217.

Compl. Lancelot. — Aage 219, ahé 1649, 6814, ancïens (hom) 3481, anfance 2347, anfant 406, 7054, anfes 1731, bas 5509, changier (color) 3159, chenu, chenuz 4916, chiere 6233, ch. mate 3471, clers (chevox) 1415, esgeünez 6671, goz, luisanz (chevox) 1415, muer *(teint)* 5247, nerciz 948, 4192, tote nue 1268, toz nuz 4722, rechigniez, roigneus 6671, rosine (color) 5244, san (avoir le) changié 6919, tailliez (bien) 3541, tainte 4192, veillart 406, vialz 1710-12, 1857, 1942 *etc.*

SANTÉ, MÉDECINE, BLESSURES. — Afoler 3787, 6110-11, 6159, 6179, 6364, afolez 3185, alainne (reprandre) 6148, alainnes lor faillent 6128, anfermerie 6488, anpiriez 5660, antesté, antret, avugles 1142, avuglez 1076-77, basme, blecier 1478, 6079, soi bl. 1489, blecié 4543, 5614, 6126, chief fandu 868, clocher 4094, crevez 86, cuers (manti) 872, crever li c. 3156, degotez (sanc) 1191, desvee 1156, esbeolent, escrever 1196, estonez 864, 6248, fisicien, foibles 3576, 4095, force 4203, 4215, froier 2964, 2996, 2998, garir 1375, 4690, 5381, 6497, 6500, gariz 3014, 6518, garison 2989, metre a g. 1572, grever 5824, heitiez 4422, las 3490, 6201, lasser 6143, mahaignier, mal 5320, malade 4687, 5821, malage 2593, max 3036, 5084, mecines 4692, mehaingnier 6111, meseise 5199, 5287, meüz (sans) 6227, mire 1376, 1378, 5378, 5657, 6491, mirgie, morir 3712, 3717, 3737, 5323, mort *(part.)* 446, 576, 893, 1100, 1181, 1410, 2167, 2171, 3026, 3264, 3743, 4511, 4568, 5499, m. ou vis 1120, avoir m. 2794, 3401, mort *(sb.)* 1367, 1434, 1533, 1558, 1972, 3712, 3739, 4528, 4701, 5620, sofrir la m. 3728, mortex 1240, müez 634, navrer 5658, n. a mort 874, 1434, ocirre 3741, 3787, soi o. 986, 1151, 1671, 3506, 3527, 3539, ocis 354, 3185, 4123, oignemant 2948, 2959, 2983, 2987, 3089, 3104, oindre 2966, 2987, 2990, pasmeisons 3515, 3563, soi pasmer 3521, pasmez 1154, 3491, perdre sanc 2606, plaie 1181, 1196, 1377, 1379, 2900, 2901, 2904, 4557, 5377, 5383, 6490, 6498, plaiez 4554, pl. a mort 954, 982, rage 2946, redois, relevee (de mal) 5823, soi repasmer 1160, reposer 48, soi r. 6205-6206, 6207, 6211, resener 6490, respassé, sain 3077, 4172, 4422, 4424, 4556, 4821, 4995, 5004, 5351, 5801, 6518, sainnier 1197, 4103, 5377, san müé 6344, sanc (perdre) 2606, s. quace, s. (rissir) 1181, sanner 1375, santé 2553, 3654, 5795, sener 6498, sorz 634, soi sostenir 6294, tempeste 2946, teste rote 6012, torbeillons, traveilliee 5893, traveilliez 5609, soi tuer 3525, 3541, vainnes reposer 6147, vains 864, 6248, vif 893, 2171, vis 3264, vivre 5646.

Compl. Lancelot. — Afebloier 3628, afebloiez 3624, anlacier 7085, anpirier *(plaie)* 1342, anpiriez 876, 1625, 4735, 6368, anplastre 1338, 4036, ansanglanté 4872, antiers 3098, 3448, soi blecier 3112, 4709, 4729, boçus 5149, brisier 7080, soi br. la cuisse *(cheval)* 1662, colper 7063, conreer 2531, 2737, 6663, contret, coudre 516, crever (dois) 4641, degoter sans, desjoindre (l'espaule du col) 1166, desmanbrez 6937, destroiz, diamargareton, domagié 7064, domagier 7049, emplastre 1341, eschacier, escrever 1336, 4880, escrevees (plaies) 4755, estanchier (plaies) 3312, feblece 6639, fet (estre) de 7089, haitiez 4443, 6810, heitiee 195, 938, lenguir 4522, lïer (emplastre) 1338, mal (avoir grant) 4016, m. (soi feire) 4287, mehaing 3133, oignemant as trois Maries, osche, oster (le sanc) 3313, pleüriche, soi quasser 4734, rasoagier 3113, remuer 6669, reoncles, repos 6603, ronpre 1147, 3070, sanglanz 4777, 4824, 4832, sener, soffrir 3135, sormené 298, terdre, tiriasque, traïner a son cheval 4292, soi tranchier la gole 1306, vanité, vie 574, 581, 1919, 4217, 4232, 4331, vis 580, 4188, 4335, 5558, 5696, vive 4233, vivant 1953, vivre 2933, 6872, etc.

FACULTÉS DE L'ÂME ET DE L'ESPRIT, SENTIMENTS. — Abelir 234, 476, 1423, 5224, 5921, acoardie 1227, acoré, adurez 5611, aeisier 4889, afreinne (cuer), aguisier, (d'ire) 1468, amander 2100, 2491, amant 2762; amanz verais et leax 2607, ame 663, 1172, 1288, 1299, 1961, 2552, 2654, 3530, 3531, 3593, 4431, amer 21, 26, 1365, 1423, 1454, 1457, 1459, 1462, 1466, 1517, 1747, 1754, 1944, 2024, 2025, 2032, 2170, 2421, 2462, 2493, 2731, 2733, 2758, 3206, 3614, 3792, 4039, 4066, 4112, 4125, 4179, 4388, 4507, 5372, 5389, 5950, 5999, 6061, 6279, 6281, 6435, 6752, 6753, 6794, ainmer leaumant 5382, soi entr'amer 583, 5994-95, 6044, amerres, ami 1458, 1464, 1942, 1976, 2424, 2735, 2742, 4079, 6065, 6092, 6094, 6159, 6224, 6297, 6343, 6591, 6739, amie 1296, 1750, 2422, 2492, 2530, 2610, 2642, 2735, 3314, 4357, 6803, dolce a. 6798, amistié 6317, amor 140, 1361, 1745, 2311, 2459, 2496, 2521, 2566, 2572, 2578, 2615, 3240, 3449, 4760, 4776, 5981, 6044-45, 6367, 6741, Amor 13, 20, 24, 1370, 1377, 1381, 1390, 1399, 1427, 1447-48, 1456-57, 1535, 1550, 2141, 6007, 6017, 6030, 6037, 6038, 6039, 6047, 6049, 6053, 6502, 6504, amoronge, anbausseiné (de dolçor), anbler le cuer 2730, 2731, 2735-36, 2737, 2741, ancherir 2100, soi ancuser 1647, anemi 1364, 1454, 1460, 1463, 1483, 6042-43, angoisse 14, 1189, 2198, 3726, 4070, 4350, 4629, angoisseus 547, 680, 962, 3635, 4057, soi angoissier 2253, 4475, angrés 838, 1092, angroist, soi anhardir 325, anpirier 2490, 2496, angragier 1109, 5322, 5603, a. d'ire 1079, anrievre 6167, antalanté 2330, antechié 2919, antente (metre s') en 226, antrepris 3635, aporter cuers et oroilles 150, aseürez 770, 5570, asseür 456, 3795, asseürer 4264, atalanter 5751, soi avillier 2214, 4113, avuglee 6053, baude 4570, soi blasmer 3522, bonté 2300, 4274, 4277, 5130, 5587, 5590, 5595, brete 1584, chaille (ne vos) 6690, charité 2841, chax 2082, cherir 3206, chier (avoir) 2573, 4014, tenir ch. 1947, 2743, 6794, chierté 3448, coardise 1224, 5488, coart 1222, 1223, 1226, 1598, 1870, coche (estre an) 6035, cointe 2419, 2447, soi conbatre 1244, soi confondre 1245, confort 1164, 3748, conforter 1161, soi conforter 2793, 4008, conjoïr 6682, conoistre 2278, s'antreconoistre 6101, 6272, soi consoillier 3350, consirrer, corage(s) 1440-41, corageus 6153, correcier 145, 1110, 4544; soi corrocier 1655, 3658, 5136, corroz

2235, 3667, 4585, 6264, coster 2508, costumiers 115, 134, covoitier 1540, 2296, creante, crieme, criendre 1948, 1949, 4419, 6423, croire 3660, 3664, cruel 4144, 4743, cuer(s) 150, 156, 161, 166-67, 170, 851, 1364, 1372, 1754, 1909, 1926, 2018, 2029, 2147, 2552, 2643, 2645, 2647, 2649, 2651, 2655, 2657, 2659, 2660, 2730-31, 2735, 2741, 2746, 3174, 3247, 4040, 4081, 4339, 4342, 4545, 4578, 4620, 5170, 5243, 5588, 5632, 5719, 5817, 5844, 5950, 6502, 6638, 6644, cuer (mercier) de 4969, c. dolant 6426, c. (contre mon) 6413, avoir le boen c. de 4620, crever c. 3930, metre a cuer 3842, porter mal c. a 4589, cuider 75, cure (avoir) 2769, cusançon, cusançoneus, soi debatre 1243, deboneire 1307, 3389, 3966, 5427, soi debrisier 1512, decevoir 2723, 3659, deduire, deduiz 3462, delit 1074, 3573, deliter 242, soi demanter 3557, 3565, 4379, deport 702, desabelist, desconfit 1078, 2283, 6054, desconfortee 5812, desconseilliee 3695, desdeing 5699, soi desesperer 5096, desheite, desheitier 5812, desirrer 1558, 3116, 3117, 3843, 4807, 5470, 6063, 6312, desjuglé 6054, desleal 2538, 5905, deslzauté 5380, desmesurer 1496, despanssier 1170, soi desperer 1429, 1444, despire 2266, 2498, 3534, despit 1767, 2754, 3714, despleire 1980, soi desreer, desreison 1714, 2764, desseoir 1472, destrece 1477, 3881, 4077, 4124, destroit (sb.) 972, destroiz (adj.) 680, 4057, 4646, desvé 629, desvoier 3574, deviner 2062, 2186, devise 3285, 6408, 6610, dialt (se), diax 988, 1311, 1390, 3570, 3602, 3955, dolanz 678, 1524, 3490, 3491, 3531, 3558, 3568, 3634, 3898, 4126, 5227, 5588, 5902, dolçor 2630, dolereus 3340, soi doloir 1476, 3836, dolor 14, 1414, 3603, 3812, 5061, 5269, 5287, dolz 3693, 4129, dontez 2016, doter 4185, 5541, 5620, 6233, 6423, 6530, soi antredoter 6215, duel 694, 967, 986, 1174, 1203, 1247, 1512, 1605, 1671, 1675, 2915, 2922, 3547, 3856, 3870, 4816, 5242, 5958, 6604, d. avoir 1465, 3844, durs 2611, endurer 6757, a eise 5404, 6799, eisse 2516, enfance (dire grant) 5289, enivrer 3574, enor 779, 1293, 1580, 1676, 2286, 2555, 2937, 3290, 3653, 5078, 5130, 5334, 5472, 6180, 6290, 6371, 6561, enor achater 6192, e. avoir 721, enorable 23, enrager 4119, entandre 154, 156, 169, e. de cuer 152, enui 405, 458, 1251, 1607, 1748, 2783, 3897, 4832, 4837, 5980, 6604, a e. 2533, enuier 506, 1652, 2784, 4325, 4417, 4837, enuieus 90, 1068, 5132, envie 3663, a enviz 2641, 2667, esbaïs 3025, 3050, 4755, e. de peor 1957, soi esbaïr 3824, 6193, 6263, escamonie (fig.), eschaufé 1132, 5582, esciänt (mien) 1773, escuser 1756, 3089, soi esforcier 1838, 1987, esfree 3074, 5630, esfroi (estre en) 3629, soi esfroier 3784, esgarees 2810, 4356, esjoïr 5365, soi e. 6679, 6713, esmai 4842, esmaier 977, 1935, 1939, 4293, 5145, 6416, soi e. 865, 3754, 3820, 4054, 4558, esmaiez 449, 953, 1000, 4553, esmovoir 2146, espans, en e. 2758, 6691, estre an e. 3476, esperance 2661, 2664, 4000, 4002, 4007, esperdre 6263, esperdue 4754, esprandre 1468, esprové 2918, soi essillier, essoine, essomez, estolz, estouz 1696, 5132, 6288, esveilliez (cuers) 161, soi faindre de 3644, faindre mançonge 3098, fel 70, 1352, 3236, 3662, 3850, 4097, 4130, felon 118, 3353, 3373, 3380, 4144, 4743, 5611, felenesse 1092, 3733, fclenie 3357, soi fïer 4203, 4898, fier 284, 488, 3202, fierté 281, foi (an boene) 3645, fol 578, 584, 586, 2458, fole 1150, 1567, 1799, 2196, 5113, fos 477, 1432, 1444, 2137, 2466, 2534, 2726, 3877, 3920, 5643, f. naïs 5254, folemant 1603, 4443, folie 551, 640, 1644, 1647, 2546, 3002, 6774, feire f. 1308, 1488, panser f. 1327, force 6422, metre force et poinne et san a 6724, fors del san 1205, forsené 612, 2830, 2874, 2985, 3518, forssener 1110, 1204, 2807, 2924, 3856, 5603, franche 3371, 5427, franchise 1986, 5591, 5981, frans 707, 1819, 2388, 3693, 4129, 4375, 6352, garder que 739, soi garnir de 316, gente 2446, 5369, 5720, genz 2058, gentil 1307, 3371, 6352, g. dame 2448, g. fame 5065, gentillesce 1677, 4078, glote 6047, gloz 5649, gloton 5624, 5630, grant (en), grevainne (prison) 1937, grever 44, 148, 682, 1920, 1928, 3929, 3964, 4322, 4593, 5544, 6052, 6251, 6427, grief (estre) 4616, haïne 1767, 2566, 6318, Haïne 6008, 6017, 6032, 6035, 6048, 6057, haïr 617, 623, 1437, 1455, 1461, 1777, 1905, 1916, 2792, 3524, 3534, 3539, 4538, 6058, 6060, 6543, h. de mort 817, 1592, 3538, hardemant 1297, 1712, 2984, 3168, 3176, 4176, 5526, 6776, hardi 1228, 2189, 3202, 3615, 6455, haves 2578, honte 60, 264, 589, 748, 1401, 1673, 1748, 2242, 2282, 2705, 3172, 3981, 4148, 5111, 5167, 5214, 5258, 5261, 5286, 5320, 5425, 5582, 5780, 6013, Honte 1535, avoir honte 721, 3017, covrir sa h., honteus 542, honteusemant 560, humilité 3397, ipocrite 2739, ire 137, 812, 1079, 1132, 1468, 1723, 3502, 3602, 4215, 4622, 5322, 5526, 6597, 6746, avoir i. 2053, 3110, iresse (s'), iriee 1494, 3321, iriez 2495, 3898, 5659, 6792, iror 4562, jalos 2504, joianz 677, 3696, joie 210, 456, 457, 470, 473, 694, 809, 811, 1452, 1909, 2162, 2286, 2287, 2289, 2307, 2311, 2323, 2341, 2358, 2359, 2386, 2395, 2468, 2553, 2797, 3119, 3526, 3536, 3547, 3552, 3570, 3573, 3807, 3809, 3810, 3811, 3813, 3817-18, 3826, 3832, 4254, 4623, 4628, 4685, 4920, 5165, 5243, 5334, 5402, 5795, 5816, 5830, 5925, 6220, 6797, j. d'amors 2521, joieuse 3552, labor 2356, large 23, 6255, largesce 1296, las 3526-27, lasser 4187, leaumant 1756, leax 1750, 2607, 2762, lecheor 2538, leesce 2162, 3548, lenguir 3571, lié 563, 677, 2243, 2285, 2325, 2466, 4905, 5787, 6788, 6791, liee 1493, 3322, 3323, 3696, 3876, 4570, 5801, 6668, 6673, soi loer 4281, mal 5111, 5258, male criature 6184, m. esperite 1716, maleüreus 2464, malvés 1326, 1861, 2193, 2194, 2202, 2206, gent malveise 1637, malvestié 5114, manbrer 5590, mançonge 172, 3098, 3107, mantir 1922, 2207, 2570, 2571, 3438, 3988, mat 542, 2578, martire 6192, mautalant 4585, 6264, mautalentis 486, melencolie 3001, soi menbrer 5059, soi merveillier 42, 1197, 2811, 2906, 2909, 3021, 3899, 6193, mervoille 366, 432, 667, 797, 1202, 1492, 1949, 2174, 2652, 3872, mesaamer 1742, mesconoistre 5920, mescroire 1339, mesprison (fere) 2594, 5736, mimoire, musarde 3920, 5971, nice 1567, noble 2447, oblianz 2748, oblieuse 4643, oblïez 2167, oïr (sb.) 163, orguel 281, 1798, 2188, o. feire 5736, orguelle (s') orguelleuse 285, orguiauz 3978, oser 1639, painne 892, 4512, 4536, 4811, 4822,

5041, panser 1666, 2030, fol pansé 1329, pansis 547, 3337, 3634, 4646, pardoner 1973, passer sus 4540, soi pener 1507, 2483, 3809, 4302, 4501, 4546, 6296, 6497, peor 347, 1866, 1867, 1952, 1956, 1957, 1968, 2838, 4041, 4043, 6418, avoir p. 1075, 1268, 4166, 4418, 5273, 5641, 6537, perdre la teste 1516, perceuse 4644, peresce 80, pervers 1352, pesance 405, 4622, 5047, peser 587, 1346, 2294, 3324, 3335, 4587, 5504, pitié 3936, 5676, 6220, pitiez 3369, 4064, 4351, plaie d'Amors 1377, soi plaindre 502-03, 888, 1198, 3236, 3854, 5059, pleire 139, 149, 476, 5230, 5403, 5543, 5921, pleisir 1727, poignanz 70, preu 3, 23, 72, 855, 1326, 2193, 3177, 6442, preuz 1385, 2198, 2447, 3188, 3389, 3925, 4102, 6222, preudon 4003, pris 101, 2494, 2501, 2686, 4591, 5052, prisier 2170, 2421, 3251, 4063, 4112, 6233, 6238, 6752, soi pr. 2208, prode fame 786, prodome 786, 2065, 2738, 3877, 3879, proesce 79, 1678, 2200, 4017, querre as ialz 4341, rage 2865, 2950, 3001, randre cuer et oroilles 170, ranponeus, se rapansser 1658, reconoistre 2245, 2892, 2894, 2897, reconforter 1599, soi r. 3983, soi recorrecier 1687, recreant 2563, 4644, recroire 620, 1538, redot (estre an) 3994, redoter 1595, 3546, reforsener, rehaïr 4330, reison 324, 1757, 1776, 5852, avoir r. 503, remanbrance 2398, remanbrer 2755, soi repantir 435, 1740, soi resforcier 3875, soi resjoïr 470, 4854, resovenir 4639, sage 112, 434, 1006, 1329, 1331, 1439, 1796, 1898, 2135, 2419, 2447, 2949, 3063, 4323, 4410, 5138, 5711, 5961, saillant 72, san 98, 783, 1205, 1330, 1965, 2127, 2795, 2926, 2929, 2931, 2940, 3015, 3702, 6589, 6724, sans 2777, 3475, 4075, droit san 1776, sans li faut 2777, issir del san 2799, le s. changier 2795, perdre le s. 2929, feire s. 4457, vuidiez de s. 76, saolé de 1250, savoir 2546, sechier (de duel) 5958, seoir 4594, 5543, seür 3822, 6431, seürté 1918, sofrir 4255, solaz 241, 702, 1074, 3536, 3549, songier 2505, 2509, s. malvés songe 610-11, soi sormener 1323, sospeçon, sostenemant 3175, soulever le cuer 2146-47, sovenir 2749, 2824, talant 1085, 2147, 2230, 5528, 6425, tançon 1737, tocher au cuer 5844, tort (avoir) 1659, 1771, 2202, 2498, trespansé 1551, 3025, 4755, troble 5588, soi umilier 1796, 3400, vaillant 112, 2205, 3195, 5065, 6442, vain 1551, valoir 2488, soi vanter 28, venimeus 70, 3353, 3355, venin 89, verais 2607, vergoingne 3172, veziee 2419, vilainne 5113, vilains 32, 90, 1818, 3125, vilenie 635, 2215, vilmant 2928, vix 3866, volanté 2329, 3426, 3300, 3653, 3946, voloir 1427, 1429, 1431, 3514, vuel 3837.

Compl. Lancelot. — Abandoné a joie 3920, acreanter 154, 965, 1075, 1738, 1810, 3417, 3891, 5389, adolez 4255, afeire (de grant) 6231, agreer 4613, aguz, soi aïrer 1593, aeisiee 5747, alegemant (estre a) 6626, amant (fin) 3692, amer a 4101, amis antiers 1264, 3800, amitié 4022, 6313, amoreus 5789, soi ancolper, anconbriers 649, andurer 6961, anertume, anfance 226, angoisser 2847, angoissiez 1756, anpansser a 6407, anresniee (bien), antandre 3936, a. et oïr 890, n'a. ne oïr 724, a. a la folie 3460, antante 1225, 6963, antantives 3578, antentis 563, antancion 29, 6245, 6442, soi antrehaïr 2699, 3611, apaiez 6914, apanser 2590, soi a.

(prandre) de 3068, repeser 184, soi resbaudir 5961, resnable 5097, resovenir 2594, 3118, soi reter, resver 6443, savoir 2754, sax 2912, senez 2598, 5693, senee 612, 3575, 6536, serie 6371, sofrir 62, 2115, 4047, 6961, *(accepter)* 3403, 4858, mal s. 4240, s. grant martire 4691, s. les cos 4243, soi s. 952-53, 1194, 1245, 1813, 2647, soing (avoir) 5029, solacier, songe(s) 6343, 6555, sostenir 3685, soutix 3144, talanz (prendre) 1788, 5830, talentos, teches, soi tenir 232-33, 5491, soi traveillier 4631, trespansé 3960, tristece 960, vantance 1595, soi vanter 1732, 4597, 6008, veoir (n'i) gote 3830, vertu 1424, 1740, 3528, 4320, 5266, 6259, veüe (metre sa) a 6432, 6563, vis (estre) a 4440, 5360, estre a v. 2672, 2723, 3630, 6350, volonté (faire sa) 1315, prandre v. 102, vouz 6002, vuel 3873.

B. — *Connaissance de la nature et du monde.*

CIEL, ASTRES, TEMPS. — Air 455, anluminee 2407, aube 4923, 5863, bel (le) 807, chaut (soloil) 2998, ciel 440, clarté 2409, espartir 403, esparz 442, estoiles 3244, eve 417, fondre come glace 5577-78, foudre(s) 447, 505, foudroier 401, 6510, grausler 776, gresle 444, jor 270, li jorz aloit declinant 5105, j. biax et granz 5865, luminaire 5443, lune 1840, 2400, 2411, 3244, 3245, monde 1237, 1681, 2373, 3849, 3858, 5443, Nature 383, 798, 1497, 3419, noif 444, nues 443, orage 433, 6757, oriant 429, oscurtez 769, plovoir 403, 416, 717, 776, 805, 2223, 4833, 6511, 6516, 6524, 6574, pluie 444, 505, 2220, 4838, 5758, rais 2409, solauz 428, 2404, 2408, 3245, soloil 2348, 2400, 2998, tanpeste 397, 433, 667, tans 445, 450, 452, 459, 806, mal t. 4844, terrïene 1147, toner 403, 776, tormante 775, 6526, tormanter 6515, 6545, vant 158, 453, 2206, 3413, 5758, 6757, vanter 402, 454, 717, 776, 805, 6511, 6516, 6574.

Compl. Lancelot. — Covrir (nues) 6515, enublé (jor), essor 6631, estoile 1015, 4561, funs, jor (vaintre) 4542, nuit 1490, 4543, n. oscure 2435, 4543, oscurs (plus que la nuit) 1490, tans (bel) 1656, toner 3598, vant (les quatre) 1954.

TERRE, MER. — Abisme 2791, 6528, arecs, bolir 380, 423, bruianz (eve) 3085, chaillot, chans 2809, contree 4814, 5054, cristauz 1486, destor 757, destroit 767, essart, essartoit, eve 395, 438, 804, 2221, 3085, 3092, fontainne 371, 380, 388, 389, 412, 422, 548, 665, 715, 774, 800, 810, 1622, 1628, 1739, 1851, 2036, 2175, 2877, 3484, 3488, 4930, 6509, 6515, 6524, 6559, 6587, glace 1486, iaue chaude 423, montaignes 763, montee 3271, onde 4530, païs 2095, 2955, 4458, 5253, 5801, passages 766, perron, p. crosé 437, plain 335, 4789, poudre 1403, rives 5974, riviere 2470, roide (eve) tai(s), terre 415, 1362, 1619, 1808, 1882, 2036, 2094, 3250, 4050, 4705, 4710, 4713, 4787, 4940, 5247, 5483, 6174, 6439, t. (salvage) 2787, valee 763, 3440.

Compl. Lancelot. — Arees, bise (roche) 426, bruiant (eve) 3010, chanpaigne 6778, corre 6992, flot 851, flueve 4223, fluns 3012, fontenele, fonz 658, gort, graviers 6993, gué 730, 739, 743, 749, 763, 779, 791, 804, 837, 846, 851, 880, 886, isle 6123, mer 3016, 3059, 3316, 4223, 6120, 6492, 6841, 6873, braz de m. 6425, m. betee 3016, tant con la mers aceint 1733, mont 6634, a m. 1128, 5013, 6417, 6445, 7040, el m. 6471, perilleuse (eve) 3013, pierres 2228, rive 3130, 5123, 6424, riviere 551, 976, roche 426, sechié (flueve) 4222, sonbre, tarie (mer) 3316, 4223, tertre 303, 2315, 6779, tranchiee (roche) 427, val 427, 6779, 6998, a v. 543, 551, 567, 839, 5212, 6417, 6445, 6471, 6973, 6997, 7040, voidier (la mer) 3059.

ANIMAUX. — Aignelet 5272, aigniax 4006, alerïons 487, beste 284, 294, 322, 332, 355, 398, 1116, 2826, 3371, 4247, b. mue 6487, b. sauvage 336, 2866, 3415, 3423, biches 2856, boz, brachez 1266, 3435, bruire 117, bués 311, caille 1267, cerceles, cerf de ruit 814, cers 399, 2856, chat 300, cheval 222, 268, 484, 520, 525, 539, 544, 736, 751, 856, 909, 942, 1093, 1105, 1291, 1639, 2148, 2228, 2248, 2262, 2272, 2275, 2712, 2911, 2980, 3007, 3080, 3136, 3154, 3263, 3477, 4139, 4152, 4308, 4345, 4675, 4840, 4846, 5346, 5351, 5352, 5566, 6268, ch. d'Espaingne 2332, chevrel 399 3441, 3452, 3470, chiens 4246, cisemus, colons 2584, çuete 300, dains 399, 3199, escuriax 1115, esperon, faucons 3191, f. gruier 2318, gaignon 646, ga001gnons 648, girfaux 882, grue 882, liepARz 278, lïons 488, lÿons 3199 *(pour le compagnon d'Yvain, v. Index des personn.),* lous 301, maloz, moston 5629, oisel 400, 465, 808, oisiax 461, 463, 716, 1114, 1826, olifanz 298, ors 278, 4191, ostor müe 197, perdriz 1267, pors, rat 915, sengler 302, serpant 3345, 3355, 3373, 3380, 3401, 3405, 3355, toons, tor 285 311, 708, 794, 4222, t. salvages 278.

Compl. Lancelot. — Aigle 5779, aloe, arondres, cers 5801, c. de lande 5629, dragon 5779, esmerillon, feisanz, liepart, lievre, lÿon 3035, 3038, 3061, 3119, 3126, 5795, mule 2785, 2788, mure 2782, 6390, 6641, sengler 3608, vache 1092.

VÉGÉTATION. — Arbre 382, 402, 412-13, 419, 448, 464, bois 332, 398, 501, 508, 2470, 2826, 2856, 3072, 3224, 3758, 4096, 4789, 4835, 4836, 4838, 4843, 4852, boissoneus 699, boschage 335, 2829, 3064, branche 462, chasne 3012, 4239, çoche ,cornelier, erbe 3478, escorce, espines 181, forest 179, 186, 188, 2226, 2885, 3030, forez 763, 6529, fouchiere 4650, fuelle 384, 462, fumiers 116, fust 213, 1028, 1036, 3510, gaudine, gaut, haies 2814, lande 188, mosse 4650, onbroier 774, pin(s) 414, 460, 716, 774, 808, 2222, 3485, 4930, 6656, prael 5185, 5235, praelet, ronces 181, 769, tronc 319, 3511, vergier(s) 2814, 5345, 5355, 5395.

Compl. Lancelot. — Brandon, erbe (menue) 6987, e. novele 6988, fauchié (pré) 1835, florir 6300, geneste, genoivre, lande 729-30, 1615, 2677, 2716, 2780, 2923, 2942, 5629, 6973, 6983, 6997, mosse 5938, plantez

6990, pome 2287, praerie 424, 5608, pree 540, 1615, 1634-35, 1830, 5614, prez 543, 551, 602, 1347, 1418, 1650, 1665, 1816, 1835, 2363, 2367, racine 1094, rains 5113, sagremor, seü.

Métaux. — Archal; cuivre 214, 5511, fer 213, 386, 599, 924, 943, 2611, or 420, 1419, 1467, 1890.

Compl. Lancelot. — Acier 856, 3610, 5821, 7050, fer 2402, 2688, 3539, 5117, 7062, or 860, 6632, or d'Arrabe 6010.

C. — Arts et techniques.

ART MILITAIRE ET LUTTE. — Armes, armure, blason, chevalerie : Aceree 5618, alemele, arc 2818, arçon 2822, armé 176, 761, 2226, 3144, 4191, 5513, 5517, 6721, armer 4156, soi armer 4204, 4729, 4790-91, armes 558, 731, 2245, 3135, 3143, 3241, 4139, 4153, 4678, 5408, 5523, 5565, 5877, 6212, 6443, a. prendre 5467, armeüres 176, ator 758, atorner 759, 4155, 4158, banieres 600, bastons 1090, 1141, 4514, chapel 867, chauces de fer 599, dart 1869, 5377, desarmer 228, 3287, desarmé 3144, 5515, 6447, enarmes, escu 518, 530, 820, 826-27, 1636, 2098, 2246, 2612, 3152, 3160, 3219, 3288, 3361, 3473, 4419, 4478, 4649, 4654, 4655, 5574, 5577, 5616, 6113, 6125, 6145, 6267, e. reonz 5518, espee 824-25, 834, 1090, 1374, 1375, 3205, 3211, 3230, 3289, 3360, 3372, 3405, 3492, 3497, 3507, 3509, 3544, 4200, 4205, 4233, 4237, 4492, 5617, 6108, 6112, 6115, 6141, 6265, e. blanches 834, e. colanz, fautre 3227, 6078, fer (de lance) 4197, fuerre 3493, soi garnir 3143, guiges, hauberc 821, 843, 846, 2612, 3494, 4520, 6204, h. blanc 870, hiaume 842, 862, 2259, 5574-75, 6113, 6131, 6134, 6144, lance(s) 521, 532, 536, 818, 822, 1374, 1636, 1869. 2099, 2248, 2254, 3204, 3211, 3225, 4197, 4476, 4479, 4486, 6102, 6108, l. levee 6078, l. de fresne 6103, maces 5572, maçue 291, 306, mailles (du hauberc) 843, 870, 3494, 3496, 3498, 4520, panel 598, pel 4086, 4193, 4198, 4224, plat (de l'épée) 4207, plaz 6118, pons (de l'épée) 6119, 6133, quamois, quintainne, rebouchant, saietes 2823, s. barbelees 2819, tranchant (de l'épée) 4207, 4233, 6115, 6118, tranchanz (adj.) 2820, 5618. — Fortifications, machines de guerre : Chastelet 4870, bar-baquane, bretesche, creniax 4243, forteresce 196, 513, 3882, 5121, fossé 193, mangonel, perriere. — Combat : Adeser 4229, s'aerdre 4216, agaitier 914, s'antr'afoler 3265, afolez 1022, anbarrent, anbracier 886, anbuingnier (hiaume), anfreindre 5576, anhatine, antasser 3213, antesa, asaillir 824, 992, 2002, 3365, 4532, 5116, 5133, 5485, 6563, asaut 3182, 3443, 3770, ataindre 3253, 3270, aterrer 5634, aventure (querre) 175, 258, 362, 366, 368, bataille 683, 850, 1184, 1699, 2231, 2237, 3194, 3366, 3610, 3724, 3733, 4745, 5283, 5486, 5491, 5504, 5600, 5897, 5976, 5991, 6087, 6188, 6213, 6235, 6271, 6323, 6349, 6562, 6579, b. arramir 4393, b. requerre 689, b. rover 2239, b. veher 686, 2240, batre 4103, soi antrebatre

4909, vaincre 5469, vaincu 4420, 5283, 5682, 5684, 6239, 6285, 6298, veinqueor 1703, venir sus 3386, soi antrevenir 517, 6085, venu a armes 1699, vertu 3902, 3905, victoire 6353. — *Troupe et campements :* Anemi mortel 4904, anemis 1220, 3186, 3196, 3292, 4167, coreors 3145, guete, ost 1640, paveillon 1102, soldoier 3195, suens 3186, 3187. — *Engins de défense :* clef, engins 925, esmolue, 924, espee, porte 921, 926, 943, 945, 956, 959-60, portes 1099, porte colaut 923, 1523, 3633, suel 1105, trabu chet, tranchant 924, trespas 930.

Compl. Lancelot. — Armes, armures, blason : Acesmez 45, adober, aigle 5779, anruïlliees (chauces) 5118, armeüre 2208, armes (*blason*) 5824, a. vermoiiles 5862, a. teintes de sinople 5957, ars 7012, azur 5787, baude d'or 5774, banieres 5602, bernic, brant (d'acier) 856, chauces 5117, ch. chaucices 5117, chevaleries (feire) 5607, closfichiee, coiffe, coler, confanon 5602, corroie 2738, coverture 6031, desgarni (d'armes) 4127, deslacier (hiaume) 7086, enarmes, escu d'or 5795, ajoster l'e. au braz 5942, prandre l'e. par les enarmes 5919, fautre 843, 5234, fer *(de lance)* 516, 524, 3614, fuerre 856, guige, hache 1091, 1136, 1161, 1164, 1167, 1172, 2210, 2229, lacier (hiaume, laz *etc.*) 4288, 4299, lacié (*id.*) 318, 2018, 2670, 3505, laz 2738, 2907, 4298, nasal 7079, panne, pannon, pointe 5800, (*cf.* 5786 *et* 5791), poitevins (aciers) 5821, taingnant (escu) 7016, vantaille 2741, 2908 (*cf. Gloss.*). — *Fortifications :* baile, bretesche. — *Combat :* abatre 762, 1142, 2386, 2696, 2900, 5724, acorde 3876, anbarrer 7058, anbatre 761, 2295, 2695 *et Gloss.*, (soi) a. 1380, anchaucier 2729, ancontrer (de la hache) 1164, anpaindre 7033-34, soi antranbatre 3589, soi antr' ancontrer 5007, soi antr'anvaïr, soi antr' assaillir 5004, soi antrepaier (cos), soi antrevenir 859, 2682, 3593, 3607, arçoner, arguer 2729, arramir (bataille), asanne, ataint 3758, ateïne, aversaire 3529, boter 267, brocher 5946, 7010, chanp (estre mis an) 6967, chapler, coler 2693, conbatanz 5746, conroi 47, 3405, cors a cors, 859, defoleïz 307, departir 2437, 3898, 5015, 5706-7, 6023, 6028, descochier, desconfire 2406, 4635, desconfit 2434, 2844, 5679, enchaucier 3679, escrois, espargner 2888, 2890, 7009, soi essaier a 6218, estanceles 5002, estouter, estraindre 807, estrosser 5937, fraindre 5937, froisseïz, gaaigner (chevax) 5982, guerpir (le chaple) 5023, haster 7059, hurter 1140, 3586, 3594-95, 3715, 6622, 7079, leidir 3616, lier 4443, luitier 1648, mailler, meslee 3354, mostrer vers le cors 6173, painner 2742, passer 5990, peçoier 849, 3601 *et Gloss.*, peçoiez 265, pes 3244, 3287, 3423, 3427, 3876, 3885, 4456, 5029, p. bastir 3876, p. feire 3553, 3849, 5028, p. mestre 3507, poindre 844, 3588, 5784, 5946, 7010, pointe (feire une) 5967-68, respitier 2914, respitiers, soi reüser 3735, tançon, teches 5940, tochier 829, 2752, 3811, 3813, 3823, 3846, 6440, victoire 3534. — *Troupes :* gaite 4050, ost 2290, soldoier 6172.

LITTÉRATURE, INSTRUCTION, MUSIQUE, etc. — Acontance 2397, conte 59, 61, contes 2687, conter 6806, 6807 *et voir IV*, *Relations*, Durandart

3231, enseignier 2539, estoire 5385, estruite 2728, fable 27, 172, lai 2155, latin 1788, letres 1419, lire 1424, 5358, livre 1176, mantevoir, Mor 286, Perse 6534, retrere 2527, Rolanz 3232, romans 5360, 5361, 6805, Roncevax 3233, Turs 3232, 6535 ; alainne, soi antr'acorder 466, buisines 2350, cor 2350, 4854, 4860, 4875, corz 4862, 4867, flaütes 2354, freteles, sain 2350, soner 2354, 4862, 4867, 4876, tabor, tympre, vieles 2354, voiz 4857, 4863, 4874, 4875.

Compl. Lancelot. —- Alue, betee (mer) 3016, chastier 3818, 3875, 6327, conplainte, descovrir 6331, escole (tenir a), lengue françoise 40, letres 1860, 1877, 1899, 1977, 5252, 5341, 5359 *et Gloss.*, livre 25, matiere 26, 3184, matire 7099, mestre 5572, ovrer 7105, romans 2, romanz 7101 *et explicit*, san ; ogres 3518.

ARTS DIVERS. — Coudre 5417, essarter 2833, main nue (de sa) 1502, œvres (feire) 5189, 5224, ovrer 5190, 5236, poindre 2756, tisser 5223, 5292, traveiller 5313, uevre 5300.

Compl. Lancelot. — Portrere 1886, 7046.

IV. USAGES, DICTONS.

A. — *Usages.*

ÉLÉMENTS DU DIALOGUE. — *Invocations et serments :* Ait Dex merci de vostre ame 1288-89, a la moie foi 3612, beneoit soit 2338, 2382-83, 4902, ce doint Dex 1693, de la part Dé 4396, Dex aïe ! 5034, D. doint joie et enor 210, D. duel vos ost 5241-43, D. en soit en aïde 5977-79, D. ensi part ne m'i doint 5474, D. le vos mire 5169, D. li doint 1445, D. m'an desfande 3977, 4052, 5332-33, D. m'an gart 5019, D. me confonde 1682, 4786, D. me maint 4918, D. salt le roi 5937, D. vos conduie 5800, D. vos doint 3760, 3805, 4403, 4995, D. vos en oie 4624, 5244, D. vos gart 3760-63, cil vos gart qui toz les biens done a sa part 5339-40, D. vos saut 5046, 5927, doint D. que 5418, e non Deu 1813, foi que devez le roi 128, f. que je doi Deu et toz sainz 2532, ja D. ne place 3715, ja Dex ce sofrir ne vuelle 4132, j. D. n'et de l'ame de mon cors merci 3592-93, me doint D. et cuer et grace 5098, ne place le Saint Esperite 4462, par Dé 1912, p. Deu 71, 83, p. foi 1269, 1706, 1818, 1821, 1871, 3580, 5014, 5162, 5546, 6015, 6247, p. l'ame ton pere 5220, p. la main destre 1930, p. ma foi 5907, 6704, p. mes ialz 4179, p. mon chief 581, 5213, 6339, p. mon los 5156, p. saint Pere de Rome 333, por Deu 601, 1555, 1672, 2181, 3066, 3611, 3674, 3829, 4610, 4911, 6393, p. votre creance 3066, se Damedex m'aït 3624, se D. me saut 6750, se Deu plest 994, 3755, 6588, se D. plest et saint Esperite 4986, se Dex m'aït 6346, se D. me doint santé 3654, se D. me voie 1562, 4915, 6700, se lui plest 4623, si m'aïst Dex et li sainz 6643, si m'a. sainz Esperiz 6786, soiez vos beneoiz

clamez 5399, sor le peril de s'aıne 4431. — *Exclamations :* Ahi 1626,
2265, certes 86, 142, 630, 978, 1719, 1927, 3726, 4587, 4618, 5962, 5970,
6569, 6780, chaeles 3962, comant 1899, 1997, 2486, 6064, 6277, Dex
3564, 6018, di va 730, donc 3845, fui 1616, 1649, 1716, ha 1670, 3063,
3124, 4355, 4408, 5113, 6039, 6390, ha ! Dex 1206, 3591, ha ! las 6269,
haï 3195, hu ! hu 5125, je non 4915, las 3486, 3527, merci ! merci 2211,
mon vuel 1606, 1824, 6244, naie 6704, nenil 1606, 2007, 4945, 5996,
6070, 6099, oïl 3606, 5996, 6010, 6066, oïl certes 6008, oïl voir 2037,
4600, 6672, or ça 5397, por coi ? 5117, son vuel 719, seviax 1825, teis !
1616, teisiez 5479, tes ! 3569, va 326, volentiers 263, voire par foi 5039,
v. voir 2026, voirs Dex 1210. — *Apostrophes et répliques :* A beneür 1653,
a boen eür 3796, amie 4762, 5906, amis 1060, 5136, 5458, bele 5046,
5927, b. amie 3745, b. criature 2385, biau sire 1262, 1288, 4621, biax
conpainz 2513, b. dolz amis 2020, b. d. chiers sire 3829, b. d. conpainz
2531, b. d. sire 1299, b. d. sire chiers 3937, b. frere 5219, b. mestre 5211,
b. ostes 5479, b. sire 603, 2558, 3804, 3946, 4601, 4610, 4663, 5397,
5670, 5731, 6292, 6424, b. s. chiers 1293, 3873, 6346, b.s. rois 4799,
bien sachiez 625, b. soiez vos venuz 3803-4, b. vaingne 2336, b. veigne
2372, 2381, b. veigniez 4881, ce poise moi 5504, ce vos afi 5555, ce v.
creant 6276, chevaliers 978, 1968, 3592, chiere dame 4369, dame 92,
107, 124, 142, 1602, 1604, 1617, 1653, 1670, 1719, 1813, 1821, 1826,
1977, 1982, 1988, 2001, 2017, 2021, 2024, 2037, 2583, 2917, 4582, 4593,
4600, 4603, 4613, 4618, 4624, 4626, 5157, 5169, 6547, 6569, 6592, 6613,
6629, 6723, 6732, 6746, 6770, 6785, d. chiere 2025, dameisele 3053,
3074, 6583, di donc 5681, fame 4408, fole riens 3569, gent enuieuse 5132,
g. estoute 5132, g. sanz enor et sanz bonté 5130, je m'an tes 5162, je
t'en asseür 1689, la Deu merci 5055, soe m. 123, 5941, 6330, vostre m.
1012, 1982, 2001, 2442, 3734, ma dame chiere 1631, ma dameisele 2435,
4390, ma dolce amie 1559, 3638, 5092, 6685, ma tres chiere dame 2551,
maleüreus 5125, mes sire 113, 4129, 4188, 4195, 4200, 5264, 5333, mon
seignor 3976, 4039, 4079, 4228, nel ferai 1689, or aiez pes 744, or alez
donc a Deu 4621, or escotez 149, or ne vos chaille 6690, por verité 3398,
pucele 4882, 5014, rois 4768, 5938, sanz mantir 1989, seez vos 2015,
seignor 2115, 6315, 6366, se tu ne manz 1682, se tu viax 5155, se vos
plest 4601, s'il li plest 3785, s'il vos plest 1024, s'il v. pleüst 1631, s'il
v. siet 1617, si feroiz 1617, si ne vos griet 1618, si v. pri 608, sire 83, 263,
744, 1981, 2217, 2442, 3070, 3726, 3760, 3897, 4030, 4130, 4280, 4396,
4637, 4786, 4911, 5019, 5048, 5051, 5339, 5456, 5473, 5683, 5714, 5883,
6229, 6690, s. chevaliers 3061, s. conpainz 6470, s. rois 6390, s. vasax 497,
soit a vostre boen eür 1690, vasax 5531, voirs est 5706, volentiers 3070.
— *Malédictions :* dahait 5749, dahez ait 507, 2064, d. (.v. c.) ait 1961,
Damedex doint grant enui 3932, Dex confonde 3850, honie (soit) 615,
honiz soit de sainte Marie 2489, mal ait de Deu 4364, mal ait 4365, mal
i soiez vos venuz 5178, maleoiz 621, 6539, mal veigniez 5109, max fex
et male flame m'arde 5972-73.

Compl. Lancelot. — *Invocations et serments* : Boens jorz vos soit hui ajornez 1288, Dex vos beneïe 2794, foi que doi s. Pere l'apostre 1764, par la foi que doi s. Pere 3452, par toz les sainz qu'an prie a Rome 2480, por Deu et por son non 2445, por D. et por vostre ame 5439, sainne et haitiee vos face Dex 938-39, se D. me gart 3289, 4779, se D. vient a plesir 2108, se D. m'amant 900, se D. me doint joie et santé 2484, se je Deu voie en la face 6591, si m'aïst Dex 3227, 3848, 4203, 4876, si m'a. D. et sainte Foiz 6752, si m'a. sains Pos li apostres 6590, tant m'a. Dex 4982. — *Exclamations* : Aïe ! Aïe ! 1070, avoi ! 3947, certes voirs est 6512, las ! cheitis ! 6474, naie voir 19, nenil voir 4222, oïl voir 6822, tu ? tu ? 2589, voire *ou* voir 497, 708, 2159, 3909, 3957, 4822, 6070. — *Apostrophes et répliques* : Biax dolz amis 4000, 6898, b.d.a. chiers 6696, b. fiz 1712, 1739, 3428, b. niès 239, bien veignanz soiez vos 2442, ce poise moi 135, 1924, ce que doit ! 5685, certes bien m'i acort 1617, Deu merci 6571, gentix chevaliers 1078, merci ! 2911, merci sire 571, molt grant oiseuse avez dites ! 3852, non ferai 816, or ça trestuit a moi ! 1176, ostez ! 1370, que te sanble ? 1982, se vos daigniez 677, s'il ne v. doit peser 1248, si feras que sages 749, 5031, traiez vos la je vos desfi ! 7007, vasax ! 773, 2214, 2911, volentiers 1390, 1855, 2980. — *Malédictions* : Cent dahez ait qui 1825, mau dahez a. q. 1745, de Deu et de saint Cervestre soit maudix ! 6524-25, Dex le destine 6525, ja Dex joie ne me doint mes 1762, ja D. joïr ne t'an doint 2219, j. D. n'ait de moi merci 1112, j. D. ne me voie 6384, j. D. puis ne me doint joie 1716, que D. le confonde 3220.

EXPRESSION DE SENTIMENTS, MANIÈRES ET RELATIONS. — *Gestes et mimiques* : batre ses paumes 1417, chiere 5338, ch. (bele) 6654, ch. irice 2366, soi depaner 2808, soi deronpre 1300, soi dessirer 2808, detordre ses mains 1159, 1490, soi detordre 3505, detranchier chevols 1158, duel (demener) 1203, 3826, 4009, 5602, d. feire 984, 1150, 3503, 3543, 3838, 3841, 3855, 4353-54, d. (mener) 3855, esgratiner son piz 1491, soi e. 3815, ferir son piz 1491, grater 3505, joindre les mains 1974-75, soi prandre a la gole 1416, soi rire 2433, ronpre (chevox) 1469, r. dras 1159, sanblant 488, 2460, 5392, fere s. 2075, 3390-91, 5403, s. (lié) 6654, tordre ses poinz 1417, tranchier (chevox) 1469. — *Attitudes* : acoter, agenoilliee 4383, soi anbrunchier, ancliner 2061, a. sa chiere 3393, chief anclin 3956, chief bessié 1790, colchier 4011, c. (son) 4013, estandre ses piez joinz a 3392, a genolz 1975, gesir 2265, 4019-20, 5495, 5666, 5857, 5859, soi g. 4005, gisanz 3184, ne povoir retreire ses ialz de terre 5204-05, en piez 195, 318, sor p. 3037, 3394, reposer 4019, sovine (gole). — *Allures et mouvements* : aleüre (grant) 2708, 3927, 4829, 5688, 6663, soi anbler 723, soi aseoir 548, cheoir au pié 3971, 6720, çopa, corre 1304, soi crosler 5667, soi devulter, escorsez 3517, d'eslés, foïr 885, 890, 3261, 6457, soi an foïr 873, 958-59, 1651, 2186, 2284, 3254, 3268, 4418, 4425, soi haster 4721, isniax 4244, soi

3750, plet 99, 100, 1149, 1734, 4184, 4470, feire son pl. 4724, metre an pl. 1746, 4595, tenir pl. 5347, tenir a pl. 1803, presant 4663, 4666, 5586, preschier 5956-57, prester 2614, prisier 674, proier 269, 1305, 1971, 2111, 2117, 2139, 2293, 2327, 2482, 3986, 4579, 4617, 4634, 4726, 4763, 4782, 6172, proiere 271 1518, 2145, 3319, 4760, promesse 896, 3734, 4026, querele (desresnier la) 1784, querre 1249, 1250, 2788, 2812, 2815, 3707, 4926, 5051, 5055, 6660, 6671, queste 4813, 4826, 6606, randre 6699, r. a doble 5587, ranpone 894, 1353, 1356, 1358, ranponer, raseüre, raseürer 451, 1939, reconoissanz 3242, reconter 33, 659, refuser 1648, 1755, 3679, remenacier 1688, renomez 4614, renon 38, 2415, 5052, 5067, reprïer 4638, reproche 6230, requerre 2117, 2131, 2293, 2542, 3698, 3914, rescorre 5655, respondre 2776, ressortir 3680, reüser 3680, retenir 3102, retreire 789, 1810, 3722, rover 5675, sachier 1966, saluer 198, 2061, 2333, 2380, 3801, 4672, 4681, 4746, 4879, 5008, 5044, 5237, 5828, 6667, soi antresaluer 4961, salut 5023, salver 3632, san 636, secorre 5635, 5637, secors 3370, 5068, semondre 2078, 2326, 3434, 5179, semonse 5181, servir 1013, 1585, 2172, 2394, 3123, 3411, 3425, 4154, 4303, 5370, 5374, 5406, 5424, servise 262, 2118, 2300, 2425, 4575, 4748, 5419, 5592, 5982, 6473, 6688, s. feire 1002, siegle 2803, solacier 1547, 2449, sorprendre 2319, tancier 91, 104, 639, 644, 2328, tançon 107, 4713, 6025, 6308, 6359, tesmoing 35, 1684, 2191, torner a fable 24, tort (feire) 6410, vangence 1368, 4182 vangier 597, 748, 1366, 1370, 2184, 2796, 3223, 4181, 4546, 4905, soi vanter 718, 1854, 2183, 2188, 2208, veher 3699, 4590, volenté (feire la) 6730.

Compl. Lancelot. — *Gestes et mimiques* : aubracier 4655, anversee, apoier 1426, 3189, 5012, apoiez 3142, 3154, balancer, chiere morte (feire) 4998, cingner, estandre (bras) 4654, lacier 4656, rïant 4210, 5485, rire 1394, 1396, 5443, 6009, 6473, salu 1557, 4586, saluer 50, 274, 437, 3326, 4586, 5248, 5258, 5299, 6799, *etc.*, sanblant 1806, 4378, feire s. de 3322, 3940, f. un s. 3232, 3992, 4473, f. bel s. 1223, mostrer s. 4338, volt. — *Attitudes* : soi abeissier 1391, soi acliner, soi acoster 5534, 6561, afichier 2573, soi anbrunchier 3941, ancliner 5223, soi a. 4652, antraversee, asseoir 1024, 2949, 4327, 4464, s'a. 1028-29, estre assise 4159, se croise, couchier 493, 952, 2188, 4553, 6662, soi c. 506, 1202, 1213, 1250, 1268, 2982, c. avec 944, soi c. avoec 106, 1211, soi c. o 1074, c. (*sb.*) 467, 960, 2495, couchiee 1039, 4619, couchiez 3572, estandu 763, 1220, 3688, genolz (as) 3688, soi lever 1261, 1282, 4688, l. (*sb.*) 4689, 6675, l. del mangier 1032-33, l. matin 2983, main a main (aller) 1192, soi tenir m. a m. 4593, soi recouchier 532, seoir 49, 385, 2513, *etc.*, soploier. — *Allures et mouvements* : soi acoillier 378, 5648, 6148, aconsivre 6401, aconseüe 600, adrecier 5922, soi a. 1372, 2313, 2382, 5898-99, 5966, aler nuz piez 3525, anbleüre 2781, soi aprochier 830, 1126, 5180, soi aroter, avaler 69, 303, 2321, 3310, 3819, 5641, 5902, soi a. 838, soi avoier 5850, bestornee, bòter 6598 *et gloss.*, chacier 3382, 3738, 3755, 5741, chanceler 3718, 6638, cheoir 125, 149, 567, 1916, 2224, 2330, 2923,

etc., ch. as piez de 3932, ch. a terre 1442, 3604, a terre cheü 4295, ch·
a paumetons 883, cliner vers terre 4291, corir 740, 2557, 4429, 4439, *etc.*,
corir (s'an) 1011, depàrtir 215, 2985, 4532, 4690, 4716, soi d. 700, 5858,
soi destorner 6289, soi drecier 528, 2515, 3320, 3939, 5900, errer 5505,
eschaper 1936, 4454, 6723, eschapez 818, soi esleissier 746, 1956, soⁱ
esloingner 1217, essort, ganchir 823, 828, 879, 3735 *et gloss.*, guerpir 531,
haster 878, 2042, soi h. 3318, 4437, 6400, issir 258, 2509, 2510, 3109,
5801, 6365, 6611, 6931, 6945-46, *etc.*, i. fors de 6101, soi i. 3900-1, 6625,
6927, lante (estre) de 5894-95, lever 538, soi l. 150, 2180, 2191, soi metre
a la fuie 5665, movoir 5164, 5240, soi m. 3676, 3811, 3813, 4790, muser
6532, pas (s'an àler le) 2660, pas plus emples 1151, a pié 1842, randoner
7022, soi relever 152, soi remuer 34, 2650, 6629, soi repairier 5868,
sachier 807, 1168, 2906 *et gloss.*, sachiez 6628, saillir 1647, 2059, 2229,
2535, 3614, 5566, s. sus 363, 6764, s. avant 3664, s'an s. 5561, soi tapir
5738, tirer a soi 6175, tor (feire son) 3709, tordre, torner autre san 1381,
soi torner 3670, 3676, 3701, 4747, *etc.*, s'an t. 3924, 4633, 4698, trebu-
chier 567, 5108, 5978, soi traire arriers 7011, soi trestorner 3667, 3671,
tunber, venir 163 *etc.*, an venir 160, vienent et vont 5673. — *Manières* :
Adroit 6919, afeitié 937, 1452, 2046, 4414, aïr (de grant) 7003, amïa-
blement 6679, anseigner 367, 678, anseignié (bien) 6770, 6783, apris
(bien) 592, 6359, avenanmant 6406, avenant 3822, an bas (dire) 208,
4171, a voiz basse 6467, belemant 3961, 5193, boenemant 4500, 6706,
celeemant 4902, 6645, chiere (tenir sa parole), cointe 5637, 5650, 5968,
cointise, coiz 4577, a consoil 4471, 5438 *et gloss.*, contenance (par) 1655,
2574, soi deporter 5192, dolcemant 1850, sanz grondre 6760, crier an
haut 1070, a leisir 2872, 4505, tot a l. 502, matemant, mesure (par) 1599,
murmure (sanz) 6389, noise 4620, 4623, sanz n. 698, faire n. 4629, sanz n.
f. 6389, orguilleusemant 2624, teire *ou* teisir 3274, 4680, 4684, tenir
(soi fere) 5705, 6305, veant ses ialz 1591, v. tes i. 1077. — *Relations et
contacts* : acordance 590, acorder ansamble 6276-77, s'a. a 3196, s'a.
que 5096-98, soi afeitier, afiz, afoler 6948, agueitier 4263, aloer 6322,
aloser 3433, 5321, amantevoir 6270, 6379, amonester 2919, ancontrer
342, 431, 1693, 1849, 2284, 4720, 5314 *etc.*, angingnier 1750, 2893,
5150, estre angigniez 6716, anqueste 5222, anreidie, arriere anvoier 1184,
apel 2351, apeler par non 6456, s'aponde, asanbler 2620, 5575, 5597,
soi a. 4520, 6812, assanblez 5828, audïence (dire en) 225, aumosne 2813,
aüné 3523, avillier 5987, soi a. 5750, barguignier, blandir, blasme metre
7104, bl. retraire 1316, blasmes (venir a) 3443, bontez 6895, b. feire 832,
buen (avoir son) de 4766, chalonge, chalongier, change 391, chanjer
392, comandemant 22, 169, 1327, 4076, 4392, 5263, feire le c. de 1103,
3841, comander a 1230, conduire 1311, 1319, 1581, conduiz 1532, 1632,
3376, 4568, malves c. 1582, confondre 3967, conjoïr 6831, 6855, conju-
rer 1400, consauz 3476, soi contenir vers 5457, covenance 6748, cove-
nanz 6274, tenir un covenant 6744, creante (venir a) 3896, creanter 822,
3895, soi degengler, demener 4058-59, 6958, desconvenue 4887, desenor

4341, 5671, desnoer la verité, despire 5987, despis, despites 5865, desresnier 1189, desserte, dessevier, destorber 3861, destraindre 4274, 4604, deviseor 4062, don 172, 2799, 3772, 5387, 6574, 6579, 6879, 6899, dongier (feire), enconbrer 5948, enorables 3278, enquerre 2079, *etc*..., enui (feire) 3845, esgart 4201, 6274, espie 4527, 4529, esprover 6504, essaier 4374, 5041, estrangier 3214, fainte (parole) 4787, festoier 6812, force 1209-10, a f. 2115, par f. 642, feire grant f. 3844, fortreire 5151, 5351, gaber 587, 4453, 5926, 6009, 6478, 6716, gabois 98, 5675, gaite 4050, gaitiez 6809, ganche, gas 5680, a gas, geu (partir le) 695, gré (savoir) 3959, g. (par le boen) 7106, mau gré suen 1607, 1789, 3477, 4275, *etc*., haitier 2485, honir 4007 *et gloss*., estre honiz 1105, huchier 6565, huier 405 *et gloss*., hui 407, jengler 3607, justise 4805, leidoier 6349, leit et honte (fere) 6725, losangier 15 *et gloss*., mantir 6954, menace 799, 890, merir 3786, meschief, mescreance 4947 *et gloss*., mescroire 4841, 4873, 4973, 4956, mespriser 6316, mesprison, en feire m. 6092, mostrer (dolçor) 4021, noier 3958, 6171, obeïsanz 3798, offrir 3300, oltrage 6513, ostesse 1153, parjurer, parlemant (prandre un) 5361, paroles (eschangier) 3988, partir *(choix)* 685, pitiez (prandre) 7092, plevir 826-27, 834, pois, soi poroffrir, presanter 945, 3300, presse 6029, grant pr. 3913, a prest ou a don 286, pris (monter an) 6325, prisier 5556, 5676, 5684, 6326, prometre 614, 3261, 5292, 5295, 6434, quites (estre) 4498, qu. clamer 964, rangignier, ranponer 588, 1596, rasanbler 4704, raseürer 6088, rendre reison 441, renon (estre de boen) 1308, reproche 369, 2615, 4355, 4358, 4381, reprochier 1125, 2764, requeste 5221, risees 5675, rote *gloss*. *et* 4913, 5302, 5575, 6978, rover 5046, 6572, 6703, 6761, soi r. 6765, sofrir que 5393, solaz 1253, 4671, soner un mot 4475, suivre 5051, 5076, 5081, *etc*., tenir a 138, 389, 1254, 6508, tor (feire un) 6924, tort 574, 4864, 4893, 5986, 6511, traïr 4854, 5340, traï 5188, 5209 *etc*., traîtres 6715, 6375, travailler 4893, vandre chier 7066, vil (avoir) 778, vilenie 409, 4590, veire v. 3151, vileinemant 1080, vilmant 1125, 2735, 2764, 6349.

SPORTS, JEUX ET FÊTES. — *Chasse :* agueitier 2826, aler an proie 3417, beste [de proie] 4247, chacier 814, 3417, 4246, crue (venison) 2828, cuiriee, boquerel (prise au), ocirre 2827, querre 2856, trace (soi metre en la) 3420, tracier, venison 2828, 2871, 2876, 2882, 3433. — *Tournoi :* banc (crier le) 2205, tornoiemant 2672, 2684, les t. ongier et anpanre 2506, tornoier 2503, 2672, 2673. — *Jeux .* corjon (ploier), deduire 4260, deduit 2470, deporter 1547, deporz 3868, esbatre 2475, feste 5, 47, f. tenir 2682, a geus 6154, sailleor, saillent, soi travailler de joie 2358 ; *voir aussi* III, C : MUSIQUE.

Compl. Lancelot. — Ahatine, anhatine, anfances, baules, berser, chaceor 2021, 5060, 5062, chanter 1647, dancer 1828, dances 1646, soi aeduire 1035, destrosser 2547, dez 1641, eschas 1640, faille, jeus 1637, 1643. 1657, 1702, 1828, 2706, 6753, joër 1637, 1639, 1643, 1669, 1670, 1672, 1826, 1827, 2704, 5443, joste 2678, 5936, 5941, josteor 5603, joster 815, 1562, 1795, 2385, 5603, 5603, 5784, mine, quaroles, queroler, rejooer 1642, san, tables 1640, tornoi 5367, 5475, tornoiemant 1563, 6040, tornoier 6068.

B. — *Proverbes, expressions.*

PROVERBES. — Assez songe qui ne se muet 2509, au besoing doit an son ami espróver 6590-91 (*cf*. Morawski 170, 171), chaz saous s'anvoise 594 (*cf*. Morawski, INTRODUCTION, XVI), fos est qui se prise ne vante 2208, misericorde doit an de pecheor avoir 6770-71, n'est mie prodon qui trop dote 998, plus a paroles an plain pot de vin qu'an un mui de cervoise 592-93, tel hore cuide an desirrer son bien qu'an desirre son mal 3116-17 (*cf*. Morawski 2328), tex done boen consoil autrui qui ne savroit conseillier lui 2535-36.

Compl. Lancelot. — A poinne puet an mes un ami trover 6502-3, biens qu'an anseigne et descuevre ne valt rien s'an nel met a oevre 6331-2, cil ne se fet fors debatre qui de fol vialt folie abatre 6329-30, de legier puet an esprover au besoing qui est boens amis 6505-6, n'estuet pas prodome loer son cuer por son fet aloer 6321-22, quan qu'an dit a fol petit vaut 6328, trop a tart ferme an l'estable quant li chevax an est menez 6956-57, voirs est que privez mal achate 1748 (Morawski 1721).

EXPRESSIONS. — Confesse (panre male) 1342, coe a coe noez 4098, corjon ploier, leissier la teste an gages 1332, plet tenir a la mort 4698, por l'uel 2187, tot mesle mesle 443, vaillant un festu 4090.

Compl. Lancelot. — An n'i poïst son pié torner 3500, avoir cuer de lievre 1100, des le tans que Noex fist l'arche 4052, soi estrengler de mal dire 5758, vaillant un pois 3388, fole boche (avoir) 2763, home de mere né 6336, jurer assez plus que son chief 4144, mialz morir voloir a enor que a honte vivre 1114-15, ne dire mot ne c'uns convert cui li parlers est desfanduz 1218-19, or est venuz qui l'aunera 5563-64, 5571, 5963.

TABLE

———